Psychopathie

Théorie et Recherche

Thierry Hoang Pham & Gilles Côté
(eds)

Psychopathie

Théorie et Recherche

Presses universitaires du Septentrion

Catalogage Electre-Bibliographie

Psychopathie : théorie et recherche/éd. Thierry H. Pham, Gilles Côté. – Villeneuve-d'Ascq (Nord) : Presses universitaires du Septentrion, 2000. – (Psychologie)

ISBN 2-85939-612-8

Rameau : psychopathologie : recherche
Dewey : 616.65 : Maladies. Psychiatrie. Troubles psychiatriques
Public concerné : 1er cycle-recherche. Professionnel, spécialiste

ISBN 2-85939-612-8

Livre imprimé en France

Liste des auteurs

GILLES CÔTÉ, PH.D.
Professeur. Département de Psychologie, Université du Québec à Trois Rivières. Directeur du Centre de Recherche de l'Institut Philippe Pinel de Montréal.

PAUL HALLÉ, MA.
Chercheur. Département de Psychologie, Université de Montréal.

SHEILAGH HODGINS, PH.D.
Professeur. Département de Psychologie, Université de Montréal. Karolinska Institute à Stockholm.

THIERRY. H. PHAM, PH.D.
Chargé de Cours Invité. Ecole de Criminologie, Université Catholique de Louvain. Chercheur Associé auprès de l'Institut Philippe Pinel de Montréal. Directeur de Recherche à l'Hôpital Psychiatrique « Les Marronniers » à Tournai, Belgique.

SYLVAIN ROUSSY, PH.D.
Chercheur. Département de Psychologie. Université de Montréal.

JEAN TOUPIN, PH.D.
Professeur. Département des Sciences de l'Education. Université de Sherbrooke.

Préface

CLAUDE BALIER

La psychopathie ne cesse de poser problème malgré les nombreuses publications qui lui ont été consacrées depuis fort longtemps. Bruyante dans ses comportements, pauvre dans son expression mentale, résistante à la thérapeutique aussi bien qu'à la contention. Est-elle la conséquence d'un déficit lié à un quelconque substrat biologique d'origine constitutionnelle, ou bien une maladie survenant à la suite de traumatismes précoces encore obscurs, ou peut-être un simple enchaînement de malencontreuses réactions sociales et personnelles, ce qui la sortirait du domaine pathologique ? La place du psychopathe est-elle à l'hôpital, en prison ou en quelque autre lieu spécialisé ? La psychopathie estelle plutôt une affection caractérisée ou un syndrome à replacer dans un champ plus vaste à thématique narcissique ou border-line ?

Les auteurs de ce livre ont choisi avec pertinence la voie étroite d'une définition restrictive basée sur 20 items regroupés en deux facteurs : les traits de personnalité et les traits comportementaux, constituant « une échelle psychopathique » dite de HARE, du nom de son promoteur. La méthode est inspirée directement de la démarche empirique. L'appréciation des traits de personnalité est cohérente et ne peut qu'entraîner l'adhésion des psychiatres praticiens. En effet « le charme superficiel », « la surestimation de soi », « la tendance au mensonge et à la manipulation », « l'absence d'empathie », « l'absence de culpabilité », « les affects superficiels », « l'impulsivité », etc., correspondent bien aux descriptions cliniques que l'on connaît, ce que FLAVIGNY en France a synthétisé de manière heureuse en parlant de « l'empreinte en creux » caractérisant la personnalité du psychopathe. Que du négatif en somme et c'est bien ce qui a gêné le clinicien français, soucieux de ne pas condamner par un diagnostic aussi lourd de conséquences un patient souvent adolescent d'ailleurs, puisque les premières manifestations bruyantes se font à cet âge ou un peu avant.

Les auteurs de ce livre sont avant tout des pragmatiques, influencés par la culture anglo-saxonne puisque le cognitivisme vient de là. On appelle donc « un chat, un chat ». Néanmoins ils réalisent que la seule référence à l'échelle de HARE (chap. 5) serait réductrice et n'offrirait pas la possibilité de saisir les variations d'un individu à l'autre et d'établir des liens avec d'autres pathologies.

Ils ont demandé à un psychanalyste de rédiger la préface. Ceci témoigne de leur esprit d'ouverture comme on le verra en lisant les questionnements soulignant les points demeurés obscurs, finalement bien plus nombreux que les acquis.

Que vient donc faire un psychanalyste dans cette galère ? Certainement pas opposer une méthode d'investigation à une autre, encore moins confronter deux conceptions différentes de l'homme et son fonctionnement psychique, ce qui nous conduirait à une discussion générale stérile. Mon but est de répondre, avec mon expérience de la même pathologie aux mêmes questionnements à partir des données expérimentales fiables dont les résultats sont analysés et critiqués dans un esprit objectif.

Avant d'entrer dans la discussion, il me semble utile de lever un malentendu concernant la psychanalyse. Il est en effet courant Outre-Atlantique de voir des écrits qui, au nom d'une science objective, répudient une fois pour toute la psychanalyse en tant qu'elle implique, je résume, un inconscient organisé par le refoulement des motions et représentations intolérables à la conscience. Rien de vérifiable donc par des méthodes objectivables concluent les auteurs de ce courant. Certes, sans l'inconscient il n'y a plus de psychanalyse. Mais le refoulement fait référence à la névrose, qui est toute différente de la psychopathie où il n'y a pas de conflit, pas de refoulement mais des processus qui renvoient à une période de développement bien antérieure à la mise en place d'un tel système défensif. Ce ne sont pas les contenus de pensée que nous retiendrons puisqu'ils sont si pauvres. Aucun psychanalyste n'aurait l'idée d'allonger sur le divan un psychopathe à l'écoute de sa parole car il pourrait attendre longtemps. Notre intérêt se portera en fait sur les conditions qui rendent possible l'émergence de la pensée, des affects, de la représentation de soi entraînant une identification à l'autre, et de l'empathie. A partir de cette mobilisation interne une certaine action thérapeutique peut se développer. J'en indiquerai quelques jalons.

La plupart des traits de personnalité du psychopathe s'expriment en termes de déficits, c'est pourquoi il est tentant de les attribuer à une atteinte neurologique qui reste à préciser. C'est ce que font certains chercheurs en comparant ces sujets avec des patients atteints de lésions frontales (chap. 5). Ce courant biologisant de causalité simple demeure en filigrane dans de nombreuses recherches qui jalonnent l'histoire de la psychopathie, à commencer par la théorie constitutionnaliste.

Cependant les auteurs du chapitre, après avoir fait une étude approfondie de ces recherches envisagent bien d'autres hypothèses. Il font remarquer l'existence de dysfonctions émotionnelles entrant dans l'échelle de HARE, et l'impossibilité de dire actuellement si celles-ci sont indépendantes ou non des dysfonctions cognitives.

L'une des études a retenu particulièrement mon attention. Il s'agit (chapitre 5) de l'analyse de la peur apparemment réduite chez les psychopathes, ce qui a pour effet d'empêcher l'apprentissage de la sanction, incarcération ou blessure physique, à la suite de comportements anti-sociaux. Lors d'un protocole expérimental, on a constaté que ces sujets ont une réaction inhibée lors de l'avertissement qu'une sensation désagréable va leur être infligée, alors qu'ils présentent un accroissement de la fréquence cardiaque non constatée dans le groupe témoin. D'après HARE (1978) cette réaction témoignerait d'un « mécanisme d'adaptation actif » (et non plus d'un simple déficit).

Un tel mécanisme fait penser au déni, symptôme bien connu de telles pathologies, et cela d'autant plus que les auteurs nous invitent à plusieurs reprises à ne pas réduire la psychopathie à un problème déficitaire mais plutôt à l'envisager comme une organisation fonctionnelle.

Le déni est trop souvent confondu avec d'autres réactions habituelles du psychopathe comme la dénégation ou la simulation. Je vais prendre l'exemple d'un patient que j'ai eu à traiter en prison. Cela va nous permettre de mieux comprendre ce qu'on entend par organisation fonctionnelle, pouvant relever à la fois de données psychologiques et de désordres au niveau neurologique.

Il s'agit d'un homme jeune, en fin d'adolescence, incarcéré pour viol, l'un des nombreux délits de divers ordres qui lui ont déjà valu plusieurs incarcérations. Le viol a été commis dans les conditions typiques décrites dans ce livre, sans sadisme, à des fins de domination plutôt que dicté par un désir sexuel. En reprenant le dossier, je constate qu'il obtiendrait un score significativement élevé à l'échelle de Hare et que tous les traits de personnalité sont bien présents. Le déni : « je sais qu'il y a eu viol avec pénétration puisque les examens de laboratoire ont été faits et sont formels, et pourtant je n'ai pas pénétré la femme. D'ailleurs, ajoute-t-il, cela fait partie de mes difficultés sexuelles habituelles ». C'est un bon exemple de ce que les psychanalystes appellent le « clivage du Moi » : une partie du Moi reconnaît la réalité, l'autre ne peut pas la voir.

En revenant à l'expérimentation rapportée plus haut concernant le problème du déni de la peur, contredit par l'augmentation du rythme cardiaque, il semble que le sujet tenterait ainsi d'effacer la menace du retour d'une peur beaucoup plus grande, catastrophique pour lui et demeurée inscrite à l'état de « trace » (le terme est de Freud et je pense qu'on peut l'utiliser dans le cas présent) dans les structures neuronales mais sans représentation.

La menace concernerait l'envahissement par la présence massive de la mère à une époque où le nourrisson n'a pu acquérir suffisamment d'autonomie pour se « défusionner » en jouant tout seul par exemple. Pour les psychanalystes le comportement de la mère est en cause. Dans les études sur la psychopathie il est généralement fait mention de manque de soins. Mais l'excès de soins prodigués par une mère qui ne peut pas se détacher de son enfant est tout aussi dommageable. Quant à la « trace », si elle est réactivée, elle apparaîtra comme une hallucination à valeur affective terrifiante, puisqu'il s'agit alors pour le sujet de sa propre disparition au sein de la fusion avec l'autre. Le substratum est évidemment neuronal, et l'on sait depuis longtemps faire naître des hallucinations à partir de l'excitation de certaines zones du cerveau.

Faisons un retour à l'exemple clinique que j'ai rapporté à propos du déni. Lors de cet entretien j'ai adopté une attitude qui n'était pas détachée comme elle peut l'être lors de la passation de tests ; il existait de ma part une certaine empathie dans mon désir de comprendre sans idées a priori. A la suite de cette rencontre le patient fit un cauchemar la nuit suivante mettant en scène le viol tel qu'il s'était passé. Il n'y avait donc aucun travail de rêve comme disent les psychanalystes, aucune construction, mais simplement la répétition d'une réalité, au niveau d'une autre zone psychique (effet de clivage) que celle concernée par les perceptions. Au cours de l'acte sexuel, au moment de la pénétration, il se réveilla en hurlant avec l'impression que « sa tête allait éclater ». Ce fut si épouvantable qu'il monta tout un système pour éviter de se rendormir et passa la nuit à attendre le jour.

Ce rêve « cru » pourrait bien montrer le danger encouru par les psychopathes lorsqu'ils abandonnent leurs défenses habituelles et se permettent de laisser passer l'affect. Le risque est d'ordre psychotique, révélé ici par un phénomène de nature hallucinatoire. La logique du passage à l'acte, le viol, semble avoir été de tenter d'annuler le réveil de la trace d'une menace d'envahissement par une image maternelle. L'ensemble des traits de personnalité de ce patient, fanfaronnades, fuite des relations affectives, absence d'empathie, manipulations, impulsivité, défis devant le danger, concourent au même but et peuvent être compris comme relevant d'un « mécanisme d'adaptation actif » selon la formule de HARE.

Notons au passage que les organisations défensives dont s'occupe ici le psychanalyste se situent bien en deçà de l'établissement possible d'un refoulement supposant l'existence de représentations élaborées. Or notre patient n'y a pas accès.

Tout se passe comme s'il n'y avait pas d'espace intermédiaire entre hallucination et perception. Aussi, lorsque la rencontre entre les deux a lieu à cause d'un élément de la réalité externe venant exciter directement une zone neuronale où se trouve engrammée sous forme de trace une expérience précoce ayant provoqué une vive angoisse, elle déclenche une sensation d'explosion, au sens réel du terme. Il n'y a pas d'image pour la représenter, au sens où le langage courant dirait : « J'ai tellement d'idées dans la tête qu'elle est prête à exploser », au sens figuratif évidemment. Le patient ressent une douleur insupportable, terrifiante, traduisant une charge d'excitation considérable.

On comprend alors la nécessité de mise en place de défenses pour enrayer le processus : décharges multiples dans des passages à l'acte, appétence pour la réalité immédiate qu'on retrouve explicitée à travers de nombreuses études expérimentales (voir chap.5), effacement des affects, absence de plan à long terme et coordonné dans les actions. T.H. PHAM (chap. 6) emploie avec pertinence les termes de « pensée opératoire » et « d'alexithymie », qui désignent le mode de fonctionnement des malades psychosomatiques.

Des rapprochements sont à faire effectivement entre les deux types d'organisation, le psychopathe déchargeant à l'extérieur sa destructivité, le psychosomatique le faisant au sein du corps. Dans les deux cas l'accrochage à la réalité immédiate et l'évitement des affects sont destinés à échapper à une catastrophe. J. KINABLE (1999) a repris récemment ce thème. En parlant de l'évacuation du psychique dans les deux cas il écrit : « Et le travail thérapeutique, lui, s'efforcera de convertir en psychique ce qui tend à se liquider sous les espèces du somatique d'un côté, du recours aux actes de l'autre ». Et il cite, en note, mon livre (1988) sur les comportements violents et celui de J. MAC DOUGALL (1989) sur les maladies psychosomatiques, comme étant significatifs de cette démarche.

C'est l'occasion d'aborder le problème du traitement de la psychopathie, réputé à juste titre comme étant de grande difficulté. Il convient d'être à la fois réaliste quant aux résultats, vigilant, mais aussi d'adopter un esprit de recherche assez ouvert pour ne pas entraîner un échec annoncé à l'avance.

On ne peut que souscrire à tous les principes énoncés par LÖSEL. Ils'agit du cadre nécessaire pour effectuer un authentique travail thérapeutique. En France le statut des Services Médico-Psychologiques Régionaux (S.M.P.R.), à l'intérieur des prisons mais placés clairement sous direction médicale tout en respectant les règles de l'incarcération, répond de façon satisfaisante à ces principes. J'ai moi-même insisté sur la clarté des règles qui doivent présider au fonctionnement des SMPR, sur l'importance de l'accord du patient pour les respecter, sur les interventions multi-modales, etc. L'une des premières fonctions de ce cadre est de jouer un rôle d'apaisement des excitations. Ceci est capital étant donné l'appétence qu'en ont les psychopathes.

A l'intérieur du cadre il y a place pour toutes les formes d'intervention répondant aux indications prescrites selon la personnalité du patient : traitements médicamenteux, psychothérapie, rééducation, interventions cognitivo-comportementalistes, techniques de groupe, discussions en réunions de service, etc.

Je ne reviendrai pas sur la nécessité pour un psychanalyste placé dans une telle situation d'adopter un rôle actif. C'est une évidence.

Je veux simplement préciser les conséquences du mode de relation de personne à personne, à propos du lien thérapeutique positif, abordé par LÖSEL.

Une attitude de pure observation, parfaitement indifférente, ne peut qu'entraîner les catastrophes annoncées à l'avance.

Une attitude de compréhension sans naïveté, accompagnée d'une réflexion sur tout ce que l'on sait des traits de personnalité du psychopathe joue un rôle déjà efficace d'étayage du Moi.

L'exemple clinique que j'ai rapporté témoigne d'une mobilisation de vécus émotionnels rejetés par le processus du clivage, et nécessite de la part du thérapeute une perception des effondrements entraînés par les traumatismes anciens. Une participation affective, exigeant la maîtrise du contre-transfert, permet alors au patient de revivre ces états, cette fois sans effondrement, puisqu'il se sent conforté dans son narcissisme de base par le partage affectif, de nature empathique, de ces expériences avec le thérapeute. Il ne s'agit surtout pas de développer une recherche de toute-puissance narcissique, mais de toucher le processus de base à l'origine du sentiment d'être.

La psychopathie, initialement définie par ses aspects négatifs dans la problématique psychiatrique, parfois même refusée comme statut pathologique, s'avère pleine de richesse à travers les questions qu'elle pose. Elle est le sujet de nombreuses études pas toujours exploitables. Il fallait d'abord un moyen sûr de l'identifier avant de pouvoir effectuer des comparaisons fructueuses. Il était nécessaire de conserver un esprit critique, de repousser les a priori et d'exploiter toutes les pistes de réflexion et de garder une attitude scientifique. Les auteurs de ce livre ont répondu de façon heureuse à cet objectif. Dans le dernier chapitre et la conclusion, G. CÔTE et T.H. PHAM ouvrent de nombreuses voies. Je les suis parfaitement pour arriver à la question fondamentale toujours latente dans nos démarches thérapeutiques : l'Homme, quel est-il ?

Proveyzieux, *automne 1999.*

Références

BALIER, C. (1988) : *Psychanalyse des comportements violents.* Paris. PUF.

FLAVIGNY, H. (1977) : *De la notion de psychopathie.* Revue de neuro-psychiatrie infantile, N° 1, 1977, p. 19-75.

HARE, R.D. (1978) : *Electrodermal and cardiovascular correlates of psychopathy*, in R.D. HARE and D. SCHALLING (Eds), Psychopathie Behavior : Approches to Research (p. 107-142), Chicester, UK : Wiley.

KINABLE, J. (1999) : Qu'est-ce que la psychopathie ? *L'information psychiatrique, 6*, p. 617-624.

MAC DOUGALL, J. (1989) : *Théâtres du corps.* Paris. Gallimard.

Introduction

Thierry Hoang Pham & Gilles Côté

L'idée de proposer un ouvrage qui s'intéresse aux données récentes issues de recherche sur la psychopathie a germé au départ des discussions entre George Schadron, Directeur de l'Enseignement au Département de Psychologie de l'Université Catholique de Lille et Thierry H. Pham, Chargé de Cours.

Le texte qui est présenté constitue le fruit d'une collaboration scientifique qui est effective depuis plusieurs années entre les deux coéditeurs, d'une part, et entre les différents auteurs qui ont travaillé sur ce volume, d'autre part. Dans le début des années 90, Thierry H. Pham et Gilles Côté ont établi des contacts concernant les qualités psychométriques de la PCL-R auprès d'une population québécoise en comparaison de ce qui était observé auprès de sujets belges francophones incarcérés. Par ailleurs, Gilles Côté et ses collègues québécois, Jean Toupin et Sheilagh Hodgins, collaborent depuis plus de 10 ans sur des projets de recherches qui sondent les rapports existants entre les troubles mentaux, les troubles de la personnalité et les conduites criminelles.

Cet ouvrage synthétique sur les approches théoriques et les recherches empiriques de la psychopathie, a vu le jour au delà des divergences. En effet, les auteurs ne partagent pas nécessairement les mêmes points de vues aux niveaux des théories, des axes de la recherche et du type d'orientation thérapeutique à préconiser. Ces divergences peuvent concerner les niveaux étiologique, développemental, neuropsychologique, psychophysiologique, ou émotionnel et enrichissent ainsi le débat. L'ouvrage tente de valoriser cette diversité afin d'offrir au lecteur une synthèse complète des données relatives à ce sous-groupe clinique qui se distingue tout particulièrement des troubles mentaux en général et des autres troubles de la personnalité en particulier. Cette diversité a pu être valorisée, dans la mesure où l'ensemble des auteurs partagent un intérêt pour la recherche empirique quantitative. Or, cet axe de recherche n'était jusqu'ici, significativement représenté parmi les auteurs francophones qui ont publié dans le domaine de la psychopathie depuis de longues années. Le défi consistait à démontrer que la recherche empirique ouvre des voies prometteuses dans le domaine de la psychopathie.

Le choix de l'instrument de mesure est le fruit d'une démarche pragmatique. D'une part, la description opérationnelle des items ainsi que la structure factorielle de la PCL-R de Hare sont plutôt athéoriques et facilitent le consensus parmi les cliniciens d'orientations différentes. D'autre part, ils renvoient à un trouble de personnalité qui manifeste des comportements chroniques. Enfin, des processus de validation ont été réalisés au Québec à travers les études de Côté et Hodgins (1991). Les items de la PCL-R trouvent aujourd'hui une large résonance tant dans les pays nord-américains qu'européens comme la Suède, la Belgique, l'Espagne, le Portugal, le Royaume-Uni, l'Allemagne, la Norvège, la Finlande.

Les thèmes abordés dans cet ouvrage se succèdent à travers sept chapitres. Dans le premier chapitre, Gilles Côté retrace le développement de la notion de psychopathie à travers cinq époques historiques qui s'échelonnent de l'antiquité au XXe siècle, dernière période qui a reconnu les troubles de la personnalité dans la nosographie psychiatrique. L'auteur souligne les efforts de définition d'un trouble associé au fonctionnement antisocial depuis la « manie sans délire » de Pinel (1801) jusqu'aux items de la psychopathie de Hare. L'auteur retrace le développement de la sémiologie et de la nosologie concernant la psychopathie et souligne les divergences philosophiques spécifiques aux différentes cultures qui ont été amenées à définir ce trouble. Ce chapitre rappelle combien l'histoire de la psychopathie s'inscrit dans une conception de l'homme, laquelle est à son tour, tributaire d'une époque et d'une culture.

Dans le second chapitre, Gilles Côté et ses collaborateurs décrivent l'opérationnalisation de l'échelle de Hare. Ils définissent ses items, sa structure factorielle ainsi que son mode de cotation. Ils examinent tour à tour le problème de la prévalence de la psychopathie selon les sexes. Ils envisagent aussi cette prévalence chez les délinquants sexuels, les sujets toxicomanes ainsi que ceux présentant des troubles mentaux graves. Les auteurs montrent que la psychopathie ne présente pas de réel recoupement avec les troubles mentaux graves ainsi que les troubles anxieux. Ce chapitre décrit également les divergences interculturelles concernant la prévalence de la psychopathie. Il y est souligné l'importance de distinguer, d'une part, la psychopathie en tant qu'entité clinique et, d'autre part, l'instrument qui opérationnalise sa définition. Enfin, le chapitre insiste sur la nécessité de disposer d'études représentatives telles que l'on en trouve dans la littérature épidémiologique.

Dans le cadre du troisième chapitre, Gilles Côté et ses collaborateurs précisent les relations entre la psychopathie et les comportements violents chez les sujets délinquants. Les auteurs examinent aussi le problème de la stabilité des comportements violents chez les psychopathes et y abordent le problème de l'hétérogénéité des comportements violents. Ces relations sont tout d'abord examinées en milieu institutionnel fermé. Elles sont envisagées chez des sujets présentant des troubles mentaux graves, chez les délinquants sexuels, les auteurs d'homicides et les adolescents. Dans ce chapitre, une distinction fondamentale est établie entre la violence instrumentale et la violence réactionnelle.

Le quatrième chapitre aborde les aspects développementaux de la psychopathie. Jean Toupin et ses collaborateurs y examinent l'évaluation des caractéristiques de la psychopathie au cours de l'enfance et de l'adolescence. Ils tentent de cerner les facteurs personnels et familiaux qui seraient associés au développement de la psychopathie. Le chapitre recense les études longitudinales relatives aux conduites antisociales au cours de l'enfance, de l'adolescence et à l'âge adulte. Cette recension débute par les études de Saint Louis réalisées par Robins (1966) et s'achève trente années plus tard par l'étude de Pakiz, Reinhez et Giaconia (1997) relative aux facteurs liés au risque de comportements antisociaux sévères observés en communauté. Les auteurs soulignent le manque de recherches concernant les facteurs personnels et familiaux associés à la psychopathie et ce, malgré que la mesure de la psychopathie à l'adolescence soit prometteuse sur le plan de la validité. Enfin, un certain nombre de considérations méthodologiques sont dégagées lorsque l'importance d'entreprendre des analyses de données centrées sur les individus est soulignée en lieu de celles centrées sur les tendances centrales rapportées à l'intérieur des groupes.

Le cinquième chapitre examine sous un angle critique la littérature expérimentale auprès de détenus adultes. Paul Hallé et ses collaborateurs examinent les domaines des (1) apprentissages par évitement passif ; (2) les aspects cognitifs relatifs à l'attention sélective et au traitement des informations contextuelles ; (3) les émotions et les systèmes motivationnels ; (4) les fondements neurobiologiques de la psychopathie ainsi que ; (5) les recherches relatives aux troubles frontaux. Les résultats présentés dans la littérature envisagent la psychopathie comme un syndrome rare qui serait caractérisé par une combinaison de plusieurs déficits subtils. Par ailleurs, l'ensemble du tableau clinique ne peut s'expliquer par une seule et même dysfonction. La chapitre tente ainsi de dégager les spécificités de la psychopathie aux niveaux biologique, émotionnel, linguistique et attentionnel. Toutefois, les liens entre ces spécificités semblent faire défaut et nécessitent de plus amples recherches. Le chapitre contribue ainsi à affiner et à nuancer le tableau de la psychopathie traditionnellement décrit dans la littérature clinique (Cleckley, 1976 ; McCord & McCord, 1964).

Le sixième chapitre aborde le volet des prises en charge thérapeutiques proposées pour contrer la psychopathie. Thierry H. Pham y montre que les recherches sur le traitement et la prévention de la psychopathie n'en sont qu'à leurs premiers balbutiements. Il souligne le très faible nombre d'études contrôlées et insiste sur la nécessité de définir des programmes thérapeutiques qui intègrent les spécificités de la psychopathie. Cette intégration devient plus évidente encore à la lueur des effets paradoxaux liés à des programmes communautaires non structurés tels que ceux antérieurement proposés à Penetanguishene au Canada. Le chapitre souligne le constat défavorable concernant les prises en charge thérapeutiques sur la récidive. Le chapitre insiste sur l'urgence de procéder à des études contrôlées et à intégrer des approches préventives relatives aux jeunes « en voie de psychopathisation ».

Le dernier chapitre est l'occasion d'entreprendre une réflexion épistémologique. Gilles Côté et Thierry H. Pham ont ainsi tenté d'éviter l'écueil d'un prosélytisme sans nuance relatif à la PCL-R. En effet, ce chapitre replace la psychopathie dans son contexte historique. Il distingue les notions de déficit structurel et de déficit fonctionnel à partir de données expérimentales relatives aux déficits émotionnels ou cognitifs. Les auteurs rappellent les différences fondamentales existant entre l'association et la relation de cause à effet ; les positions linéaires (traits) ou taxonomiques (mode d'organisation) relatives à la PCL-R ; la prédiction, l'explication et la compréhension ; ils soulignent également les limites de l'analogie pour inférer de la localisation anatomique d'un désordre mental. Les auteurs soulignent les risques éthiques d'utilisations abusives de la PCL-R. Des voies de recherches sont suggérées au niveau (1) de la prévalence dans les populations variées ; (2) du développement des caractéristiques de la psychopathie dans une perspective longitudinale et ce, depuis l'enfance jusqu'à l'âge adulte ; (3) des rapports existants entre les domaines de l'impulsivité et des émotions. Ce chapitre envisage aussi les répercussions de ces débats au niveau de l'évaluation inter-juges. Il rappelle enfin que l'opérationnalisation de la psychopathie est en constante évolution. À ce sujet, les recherches ultérieures devront nécessairement intégrer les avancées de la recherche psychométrique qui insistent sur les composantes psychologiques, affectives et interpersonnelles de la psychopathie en tant que critères discriminants du trouble par rapport aux tendances comportementales antisociales (Cooke & Michie, 1999).

CHAPITRE 1

Vers une définition de la psychopathie

GILLES CÔTÉ, PH. D.

Le terme de « psychopathie » a disparu de la terminologie psychiatrique officielle depuis quelques années. Néanmoins, des travaux de recherche conduits depuis une vingtaine d'années visent à définir une entité clinique distincte, caractérisée par un fonctionnement antisocial et des traits de personnalité, entité clinique qui définirait l'essence même du sujet antisocial. Celle-ci se distingue du trouble de personnalité antisociale (American Psychiatric Association, 1980, 1987, 1994) en ce qu'elle ne retient pas seulement les comportements antisociaux pour définir le sujet antisocial ; elle met l'emphase sur un certain nombre de traits de personnalité associés historiquement à la « psychopathie ».

Partant de cette observation, il est intéressant de débuter l'étude de la psychopathie par un historique de sa définition. Il existe plusieurs textes présentant les grandes lignes de cet historique (Cleckley, 1941/1982, 1959 ; Craft, 1965 ; Ernst, 1995 ; Gurvitz, 1951 ; Maughs, 1941 ; Mc Cord, 1982 ; Mc Cord & Mc Cord, 1964 ; Millon & Davis, 1996 ; Pascalis, 1980 ; Pichot, 1978 ; Sass & Herpertz, 1995). Selon le milieu d'origine de l'auteur, cet historique fait davantage ressortir les contributions anglo-saxonnes, particulièrement américaines dans le cas de Maughs (1941), ou franco-germaniques (Pascalis, 1980 ; Pichot, 1978).

Toutefois, au delà des termes (« manie sans délire », « folie morale », « sociopathie », etc.), l'étude historique de la psychopathie s'inscrit dans une conception de l'homme, laquelle est tributaire d'une époque. Dans l'histoire, la spécificité, la compréhension et l'étiologie du fonctionnement antisocial, de même que l'intervention, sont liées aux rapports de l'homme avec Dieu et le démon (possession, péché, libre arbitre), avec un vivant qui se distingue de la matière inerte (théorie humorale s'appuyant sur une conception vitaliste de l'être humain), avec l'état (selon que l'état ou l'homme prime dans la considération du phénomène), avec la science (observation, expérimentation, méthodologie). Sous cet angle, l'histoire de la psychopathie est intimement liée au développement de la psychopathologie, de façon générale et de la place des troubles de personnalité dans le champ général de la psychopathologie, de façon particulière.

De l'antiquité à la fin du moyen âge

Bien que la majeure partie des auteurs débutent leur étude historique à partir de l'œuvre de Pinel (1801), Rotenberg et Diamond (1971) font remonter la conception de la psychopathie jusque dans les écrits bibliques. Dans le Deutéronome, chapitre XXI, versets 18 à 21, il est fait mention du fils rebelle et obstiné.

> « Si un homme a un fils indocile et rebelle, n'écoutant ni la voix de son père, ni la voix de sa mère et, *lors même* qu'ils le châtient, ne les écoutant pas, son père et sa mère le saisiront et l'amèneront aux anciens de la ville : « notre fils que voici est indocile et rebelle, il n'écoute pas notre voix, il se livre à la débauche et à l'ivrognerie. » Et tous les hommes de la ville le lapideront et il mourra. Tu ôteras *ainsi* le mal du milieu de toi, et tout Israël, en l'apprenant, craindra. »

Pour Rotenberg et Diamond (1971), le caractère obstiné et rebelle prêté au fils confère une dimension psychologique à cette description.

La notion de trouble de personnalité existe depuis très longtemps. Hippocrate avait développé une théorie humorale du tempérament et de la personnalité basée sur les quatre humeurs corporelles : la bile jaune et la bile noire, le flegme et le sang. Quelques descriptions de caractères ou de types de personnalité se retrouvent dans les écrits de Théophrastus, élève d'Aristote, dans des textes indiens des premier et deuxième siècles avant Jésus-Christ, de même que dans des textes celtiques, entre autres. Mais il faudra attendre le XIXe siècle pour retrouver des textes qui décrivent une certaine forme de trouble de la personnalité distincte du trouble mental (Tyrer & Ferguson, 1988). La théorie humorale d'Hippocrate aura une influence sur la compréhension de l'aliénation mentale jusqu'au premier tiers du XIXe siècle.

Au Moyen Âge, on ne distinguait pas entre les troubles de personnalité et la « folie ». Le terme « folie » est apparu vers 1080, selon Pascalis (1980). Qui plus est, la séparation entre le monde matériel et le monde surnaturel était infime : « Tous les événements imprévus et inaccoutumés, toutes les maladies et les guérisons, toutes les moissons perdues, les inondations, les orages, les tempêtes, les accouchements pénibles, les naissances d'enfants mort-nés, enfin tout ce qui n'apparaissait pas absolument normal était attribué à la sorcellerie. » (Verril, 1932/1980, p. 159). « Toutes les mauvaises actions étaient attribuées aux démons, toutes les vertus aux bons esprits... » (Verrill, 1932/1980, p. 131). Selon Morgenthaler et Forel (1930), une grande partie des prétendues sorcières et leurs accusateurs étaient en réalité des aliénés et des « psychopathes », selon leur propre terme. Les personnes accusées d'être possédées du démon étaient soumises à la torture jusqu'à ce qu'elles avouent, puis mises à mort.

Le siècle des lumières et la révolution française

L'homme du XVIIIe siècle est un être de raison. L'emprise de l'Église s'estompant, un véritable état de droit apparaît : l'accent n'est plus placé sur la démonologie mais bien sur l'administration du droit. Beccaria, un juriste italien, publie son traité célèbre intitulé *Des délits et des peines* (1764/1965), traité qui allait révolutionner le droit pénal. Son objectif est également d'adoucir les mesures à l'endroit des criminels. Il s'en prend à la torture, « le plus sûr moyen d'absoudre les scélérats robustes et de condamner les innocents débiles. » (p. 30). Il propose une véritable arithmétique du plaisir. Devant la certitude de la peine, l'homme étant un être rationnel, il renoncera à commettre un délit si son action répréhensible lui procure un déplaisir nettement plus grand que le plaisir qu'il aura pu avoir à commettre son action criminelle. La règle générale proposée par Beccaria est la suivante :

> « Pour que n'importe quelle peine ne soit pas un acte de violence exercé par un seul ou par plusieurs contre un citoyen, elle doit absolument être publique, prompte, nécessaire, la moins sévère possible dans les circonstances données, proportionnées au délit et déterminée par la loi. » (p. 80).

La position de Beccaria constitue l'école dite classique en criminologie. Elle marque une rupture par rapport aux temps les plus durs de l'Inquisition, mais il faudra attendre la Révolution française de 1789 pour que les droits individuels soient considérés au même titre que les droits de la collectivité. L'accent n'étant plus placé essentiellement sur l'administration de la justice pénale, mais bien sur le sujet à l'origine de l'acte criminel, débute alors une distinction entre la folie et le crime. En France, «... l'article 64 du Code Pénal (sic) de 1805 crée la folie légale, du même coup la psychiatrie : le fou est retenu et soigné, le criminel puni. » (Pascalis, 1980, p. 16).

La « manie sans délire » dans le champ de l'aliénation mentale au cours du premier tiers du XIXe siècle

Les conditions sont maintenant en place pour qu'émerge une véritable psychiatrie. Pinel publiera en 1801 un traité qui aura une forte résonance dans le monde médical ; avec lui, débute la psychiatrie moderne (Shorter, 1997). À travers les diverses « lésions de l'entendement » qui constituent à l'époque le champ de l'aliénation mentale, Pinel (1801) définit les caractéristiques de la *manie sans délire*, une sorte de *folie raisonnante* :

> « Elle est continue, ou marquée par des accès périodiques. Nulle altération sensible dans les fonctions de l'entendement, la perception, le jugement, l'imagination, la mémoire, etc. : mais perversion dans les fonctions affectives, impulsion aveugle à des actes de violence, ou même d'une fureur sanguinaire, sans qu'on puisse assigner aucune idée dominante, aucune illusion de l'imagination qui soit la cause déterminante de ces funestes penchans *(sic)*. » (p. 155).

L'origine de cette manie se trouvant dans les passions, lesquelles s'observent par l'intermédiaire des viscères, l'intervention visera à « soumettre à une sorte d'institution morale propre à développer et à fortifier les facultés de l'entendement. » (Pinel, 1801, p. 194). Indice de la conception vitaliste du fonctionnement humain, Pinel affirme également que, dans le cas de la *fureur maniaque sans délire*, «... la médecine doit mettre en usage ses moyens les plus énergiques, les antispasmodiques, comme l'opium, le camphre à haute dose, une immersion brusque dans l'eau froide, ou ce qu'on appelle bains de surprise, les vésicatoires, le moxa, des fortes saignées. » (p. 245).

Aux États-Unis, Rush (1812/1827), père de la psychiatrie américaine, parle d'un *dérangement de la volonté* lorsque « la volonté devient le véhicule involontaire d'actions vicieuses, par le biais des passions. » (p. 262). Il décrit, entre autres, des sujets qui ne peuvent dire la vérité, ni raconter la même histoire deux fois de la même manière, des individus de nature malicieuse, dont le comportement est préjudiciable aux autres. Bien qu'à cette époque le terme « moral » utilisé en psychiatrie ne réfère pas à une conception morale et éthique mais est employé au sens psychique du terme, Rush ne parvient pas à véritablement trancher entre « folie » et « vice » pour qualifier ce dérangement de la volonté. Pour lui, le siège principal de la folie est dans les vaisseaux sanguins, mais « dans tous les cas d'une dépravation morale innée et surnaturelle, il y a probablement dès le départ une organisation déficiente dans ces parties du corps qui concernent les facultés morales de l'esprit. » (p. 358). Par contre, chez les sujets pour qui mentir devient une habitude, Rush attribue un rôle à une éducation déficiente.

Toutefois, c'est Ray (1838) qui, du côté américain, a décrit une « manie morale » dans un sens qui se rapproche le plus des conceptions européennes de l'époque (Sass & Herpertz, 1995). Dans la description de la manie morale, il spécifie qu'« Un trait très commun de la manie morale est une perversion profonde des affections sociales où les sentiments de gentillesse et d'attachement éveillés à travers des relations avec un père, un mari, et un enfant sont remplacés par une incessante inclinaison à tourmenter, à harceler et à empoisonner l'existence d'autrui. » (pp. 182-183). Ray (1838) distingue entre la *manie morale générale*, où il situe la « *manie sans délire* » de Pinel, et la manie morale partielle, où les motifs du crime sont incompréhensibles pour le sujet lui-même et pour les autres. Il situe dans ce dernier groupe un cas de kleptomanie rapporté par Rush, le crime d'incendie, la propension à détruire, la *monomanie homicide*, en particulier lorsque cette dernière est associée à « l'enfantement, aux menstruations et à la lactation » (p. 207).

La notion de *monomanie* est associée à Esquirol (1838) qui, en France, à la même époque, a influencé grandement la psychiatrie en décrivant une série d'affections dans lesquelles « le délire est borné à un seul objet ou à un petit nombre d'objets avec excitation et prédominance d'une passion gaie et expansive » (p. 22). Élève de Pinel, Esquirol s'est fait connaître dès 1802 avec sa thèse de doctorat portant sur le rôle des « passions » dans la maladie mentale (Shorter, 1997). Il rejette l'idée d'une définition unique de la folie, d'où l'idée des monomanies. Parmi celles-ci, Esquirol situe une monomanie raisonnante. Il est plutôt difficile de cerner spécifiquement cette monomanie puisqu'on y retrouve présenté un cas de *manie sans délire* de Pinel, de même qu'un certain nombre d'observations de cas que nous situerions aujourd'hui dans le champ des troubles de la personnalité, de la maniaco-dépression, voire de l'obsession compulsion. Esquirol rapporte même une observation où il est question d'un délire (p. 56) dans le cadre de la « monomanie raisonnante ». La description de cette dernière peut être résumée dans ce passage :

> « On m'accusera sans doute d'avoir multiplié les observations ; j'ai voulu faire mieux connaître cette variété de folie que Pinel a nommée « manie raisonnante », que le docteur Pritchard appelle « folie morale », qui est une véritable monomanie ; les malades atteints de cette variété de folie ont vraiment un délire partiel ; ils font des actions, ils tiennent des propos bizarres, singuliers, absurdes qu'ils reconnaissent comme tels et qu'ils blâment. Parmi ces malades, les uns sont turbulents, insociables, commettent des actions ridicules, blâmables, contraires à leurs anciennes affections et à leurs vrais intérêts ; ils se trouvent mal partout, changent sans cesse de place ; ils disent et font le mal, par malice, par désœuvrement, par méchanceté : incapables (sic) d'application, ennemis du travail, ils bouleversent, cassent, déchirent. La perversion de leur

> caractère en fait des fléaux pour leur famille, pour les maisons dans lesquelles ils sont réunis. » (Esquirol, 1838, Tome II, p. 70).

Il est intéressant de noter que c'est « dans la jeunesse » que « la manie et la monomanie éclatent avec toutes leurs variétés et leurs nuances. » (Tome I, p. 31).

Moins connue que celles de ses célèbres contemporains, Pinel et Esquirol, l'œuvre de Georget (1820/1972) surprend par son côté avant-gardiste ; à certains égards, ses positions sont plus près de la psychiatrie de la seconde moitié du XIXe siècle. Il contribue à distinguer la neuro-psychiatrie de la psychiatrie, soit les maladies idiopathiques des maladies symptomatiques. Dans le premier cas, il s'agit de troubles organiques, alors que, dans le second cas, il s'agit de troubles psychiatriques proprement dits, perceptibles à travers des symptômes liés à l'action d'influences extérieures. « La folie ne survient jamais sans prédisposition quelconque. » (p. 74). Par contre, selon lui, « La folie est une affection du cerveau ; elle est idiopathique, la nature de l'altération organique nous est inconnue. » (p. 30). Georget s'en prend à la méthodologie de Pinel et d'Esquirol qui « se sont, en général, contentés d'observer les phénomènes, sans chercher à remonter à leur source, de décrire scrupuleusement les faits, sans vouloir les rattacher à une cause productrice. » (p. 27). Critique du vitalisme, de ces systèmes où l'on fait jouer « le rôle principal tantôt à la bile, au sang, à l'atrabile ou à la pituite ; tantôt à l'âme ou à l'archée, au principe vital ou aux esprits vitaux. » (p. 27). Georget prend une orientation essentiellement physiologique ; la folie repose toujours sur une quelconque prédisposition du cerveau, y compris dans le cas des maladies symptomatiques. Les causes physiologiques associées aux maladies symptomatiques jusque là reposaient sur une conception vitaliste des choses, une « conception selon laquelle il est absolument impossible d'expliquer les phénomènes vitaux par l'étude des constituantes physico-chimiques des systèmes vivants » (Bartholy et Acot, 1975). En prêtant aux viscères, siège des passions, une forme causale, cet émergentisme a « pris l'effet pour la cause, des symptômes pour l'affection première » (Georget, 1820/1972, p. 31). La pensée vitaliste sera nettement dépassée dans la seconde moitié du XIXe siècle ; par conséquent, Georget fait preuve d'un certain « modernisme ». Toutefois, au plan de la terminologie, Georget reste très proche de Pinel et d'Esquirol. Alors que, dans la manie, « la fureur n'a ni cause ni objet fixes » (p. 48), la monomanie se caractérise par « un petit nombre d'idées fixes, dominantes, exclusives, sur lesquelles roule le délire et un raisonnement souvent assez sain sur tout autre objet » (p. 48). Il considère la *manie sans délire* comme une forme de monomanie, forme qu'il paraît situer davantage dans la monomanie avec excitation que dans la monomanie avec abattement, soit la lypemanie. Cette hypothèse repose sur le fait que Georget

(1838/1972) y situe « les idées qui naissent de l'orgueil exalté, de l'amour du pouvoir et de la domination, du fanatisme religieux » (p. 50).

La place occupée ici par Georget ne s'explique pas seulement par son « modernisme », mais aussi par l'influence qu'il a eu sur le Droit pénal français. En affirmant que l'aliénation mentale relève d'une affection idiopathique du cerveau, il a fait entrer l'aliénation mentale dans les critères de la non-responsabilité pénale, selon l'article 64 du Code pénal de 1810, lequel prévoyait, à l'origine, « qu'il n'y avait ni crime, ni délit, lorsque le prévenu était en état de démence au temps de l'action » (Lanteri-Laura & Del Pistoia, 1994). Il peut également être considéré comme un précurseur de la définition du *déséquilibré* dans le Droit pénal français, conception qui sera arrêtée par Dupré (1925).

Parallèlement, en Angleterre, Pritchard (1835) introduit la notion d'aliénation morale,

> « une folie consistant en une perversion maladive des sentiments naturels, des penchants, des goûts, de l'humeur, des habitudes, des dispositions morales, et des impulsions naturelles, sans que cela soit accompagné d'un trouble marqué ou d'un déficit de l'intellect, de la connaissance ou des facultés liées au raisonnement, et en particulier sans une forme quelconque d'illusion insensée ou d'hallucination » (p. 6).

Il distingue l'*aliénation morale* de la monomanie, ou aliénation partielle ; selon lui, la monomanie est accompagnée d'un désordre partiel de l'entendement. Dans le cas de l'*aliénation morale*,

> « les principes moraux et actifs de l'esprit sont étrangement pervertis et dépravés ; la capacité de s'auto-gouverner est perdue ou fortement détériorée ; l'individu est incapable, non de parler ou de raisonner à propos de quelque sujet qui lui est proposé, il pourra en cela s'exécuter avec grande finesse et volubilité, mais de se conduire lui-même avec décence et convenance dans le cadre des activités exigées par la vie. » (p. 4).

La définition qu'il donne de l'*aliénation morale* est cependant assez large. « En fait, les variétés d'aliénation morale sont peut-être aussi nombreuses que les modifications du sentiment ou de la passion de l'esprit humain. » (p. 17). Les commentateurs du texte de Pritchard, daté de 1835 soulignent que sa description du trouble moral englobe pratiquement tous les troubles mentaux diagnostiqués à l'heure actuelle, à l'exception de la déficience intellectuelle et de la schizophrénie (Mc Cord, 1982 ; Millon & Davis, 1996). Pritchard (1835) distingue les causes morales, telle l'éducation, et les causes physiques, à l'origine de cette aliénation. Il reconnaît une base héréditaire, mais il prête aussi un rôle aux passions, aux émotions et au tempérament (p. 172). Il établit une relation à un certain moment entre l'épilepsie et l'aliénation morale ayant conduit à l'homicide.

De l'aliénation morale à la maladie mentale : de la seconde moitié du XIXe siècle au début du XXe siècle

Le début du XIXe siècle est marqué, d'une part, par une approche assez globalisante de l'*aliénation mentale*, la définition très large de l'aliénation morale de Pritchard en constitue une démonstration, d'autre part, par une approche distinctive mais tautologique du problème dans le cadre des monomanies (la monomanie homicide pour celui qui tue, la pyromanie pour celui qui est responsable de crime d'incendie, la kleptomanie pour celui qui vole, etc.). Ces approches sont centrées essentiellement sur les déviations de comportement (Lauteri-Laura & Del Pistoia, 1994). Cet état de fait est attribuable en majeure partie à la compréhension étiologique qui prévaut dans la pensée psychiatrique au début du XIXe siècle : une conception pluraliste de l'être humain où la *matière vivante* n'est pas réductible à la *matière brute*. Toutefois, en 1828, Friedrich Wöhler synthétise l'urée, ce qui ouvre la voie à la chimie organique (Cane, 1959). Si le carbone du vivant est le même que celui de la matière inerte, la compréhension de l'aliénation mentale s'en trouve remise en question (Lauteri-Laura & Del Pistoia, 1994). En somme, les causes de l'aliénation mentale peuvent maintenant relever des principes essentiellement physiques et son étude relever des sciences physico-chimiques. Il s'ensuit une période où l'explication du fonctionnement psychopathologique relève d'une conception purement moniste.

La notion de monomanie a été fortement critiquée. En Allemagne, Griesinger (1845 : voir Sass & Herpertz, 1995) considère que les « idées fixes » des sujets atteints de monomanie constituent en définitive des dérangements de l'esprit et que, à ce titre, elles peuvent être étudiées dans le champ de la manie. Il considère important de dépasser l'acte pour chercher d'autres signes de maladie mentale. En France, Falret (1864) conteste l'existence des monomanies, de même que la *manie sans délire*. Il cherche à rompre avec l'approche fragmentaire à la base de ces conceptions : « tout se tient et s'enchaîne dans l'action des facultés de l'homme, et ce n'est que par une abstraction destinée à faciliter l'étude, qu'on peut considérer comme des forces spéciales les divers modes de l'activité humaine, qui ne sont que des aspects divers d'un même principe, indivisible dans son unité. » (p. 432).

Pour Falret, même dans la manie sans délire, il y a toujours lésions dans les fonctions de l'entendement. Même dans le cas des délires, « l'état général préexiste aux idées délirantes et leur donne naissance » (p. 443). Nous assistons alors à un changement significatif : on ne cherche plus les idées et les sentiments prédominants, ce qui était le cas des monomanies et de la manie sans délire, mais on cherche à cerner un tableau de symptômes pour une « maladie » donnée . « En décrivant au contraire chez ces aliénés un ensemble de symptômes, dont les objets prédominants du délire ne sont qu'un relief secondaire, on prépare les voies à une classification plus naturelle, qui tiendra compte de la totalité des phénomènes morbides et de la marche de la maladie. » (p. 445). Il ouvre la voie à une approche structurale de la maladie mentale, en procédant explicitement à la critique de l'approche basée essentiellement sur un continuum :

> « C'est ainsi que par transitions insensibles on passe de l'erreur de l'état normal à la monomanie. Mais on voit combien les caractères qui distinguent l'erreur de la monomanie sont difficiles à saisir et insuffisants, puisqu'ils constituent simplement dans l'intensité de l'erreur, le degré de préoccupation, et son influence sur la conduite de la vie. » (p. 433).

Pour Morel (1857), élève de Falret, « l'hygiène de l'âme est inséparable de l'hygiène du corps » (p. 340). Les diverses catégories d'aliénés se distinguent par des caractères particuliers, mais se ressemblent par des caractères généraux à l'origine du fonctionnement humain ; « l'homme est *un*, l'espèce est *une*, » (p. 349). Pour cet auteur marquant de la psychiatrie française, « le cerveau est l'organe de l'âme... » (p. 320). Par conséquent, toute déviation du fonctionnement normal de l'humanité est attribuable à une « dégénérescence ». Celle-ci peut être héréditaire ou acquise par le « genre de vie » ; dans ce dernier cas, la dégénérescence pourra se transmettre par la suite à la descendance. Cette dégénérescence est attribuable à une « lésion organique », dans « sa signification la plus large » (p. 321). Par le biais d'une macro-analyse, il cherche à appuyer sa thèse des dégénérescences, auxquelles il attribue, entre autres, le fonctionnement antisocial. Parmi les dégénérés, il regroupe

> « une classe très nombreuse d'êtres démoralisés et abrutis, qui se signalent par la dépravation souvent très précoce de leurs instincts, par l'obscurcissement de leurs facultés intellectuelles et par la manifestation des actes qui outragent le plus grossièrement la morale. [...]. Les types de ce genre se trouvent fréquemment dans les grandes cités, dans les centres industriels surtout ; ils peuplent les maisons de détention, les dépôts de mendicité, les prisons... » (pp. 390-391).

Il est intéressant de noter que Morel cherche à faire une démonstration scientifique de sa thèse, en s'appuyant sur « la statistique morale ». Il emprunte certaines de ses observations et sa méthodologie au belge Adolphe Quetelet, associé en criminologie à l'école statistique, dite aussi cartographique ou géographique. Les tenants de cette école conçoivent le comportement comme le produit de tout un ensemble de facteurs (Caputo & Linden, 1987). Sous cet angle, Morel établira un rapprochement entre le crime et « l'usage immodéré des boissons fermentées » (p. 380).

L'école statistique eut peu d'influence en criminologie. La criminologie contemporaine débute en réalité avec Lombroso qui publie en 1870 sa théorie du criminel-né. Médecin militaire au départ, son intérêt pour la physiologie l'amène, dès 1864, à chercher les caractéristiques physiologiques qui distinguent « le soldat honnête de son camarade vicieux » (Lombroso, 1911). Père du positivisme en criminologie, il fut ainsi le premier à utiliser une méthode scientifique, l'anthropométrie, pour l'étude de l'homme criminel. Bien que ses observations soient basées essentiellement sur une méthodologie comparative, Lombroso n'en recourt pas moins à l'atavisme pour expliquer les caractéristiques propres aux criminels-nés ; il en fournit une démonstration par le biais d'un rapprochement des criminels avec les « sauvages », notamment à travers leurs dispositions au tatouage (Gould, 1983).

Dans le champ de la psychiatrie, Magnan et Legrain (1895), fortement influencés par les positions de Morel, soutiennent que « l'hérédité rayonne sur toute la pathologie mentale, c'est un point hors de contestation. » (p. 50). Ils reconnaissent deux types d'aliénation, l'*aliénation héréditaire*, qui fait des individus des prédisposés, d'une part, et l'*aliénation accidentelle*, d'autre part. Parmi les états dégénératifs, Magnan et Legrain placent les « états de *folie lucide*, c'est-à-dire avec conservation de la conscience, à base d'obsessions, d'impulsions et d'inhibitions insurmontables (délire émotif de Morel, folie avec conscience de divers auteurs, monomanies affectives et instructives d'Esquirol). » (p. 66).

Tout comme dans les travaux de Lombroso, auteur auquel ils font explicitement référence, Magnan et Legrain parlent également de stigmates physiques observés chez les dégénérés. Mais ils cherchent à se distinguer de Lombroso. Beaucoup de criminels « possèdent des attributs de la dégénérescence » (p. 184), notamment les criminels habituels, impulsifs, mais tous les criminels ne sont pas des dégénérés, du fait que le crime peut être accidentel. Critiquant les travaux de Lombroso, ils affirment que «... *l'acte qualifié crime n'a par lui-même aucun caractère spécifique* qui puisse servir de base à une classification des criminels ni à une différenciation entre le criminel dégénéré et le criminel vulgaire. » (p. 196). Ce qui importe, au delà du geste criminel proprement dit, c'est la « tendance habituelle à s'insurger contre les lois. » (p. 196).

Magnan et Legrain (1895) emploient les termes d'états psychopathiques, mais dans un sens général de maladie mentale. Ce terme était utilisé en Allemagne dans ce sens général jusque dans les années 1840. En allemand, le terme psychopathie désigne alors littéralement toutes les formes de personnalité anormale. C'est en fait un psychiatre allemand, Koch, qui, en 1888, parle pour la première fois d'infériorité psychopathique dans un sens qui se rapproche de ce que nous appelons aujourd'hui la psychopathie. Koch (1888 : voir Sass & Herpertz, 1995) regroupe des états cliniques variables allant de légères « imperfections mentales » (« mental defects ») à des formes nettes d'*infériorité psychopathique*. Les diverses formes d'*infériorité psychopathique* se divisent en infériorités psychopathiques congénitales, d'une part, en infériorités psychopathiques acquises, d'autre part. Chacune de ces deux grandes catégories se subdivisent en « prédisposition psychopathique, vice et dégénérescence » (Sass & Herpertz, 1995). Pour Millon et Davis (1996), la classification de Koch est très large ; une partie seulement des états cliniques de cette dernière rencontre ce qui est aujourd'hui qualifié de psychopathie ou de sociopathie.

L'idée de la dégénérescence des « criminels d'habitude » prévaut également en Angleterre à cette époque. Un des chefs de file de la psychiatrie anglaise, Maudsley (1884), soutient l'idée d'un déficit congénital chez le sujet criminel d'habitude. Il parle d'« une classe de gens qui, privés de sens moral sur une base congénitale, n'ont pas les sensibilités nécessaires pour sentir et répondre aux impressions d'une nature morale, pas plus que quelqu'un qui est daltonien possède une sensibilité à certaines couleurs... » (p. 278). Il identifie même des caractéristiques physiologiques liées notamment à la tête et au visage, ce qui l'amène très près de l'anthropométrie de Lombroso. Sans prétendre qu'il s'agit d'individus irrécupérables, il va quand même affirmer, à propos de criminels d'habitude, que « les éduquer ne contribue pas à leur développement, cela les rend tout simplement plus dangereux. » (Maudsley, 1884, p. 278).

Toutefois, il importe de préciser que Maudsley distingue trois catégories de criminels. En plus des criminels d'habitude, il reconnaît que certains individus ont pu être victimes des circonstances. La troisième catégorie est composée de « ceux qui avaient des prédispositions criminelles à un degré quelconque, mais qui ont été sauvés du crime du fait qu'ils ont pu apprécier les avantages d'une bonne éducation et d'environnements favorables... » (p. 280).

L'idée d'expliquer le fonctionnement du criminel d'habitude sur la base d'une dégénérescence amène implicitement à penser que l'individu ne peut être tenu responsable de ses actes puisqu'il y a déficience congénitale. Cette idée est à l'origine de la notion d'imbécillité morale inscrite en Grande-Bretagne dans le Mental Deficiency Act de 1913, reprise plus tard dans le English Mental Health Act sous l'appellation de « trouble psychopathique ». Le syndrome consiste alors en « un trouble persistant ou une incapacité de l'esprit... qui donne lieu à une conduite anormalement agressive ou sérieusement irresponsable chez celui qui est concerné. » (English Mental Act : voir Blackburn, 1993, p. 80).

En raison du développement de la nosologie, la reconnaissance d'une dimension congénitale au fonctionnement antisocial n'amène pas tous les cliniciens à conclure à la non-responsabilité de l'individu atteint d'*imbécillité morale*. Pour Koch (1888 : voir Cleckley, 1959), l'individu présentant une *infériorité psychopathique* est mentalement compétent et responsable de ses actes, à la différence de l'individu psychotique. En ayant développé une approche plus scientifique dans l'étude clinique, étant plus préoccupé par les signes cliniques que par les écarts de comportement, la sémiologie psychiatrique et la nosologie allaient considérablement se développer vers la fin du XIXe siècle, notamment par l'apport majeur des observations de Kraepelin, figure marquante de l'histoire de la psychiatrie.

Kraepelin et ses collaborateurs ont mis un terme à la domination de la psychiatrie biologique (Shorter, 1997). Kraepelin déclare que, dans le champ de la psychiatrie, l'anatomie n'est pas importante. Ayant étudié au laboratoire de Wundt en 1882, il développe un intérêt pour la psychologie. Sous cette influence, Kraepelin met en place une méthodologie longitudinale où les signes cliniques des divers patients rencontrés sont inscrits sur des fiches, patients qu'il suit par la suite pour connaître leur devenir. Il s'agit là d'une révolution (Shorter, 1997). Cette méthode allait contribuer au renouvellement continuel de sa compréhension clinique, comme en témoignent les huit éditions de son traité de psychiatrie clinique, s'il est fait exception d'une neuvième édition posthume, laquelle serait pratiquement identique à la précédente (Postel, 1997).

Dans la deuxième édition de son traité, Kraepelin (1905/1984) affirme que la majorité des dégénérés atteints de graves anomalies du sens moral peuplent les « maisons de correction ». C'est dans cette catégorie d'individus qu'il place le « chevalier d'industrie ». Bien qu'il emploie le terme « psychopathie », il n'en donne pas véritablement de caractéristiques spécifiques, parlant peu après d'une « cohue composée d'éléments si disparates » (p. 405). À tout le moins, le terme ici correspond à certains types cliniques, alors qu'il avait déjà utilisé le terme de *prédisposition psychopathique* dans la première édition de son traité publié en 1893. Il semble qu'il ait utilisé cette expression dans le sens d'une origine « neurodéveloppementale » ; à cette époque, il y voyait la cause de la *démence précoce* (Shorter, 1997). En fait, il qualifie alors les formes les plus graves d'anomalies du sens moral, de *folie morale*.

Dans la cinquième édition de son traité, Kraepelin ne parle plus de *folie morale* mais d'états psychopathiques, particulièrement stables tout au long de la vie (Millon & Davis, 1996). Ces états psychopathiques, qualifiés de « folies de dégénérescence » dans la sixième édition de son traité, regroupent quatre types de personnalités, à savoir : 1) les mauvaises dispositions constitutionnelles ; 2) la phobie obsédante ; 3) la folie impulsive ; 4) les perversions sexuelles (Postel, 1997). Dans la 7e édition de son traité maintenant classique, l'un de ces quatre types de personnalités psychopathiques se caractérise par le mensonge, l'escroquerie, un côté charmeur et loquace, tout en soulignant que le sujet manque de moralité et du sens des responsabilités. Les individus présentant ce syndrome utilisent souvent des noms d'emprunt ; ils accumulent des dettes qu'ils ne paient jamais (Millon & Davis, 1996). Ces critères correspondent assez bien à certains aspects du psychopathe décrit par Hare (1991). Dans la dernière édition de son traité, les psychopathies sont distinguées en deux grandes catégories selon que la déficience affecte soit l'affectivité, soit la volonté ; la seconde catégorie se subdivise en sept classes, dont trois seulement correspondent à certains aspects de ce qui est considéré aujourd'hui sous l'angle de la personnalité antisociale : les menteurs et les escrocs ; les antisociaux ; les querelleurs (Cleckley, 1941/1982 ; Millon & Davis, 1996 ; Schneider, 1923/1955). Les psychopathes sont ici également classés dans la catégorie plus générale des « dégénérés » (Postel, 1997).

Kraepelin a jeté les bases de la sémiologie et de la nosologie du XXe siècle. Sa contribution majeure a été de bien identifier ce qu'il qualifia de « démence précoce », devenue la schizophrénie dans la terminologie de son élève Bleuler.

Le XXe siècle et la reconnaissance des troubles de la personnalité dans la nosologie psychiatrique et dans le champ de la psychopathologie

Avec Kraepelin, la psychose est maintenant bien identifiée comme entité spécifique, clairement distinguée des autres maladies mentales. L'explication de diverses formes de maladies mentales s'appuie sur la dégénérescence. Au tournant du siècle, l'influence de Freud se fait sentir : l'étiologie des troubles mentaux n'est plus assimilée à une nature unique, soit la dégénérescence, mais les troubles mentaux relèvent maintenant d'étiologies diverses (Ey, Bernard, & Brisset, 1974). La névrose devient le champ privilégié d'études pour la psychanalyse, du moins dans le premier quart du XXe siècle, ce qui contribuera à la spécifier par rapport à la psychose. À partir du milieu des années vingt, les observations cliniques imposeront la reconnaissance de troubles spécifiques de la personnalité, notamment d'un trouble psychopathique.

Les points de repère chronologiques gardent une valeur relative. En France, l'influence de Pritchard et de Magnan (Pichot, 1978) se fait sentir dans les travaux de Dupré (1925) sur les *déséquilibres constitu-*

tionnels. Parmi ceux-ci, la perversion de l'instinct de sociabilité, sous-catégorie des *perversions instinctives*, est à l'origine du fonctionnement antisocial. Dans le champ de cette *perversion instinctive* :

> « On observe alors les diverses manifestations de la malignité, de la destructivité, et d'une criminalité instinctive exercée contre autrui, contre la société, sans autre but que la satisfaction de la tendance impulsive. Cette perversité maligne, fondement de la folie morale, se révèle de très bonne heure par des réactions précoces (...) plus tard délinquance à répétition (...) criminalité infantile et juvénile ; récidivisme incessant de la faute (...). La plupart sont menteurs, dissimulés, fabulateurs (...). Ces êtres anormaux et antisociaux, qui sont les pires produits de la dégénérescence mentale... » (Dupré, 1925, pp. 496-497).

Encore aujourd'hui, le terme déséquilibré est utilisé en psychiatrie française comme équivalent du terme allemand « psychopathe » ou « antisocial », ce dernier terme étant plutôt utilisé aux États-Unis (Ey et al., 1974).

L'idée d'une déficience constitutionnelle à l'origine des personnalités psychopathiques n'est pas acceptée par tous. Un contemporain de Kraepelin, Birnbaum est le premier à suggérer, en 1914, le qualificatif de *sociopathiques* pour souligner que les déficiences au niveau du comportement social viennent rarement de traits de caractère innés, mais qu'elles constituent « le plus souvent le fait de forces provenant de la société » (Millon & Davis, 1996).

La démarche de clarification se poursuit avec Schneider, élève de Kraepelin, dans une première édition de son traité paru en 1923. Toutefois, elle est encore liée à une conception purement physique de la déficience ; la distinction doit reposer sur la caractérologie et non sur la psychologie ou la sociologie. Aussi, il rejette la terminologie « asocial et antisocial » utilisée par Kraepelin : il s'agit là d'« expressions que nous évitons parce qu'elles ne sont pas caractérologiques, mais sociologiques et qu'on pourrait désigner par elles également d'autres fauteurs de troubles dans la société. » (Schneider, 1923/1955, p. 117). Pour Schneider, les personnalités psychopathiques font partie des personnalités anormales. Le qualificatif *anormal* ne réfère pas à un jugement de valeur ; il signifie que la personnalité s'écarte de la moyenne, non pas au sens sociologique du terme, mais caractérologique : « Le psychopathe est un individu qui en soi et sans égard aux conséquences sociales, est une personnalité inhabituelle s'écartant de la moyenne. » (p. 7). En fait, il utilise le terme de *psychopathie* pour l'opposer à psychose, d'une part, terme qu'il distingue de la « névrose », d'autre part, du fait que, dans le cas de cette dernière, l'accent est placé sur « l'expérience vécue » et non sur une constitution anormale. En somme, les personnalités psychopathiques comprennent alors au moins tout ce qui est aujourd'hui classé dans la catégorie des troubles de personnalité. Le terme psychopathie est à ce point imprécis qu'il doit, selon lui, être employé « le plus rarement possible et jamais sans détail supplémentaire. » (p. 56). Les détails supplémentaires réfèrent à une typologie en sept classes. Parmi celles-ci, retenons trois sous-types particuliers. Premièrement, ceux « qui ont besoin de se faire valoir » (p. 100), soit un type de psychopathes qui cherche à se faire remarquer, ayant tendance à se mettre en évidence, égoïste, vaniteux, mythomane, menteur, escroc, qui place l'accent sur l'apparence. Deuxièmement, il est intéressant de considérer les psychopathes explosifs, soit des « gens qui s'emportent à la moindre occasion ou qui frappent presque sans préméditation... » (p. 114). Finalement, sous le type *psychopathes apathiques*, Schneider cerne l'*hébétude affective*. Ce syndrome caractérise « des individus sans compassion, sans pudeur, sans honneur, sans repentir, sans conscience, qui sont souvent par nature sombres, froids, grognons, et brutaux dans leur comportement social. » (p. 117).

En 1918, Glueck procède à la première étude épidémiologique en milieu carcéral. Déplorant l'absence de critères bien définis dans la littérature, il n'élabore pas véritablement dans son étude, se contentant d'affirmer que le diagnostic de psychopathie retenu « est largement basé sur une étude de l'histoire de vie de l'individu, de même que sur son mode de réaction aux diverses influences environnementales auxquelles il a été soumis. » (Glueck, 1918, p. 119). Il souligne au niveau de l'histoire de vie, entre autres, une criminalité précoce, des fugues, l'énurésie, les perversions sexuelles, les problèmes avec l'alcool, les narcotiques, le jeu, la récidive, etc. Sans élaborer sur l'étiologie de la psychopathie, il l'assimile à l'infériorité constitutionnelle, du moins au plan de l'appellation. Par ailleurs, la psychopathie est distinguée de la démence précoce, des états paranoïdes, de la psychose maniaco-dépressive, de la détérioration alcoolique et syphilitique. Évaluant 608 adultes détenus à la prison de Sing Sing, il obtient un taux de prévalence de la psychopathie de 18,9 %. Toutefois, il précise que le groupe des psychopathes est le plus difficile à définir ; il conclut à la nécessité d'avoir une définition plus claire de cette forme de déviation.

L'hypothèse constitutionnaliste allait perdre de son importance au profit de la thèse psychanalytique. Les écrits de Freud font sentir leur influence. Ce dernier s'étant presque exclusivement intéressé à la névrose, l'histoire retient principalement, dans le cadre de sa position sur le fonctionnement criminel, l'idée d'une conduite criminelle par « conscience de culpabilité » (Freud, 1916). Freud ayant très peu publié sur ledit mode de fonctionnement criminel, sa théorie situant le complexe d'Oedipe au cœur de sa compréhension de la conduite, il reprendra l'idée du crime par sentiment de culpabilité dans l'un de ses textes fondamentaux, soit *Le moi et le ça* (Freud, 1923) :

> « Nous avons eu la surprise de découvrir qu'une augmentation de ce sentiment inconscient de culpabilité peut faire d'un homme un criminel. Mais c'est indubitable. On peut montrer qu'il y a chez de nombreux criminels, en particulier des jeunes, un puissant sentiment de culpabilité qui existait avant l'acte et qui n'en est donc pas la conséquence mais le motif, comme si l'on ressentait comme un soulagement de pouvoir rattacher ce sentiment inconscient de culpabilité à quelque chose de réel et d'actuel. » (p. 267).

Cette idée, déjà présente dans son texte de 1916, ne résume pas toute sa pensée. Freud a établi les bases de ce qui deviendra plus tard l'étude du caractère névrotique. Déjà, dès 1906, s'adressant à des juristes, il tente de démontrer que la psychanalyse peut être utile à l'étude du criminel, du fait que son acte symptomatique est déterminé au même titre que toute action. À la différence du névrotique, pour qui l'action est incompréhensible au sujet lui-même, le criminel est conscient de son acte : « chez le névrotique le secret est caché à sa propre conscience ; chez le criminel il est caché seulement de vous. » (Freud, 1906, p. 111). Certes, il introduit l'idée du crime par sentiment de culpabilité en 1916, mais il importe de souligner qu'il fait la précision suivante à ce moment :

> « Du nombre des criminels adultes, il faut certes retrancher tous ceux qui commettent des crimes sans sentiment de culpabilité, soit qu'ils n'aient développé aucune inhibition morale, soit qu'ils se croient autorisés à agir comme ils le font dans leur combat contre la société. » (Freud, 1916, p. 40).

De même, dans l'introduction au livre de Aichhorn (1925), il précise que « les symptômes de délinquance peuvent provenir d'une base névrotique », toutefois,

> « lorsque les symptômes de délinquance ne sont pas déterminés par une problématique névrotique, l'habilité pédagogique est importante étant donné qu'il est nécessaire d'harmoniser l'environnement de l'enfant. » (Freud, 1925, p. 9).

L'explication du comportement criminel à partir du processus névrotique sera prédominante au départ chez ses continuateurs, y compris chez Aichhorn (1925), particulièrement chez Reik (1926-1928/1973).

Mais il y a « des maladies qui ne peuvent être classées dans les catégories habituelles. » (Glover, 1925, p. 279). L'expérience clinique amène graduellement à reconnaître des modes de fonctionnement pathologique qui ne relèvent ni de la psychose ni de la névrose. Apparaît alors une catégorie de troubles mentaux qualifiés de *névroses de caractère* (Alexander, 1930 ; Glover, 1925) ; *la névrose de caractère* n'a jamais été définie de façon très précise. Le comportement criminel assumé par l'individu est lié à une *névrose de caractère*, puis au *caractère* pathologique (Abraham, 1925 ; Alexander et Healy, 1935 ; Reich,

1933/1961). Alexander (1930) et Glover (1925) ne reconnaissent pas de conflit interne derrière les manifestations du caractère, position sur laquelle reviendront Alexander et Healy (1935), reconnaissant la présence d'un dit conflit interne. Chez le caractériel, l'individu ne se sent pas malade. Il rationalise ses symptômes ; le caractère devient une « manière d'être spécifique » (Reich, 1933/1961), il forme une « cuirasse défensive » pour faire face aux frustrations imposées par le monde ambiant. Reich (1933/1961) rapproche explicitement l'*aliénation morale* du caractère phallique-narcissique, caractère dans lequel il situe le fonctionnement criminel. Pour lui, « la *défense narcissique* trouve son expression concrète et permanente dans la cuirasse caractérielle. » (p. 60). Historiquement, en psychanalyse, la notion de caractère constitue un précurseur du trouble de personnalité. À ce chapitre, soulignons que Kernberg (1975, 1984) et Kohut (1971/1974) situent la personnalité antisociale dans une sous-catégorie du trouble de personnalité narcissique.

Influencé par la psychanalyse et par Birnbaum, Partridge (1930) cherche à identifier un pattern de personnalité qui reposerait essentiellement sur une motivation antisociale. Il reconnaît la dimension acquise du fonctionnement antisocial. Pour qualifier la personnalité antisociale, il considère que le terme psychopathie est trop large, confus, et qu'il finit par référer à tous les désordres qui ne sont pas définis clairement dans les troubles mentaux. Pour pallier le niveau de confusion qui prévaut, Partridge préfère utiliser un terme plus juste, soit sociopathie, pour bien marquer que ce groupe de sujets se distingue par un comportement antisocial persistant, non attribuable à une déficience intellectuelle, à des problèmes physiques, à la culpabilité, à la gêne, etc., mais à une motivation strictement antisociale, au centre de laquelle il semble placer la demande excessive adressée à autrui.

Aux prises avec une conception constitutionnaliste et une conception psychogénique de la personnalité psychopathique, Karpman (1941 ; 1944 ; 1946) distingue entre le psychopathe *idiopathique* et le psychopathe *symptomatique* ; il parle également de psychopathie primaire pour qualifier le désordre dans le premier cas, et de psychopathie secondaire ou de « fausse psychopathie » (false positive psychopathy) dans le second cas (Karpman, 1946) Le psychopathe idiopathique ne serait pas capable d'émotions ; aucune cause psychogénique ne peut être identifiée pour rendre compte de sa « pure méchanceté ». L'individu serait animé d'une forme d'égoïsme fondamental. Celui-ci n'éprouve pas de culpabilité, il est insensible aux sentiments d'autrui, facilement agressif, porté à s'approprier toute chose. Dans le cas du psychopathe symptomatique, le problème serait d'origine psychogénique ; l'acte antisocial est alors conçu comme une attitude défensive motivée par des réactions émotionnelles.

Parallèlement aux travaux de Karpman, Cleckley (1941/1982) publie ses observations cliniques et ses considérations théoriques dans *The Mask of Sanity*, devenu depuis le texte classique de référence. Il rejette la distinction corps-esprit : « nous ne pouvons rencontrer un esprit indépendant du corps » (p. 122). L'idée d'un acte criminel motivé par une culpabilité inconsciente ne lui paraît pas démontrée. À partir d'observations cliniques, non limitées au milieu carcéral, il décrit un type spécifique de sujet psychopathe. En raison de leur importance, les 16 caractéristiques identifiées par Cleckley sont rapportées in extenso au tableau 1. Ces caractéristiques sont à la base de l'échelle de psychopathie, telle qu'elle est conçue aujourd'hui.

Tableau 1

Caractéristiques de la psychopathie selon Cleckley

1. Charme superficiel et bonne « intelligence »
2. Absence de délires ou de tout autre signe de pensée irrationnelle
3. Absence de « nervosité » ou de manifestations psychonévrotiques
4. Sujet sur qui on ne peut compter
5. Fausseté et hypocrisie
6. Absence de remords et de honte
7. Comportement antisocial non motivé
8. Pauvreté du jugement et incapacité d'apprendre de ses expériences
9. Égocentrisme pathologique et incapacité d'aimer
10. Réactions affectives pauvres
11. Incapacité d'introspection
12. Incapacité de répondre adéquatement aux manifestations générales qui marquent les relations interpersonnelles (considération, gentillesse, confiance, etc.)
13. Comportement fantaisiste et peu attirant lorsque sous l'effet de l'alcool, voire même sans ledit effet d'alcool
14. Rarement porté au suicide
15. Vie sexuelle impersonnelle, banale et peu intégrée
16. Incapacité de suivre quelque plan de vie que ce soit

Avec le souci de clarifier la nosographie psychiatrique, l'association des psychiatres américains publie une première version de son Diagnostic and Statistical Manual of mental disorders (DSM-I) (American Psychiatric Association, 1952), puis une seconde édition (DSM-II) (American Psychiatric Association, 1968). Les diagnostics de personnalité sociopathique avec réaction antisociale dans le DSM-I, puis de personnalité antisociale dans le DSM-II, la terminologie ayant été changée pour l'harmonisation avec celle de l'Organisation mondiale de la santé, reposent sur des descriptions qui se situent dans la lignée de la tradition clinique eu égard à ce qui a été dégagé jusqu'à maintenant. Toutefois, ces manuels nosographiques ne présentent pas de critères opérationnels précis, rendant ainsi la fidélité du diagnostic difficile.

En 1975, lors d'une réunion du Nato Advanced Study Institute, un groupe de chercheurs conclut au fait qu'il n'existe pas d'instrument bien défini pour établir le diagnostic de psychopathie (Hare & Cox, 1978). Preuve en est que les travaux du groupe réuni à « Les Arcs » manquent d'uniformité, les présentations étant souvent plus idéologiques ou politiques que scientifiques, empruntant souvent plus à la déviance criminelle et sociale qu'à la psychopathie, faute d'une définition partagée (Hare, 1998a). Suite à ce colloque international, Hare travaille à mettre en place un instrument standardisé pour établir le diagnostic de psychopathie, soit le Psychopathy Checklist (Hare, 1980, 1985, 1991) ; il s'agit pour lui de poursuivre une démarche entreprise au cours des années 1970. En effet, celui-ci avait développé une échelle basée sur la description du psychopathe fournie par Cleckley. À partir de cette description, l'évaluateur devait attribuer une cote globale sur une échelle en sept points, selon le degré avec lequel les observations faites auprès d'un individu se rapprochaient de la description du psychopathe fournie par Cleckley. Bien que fidèle et valide, cette échelle globale ne permettait pas aux autres chercheurs de vérifier de façon certaine sur quoi reposait essentiellement l'évaluation. Cette méthode exigeait que l'évaluateur soit familier avec la conception de la psychopathie de Cleckley pour être par la suite capable de faire la synthèse de toutes les données recueillies pour aboutir à un score global (Hare, 1980 ; Hare & Cox, 1978).

Parallèlement au programme de recherche de Hare, la publication du DSM-III (American Psychiatric Association, 1980) marque un tournant dans la façon de définir l'individu antisocial : le manuel présente des critères précis, ce qui manquait aux versions antérieures comme nous l'avons déjà mentionné. Toutefois, cette nouvelle version met l'accent sur les comportements plutôt que sur les traits de personnalité. Des préoccupations pour la fidélité du diagnostic auraient eu un effet dans cette décision, préoccupations qui font suite à la publication des travaux de Robins (1966 ; 1978). Robins fournit une description extensive du comportement du sujet délinquant, comportement qui s'avère stable dans le temps. Elle observe que les comportements antisociaux de l'enfance et de l'âge adulte fournissent des syndromes et qu'ils sont intimement reliés. Selon Widiger et Corbitt (1995), le groupe de travail mandaté pour établir les critères du trouble de personnalité antisociale dans le DSM-III aurait aussi été inspiré par les critères développés par Feighner et al. (1972), de même que par Spitzer, Endicott, et Robins (1978) avec le Research Diagnostic Criteria (RDC). Le fait que Feighner, Spitzer et leurs collaborateurs respectifs aient pu démontrer la fidélité de leurs critères n'est pas étranger à l'influence qu'ils ont exercé. La version révisée du DSM-III (DSM-III-R) (American Psychiatric Association, 1987) n'a fait qu'ajouter un item portant sur l'absence de remords ou de culpabilité, sans pour autant changer le nombre de symptômes requis depuis que le sujet a atteint l'âge de 15 ans.

Au même moment où paraît le DSM-III, Hare développe un instrument diagnostic opérationnel à partir de la description de Cleckley. Au cours des dernières années, le Hare Psychopathy Checklist (PCL et PCL-R) (Hare, 1980, 1991), connue en français sous l'appellation de l'« échelle de psychopathie de Hare », s'est imposé comme un instrument valide pour établir un diagnostic de psychopathie, diagnostic qui tient compte non seulement des comportements antisociaux mais également de traits de personnalité spécifiques. La réception faite à cet instrument a largement dépassé les frontières canadiennes, son utilisation en clinique et en recherche se retrouvant notamment en Allemagne, en Angleterre, en Belgique, au Danemark, en Écosse, en Espagne, aux États-Unis, en Norvège et en Suède. Le contenu opérationnel et les caractéristiques techniques de cet instrument sont présentés au chapitre 2.

Sous l'influence des travaux de Hare (1980 ; 1985 ; 1991), le groupe de travail constitué pour élaborer les critères du trouble de personnalité antisociale de la version IV du DSM a eu à évaluer deux propositions, à savoir mettre plus d'accent sur les traits de personnalité liés à la psychopathie, d'une part, simplifier la série de critères sans changer substantiellement le diagnostic, d'autre part (Widiger et al., 1996). Hare, Hart et Harpur (1991) avaient proposé que le diagnostic de psychopathie posé à l'aide de l'échelle de psychopathie (PCL-R) développée par Hare (1991) constitue une alternative au trouble de personnalité antisociale. Le DSM-IV (American Psychiatric Association, 1994) a réduit sensiblement le nombre de critères, lequel passe de 10 à 7 critères. Hare et Hart (1995) notent qu'il y a une légère amélioration de la qualité de ces critères, ceux-ci se rapprochant quelque peu des symptômes classiques de la psychopathie, mais que le rapprochement n'est pas suffisant. Les critères retenus restent liés à un ensemble de comportements antisociaux, non nécessairement criminels, et ce, depuis l'âge de 15 ans (Tableau 2). La considération des indices du trouble des conduites avant 15 ans traduit la préoccupation pour la stabilité de ces comportements antisociaux. Selon ces derniers, les critères ne seraient pas suffisamment opérationnels pour assurer la fidélité du diagnostic. Tel que déjà rapporté, les critères du trouble de personnalité antisociale auraient reçu maintes critiques (Widiger & Corbitt, 1995).

Nous disposons actuellement de critères opérationnels pour définir la psychopathie, lesquels sont partagés par une bonne partie de la communauté scientifique internationale intéressée par le fonctionnement antisocial. Ces critères ne reposent pas d'abord et avant tout sur un cadre théorique. Cleckley (1941, 1942) et Hare (1998b) formulent

Tableau 2

Critères diagnostiques du trouble de personnalité antisociale (DSM-IV)

A. Présence d'un mode généralisé de fonctionnement où le sujet ne manifeste pas de préoccupations pour les droits d'autrui, allant même jusqu'à les transgresser, et ce, depuis l'âge de 15 ans. Ce mode généralisé de fonctionnement est perceptible à travers trois (ou plus) des critères suivants :

(1) comportements qui traduisent un manquement aux normes sociales, compor tements répétés susceptibles de conduire à une arrestation
(2) duplicité, perceptible par le biais de mensonges répétés, l'utilisation d'alias, ou le fait de duper autrui à son propre profit ou son propre plaisir
(3) impulsivité ou incapacité de planifier à long terme
(4) irritabilité et agressivité, perceptibles par le biais de batailles physiques ou de voies de fait
(5) absence de préoccupations pour sa propre sécurité ou celle d'autrui
(6) irresponsabilité soutenue, tel qu'indiqués par des comportements répétés traduisant son incapacité à maintenir un emploi ou à honorer ses obligations financières
(7) absence de remords, perceptible par le fait d'être indifférent ou porté à rationaliser lorsqu'il a blessé, maltraité ou volé autrui

B. Le sujet est âgé d'au moins 18 ans

C. Les critères du trouble des conduites sont rencontrés pour des comportements apparus avant l'âge de 15 ans

D. Le comportement antisocial n'est pas manifesté exclusivement dans le cadre d'un épisode de schizophrénie ou de manie

certes des explications théoriques, mais leur démarche est essentiellement empirique à la base ; il s'agit d'un empirisme idéosyncrasique pour l'un, nomothétique pour l'autre. Historiquement, le diagnostic de psychopathie a toujours été posé sur un mode dichotomique : le trouble est présent ou il ne l'est pas. Même Cleckley (1941/1982) a décrit une entité clinique sans faire reposer celle-ci sur la sommation de ses 16 indicateurs. Avec l'échelle de psychopathie de Hare, le diagnostic repose, dans son essence, sur un score total défini par la sommation des scores à chacun des 20 items de l'échelle. Certes il existe un point de coupure à partir duquel certains chercheurs ou cliniciens parleront de psychopathie, mais nous entrons ici dans une démarche quantitative.

Néanmoins, l'utilisation des 20 critères de l'échelle de psychopathie (Hare, 1991) sur une base de continuum (score total à l'échelle de psychopathie), d'une part, ou sur la base d'une typologie (les types étant définis par les points de coupure à l'échelle) d'autre part, renvoie à des définitions distinctes de la psychopathie. Respectivement, ces définitions distinctes reposent, pour l'une, sur une approche élémentariste du problème, alors que l'autre s'appuie, implicitement, sur une approche holistique. Certaines hésitations du groupe ayant travaillé à l'élaboration du DSM-IV traduisent bien l'importance de conscientiser à tout le moins l'approche inhérente à la démarche. Ainsi, pour Widiger (1998), la psychopathie ne constitue pas un syndrome particulier, mais elle réfère à une intensité variable de traits de personnalité. Par conséquent, selon ce dernier, le remplacement du trouble de personnalité antisociale par une définition de la psychopathie qui reposerait sur l'échelle de psychopathie rendrait difficile la distinction entre le trouble de personnalité narcissique et la psychopathie ; ceci est dû au fait que le facteur 1 de l'échelle réfère pour l'essentiel à des traits narcissiques (Widiger et al., 1996). Par contre, il existe actuellement un ensemble de résultats de recherche qui soutiennent l'idée d'une définition de la psychopathie reposant sur une approche typologique. Sous cet angle, il importe de distinguer entre la psychopathie, comme entité clinique, et l'échelle de psychopathie, un instrument permettant une définition opérationnelle.

Eu égard au développement de la sémiologie et de la nosologie, ce qui constitue la ligne directrice du présent historique, une définition taxonomique de la psychopathie correspond à une spécificité clinique démontrée de la psychopathie (voir chapitre 2) ; il n'y a pas de réel recoupement avec les troubles mentaux graves (psychose, troubles graves de l'humeur) d'une part, et avec les troubles anxieux, d'autre part, du moins au sens névrotique du terme. Le rapprochement entre la psychopathie et le comportement violent (voir chapitre 3), de même que les études neuropsychologiques et psychophysiologiques (voir chapitre 5) permettent de conclure que les psychopathes, tels que définis par l'échelle de psychopathie, se distinguent des autres sujets présentant un trouble de personnalité. Bien qu'il y ait encore très peu de données à ce chapitre, l'étiologie du trouble psychopathique marquerait également certaines spécificités (voir chapitre 4), alors que nous savons que la psychopathie pose un problème tout à fait particulier en ce qui a trait à l'intervention (voir chapitre 6).

Références

ABRAHAM, K. (1925/1966). *Etudes psychanalytiques à la formation du caractère*. In K. Abraham. Developpement de la libido - Œuvres complètes 2 (pp. 314-331). Paris : Petite bibliothèque Payot.

AICHHORN, A. (1925/1973). *Wayward youth*. New York : Viking.

ALEXANDER, F. (1930). The neurotic character. *International Journal of Psycho-analysis*, 11, 292-311.

ALEXANDER, F., & HEALY, W. (1935). *Roots of crime : Psychoanalytic studies*. New York : Alfred A. Knoff.

American Psychiatric Association. (1952). *Diagnostic and Statistical Manual : Mental disorders (1th (DSM-I))*,Washington, D. C. : Author.

American Psychiatric Association. (1968). *Diagnostic and Statistical Manual of mental disorders (2th (DSM-II))*,Washington, D. C. : Author.

American Psychiatric Association. (1980). *Diagnostic and Statistical Manual of mental disorders (3th (DSM-III))*, Washington, D. C. : Author.

American Psychiatric Association. (1987). *Diagnostic and Statistical Manual of mental disorders (3th revised (DSM-III-R))*, Washington, D. C. : Author.

American Psychiatric Association. (1994). *Diagnostic and Statistical Manual of mental disorders (4th (DSM-IV))*,Washington, D. C. : Author.

BARTHOLY, M., & ACOT, P. (1975). *Philosophie, épistémologie : Précis de vocabulaire*. Paris : Magnard.

BECCARIA, C. (1764/1965). *Des délits et des peines*. Genève : Librairie Droz.

BLACKBURN, R. (1993). *The psychology of criminal conduct : Theory, research and practice*, Chester, England : Wiley.

CANE, P. (1959). *Giants of science*. New York : Pyramid Publications.

CAPUTO, T., & LINDEN, R. (1987). Early theories of criminology. In R. Linden (Ed), *Criminology : A canadian perspective*, (pp. 104- 120). Toronto : Holt, Rinehart & Winston.

CLECKLEY, H. (1941/1982). *The mask of sanity*. New York : Mosby.

CLECKLEY, H. (1942). Semantic dementia and semi-suicide. *Psychiatric Quarterly, 16*, 521-529.

CLECKLEY, H. M. (1959). Psychopathic states. In S. Arieti (Ed), *American handbook of psychiatry*. V I, (pp. 567-588). New York : Basic Books.

CRAFT, M. (1965). *Ten studies into psychopathic personality*. Bristol : John Wright & Sons.

DUPRÉ, E. (1925). La doctrine des constitutions. In E. Dupré, *Pathologie de l'imagination et de l'émotivité*, (pp. 483-501). Paris : Payot.

ERNST, W. (1995). Personality disorders - Social section. In R. P. G. E. Berrios (Eds.), *A history of clinical psychiatry : The origin and history of psychiatric disorders*, (pp. 645-655). New York : New York University Press.

ESQUIROL, E. (1838). *Des maladies mentales considérées sous les rapports médical, hygiénique et médico-légal.* Paris : J.-B. Baillière.

EY, H., BERNARD, P., and BRISSET, C. (1974). *Manuel de psychiatrie* (4e édition). Paris : Masson.

FALRET, J.P. (1864). *Des maladies mentales et des asiles d'aliénés : Leçons cliniques et considérations générales.* Paris : J. B. Baillière & Fils.

FEIGHNER, J.P., ROBINS, E., GUZE, S.-B., WOODRUFF, R.-A., WINOKUR, G., & MUNOZ, R. (1972). Diagnostic criteria for use in psychiatric research. *Archives of General Psychiatry, 26*, 57-63.

FREUD, S. (1906). *Psycho-analysis and the establishment of the facts in legal proceedings Standard Edition.* London : Hogard Press.

– (1916). *Quelques types de caractères dégagés par le travail analytique.* Paris : PUF. Œuvres complètes : Psychanalyse T. XV.

– (1923). Le moi et le ça. In S. Freud, *Essais de psychanalyse*, (pp. 219-275). Paris : Petite bibliothèque Payot.

– (1925/1973). Foreword. In A. Aichhorn. *Wayward youth* (p. v-vii). New York : Viking.

GEORGET, E. (1820/1977). *De la folie : Textes choisis et présentés par J. Postel.* Toulouse : Privat.

GLOVER, E. (1925). *The neurotic character.* British Journal of Medical Psychology, 5, 279-297.

GLUECK, B. (1918). *A study of 608 admissions to Sing Sing prison.* Mental Hygiene, 2, 85-151.

GOULD, S.J. (1983). *La mal-mesure de l'homme.* Paris : Éditions Ramsay.

GURVITZ, M. (1951). Developments in the concept of psychopathic personality (1900-1950). *British Journal of Delinquency, 2*, 88-102.

HARE, R.D. (1980). A research scale for the assessment of psychopathy in criminal populations. *Personality and Individual Differences*, 1, 111-119.

– (1985). *The Psychopathy Checklist.* Unpublished manuscript. University of British Columbia, Vancouver, Canada.

– (1991). *The Hare Psychopathy* Checklist : Revised, Toronto, Ontario : Multi-Health Systems, Inc.

– (1998a). The Alvor Advanced Study Institute. In D. J. Cooke, A. Forth, & R.-D. Hare (Eds), *Psychopathy : Theory, Research and Implications for Society*, (pp. 1-11). Dortrecht, The Netherlands : Kluwer.

– (1998b). Psychopathy, affect and behavior. In D. J. Cooke, A. Forth, & R.-D. Hare (Eds), *Psychopathy : Theory, Research and Implications for Society*, (pp. 105-137). Dortrecht, The Netherlands : Kluwer.

HARE, R.D., & COX, D. N. Clinical and empirical conceptions of psychopathy, and the selection of subjects for research. In R.D. Hare, & D. Schalling (Eds), *Psychopathic behaviour : Approaches to research*, (pp. 1-21). Toronto : Wiley.

HARE, R.D., & HART, S.D. (1995). *Commentary on antisocial personality disorder*. The DSM-IV field trial. In W. J. Livesley (Ed), *The DSM-IV personality disorders*, (pp. 127-134). New York : Guilford.

HARE, R. D., HART, S.D., & HARPUR, T.J. (1991). Psychopathy and the DSM-IV criteria for antisocial personality disorder. *Journal of Abnormal Psychology, 100*, 391-398.

KARPMAN, B. (1941). *On the need of separating psychopathy into two distinct clinical types : The symptomatic and the idiopathic. Journal of Clinical Psychopathology, 3,* 112-137.

– (1944). Seven psychopaths : A correlative, non-statistical study of predatory crime. *Journal of Clinical Psychopathology and Psychotherapy, 6,* 271-305.

– (1946). Psychopathy in the scheme of human typology. *Journal of Nervous and mental Disease, 103,* 276-288.

KERNBERG, O.F. (1975). *Borderline conditions and pathological narcissism.* New York : Aronson.

– (1984). *Les troubles graves de la personnalité.* Paris : PUF.

KOHUT, H. (1971/1974). *Le soi.* Paris : PUF.

KRAEPELIN, E. (1905/1984). *Introduction à la psychiatrie clinique.* Paris : Navarin Editeur.

LANTERI-LAURA, G., & DEL PISTOIA, L. (1994). Regards historiques sur la psychopathologie. In D. Widlocher (Ed), *Traité de psychopathologie,* (pp. 17-63). Paris : PUF.

LOMBROSO, C. (1911). *Introduction. In G. Lombroso Ferrero. Criminal man : According to the classification of Cesare Lombroso.* (pp. xi-xx). New York : The Knickerbocker Press.

MAGNAN, V., & LEGRAIN, M. (1895). *Les dégénérés : État mental et syndromes épisodiques.* Paris : Editeurs Rueff et cie.

MAUDSLEY, H. (1884). *Body and will being an essay concerning will in its metaphysical, physiological, and pathological aspects.* New York : D. Appleton and Company.

MAUGHS, S. (1941). A concept of psychopathy and psychopathic personality : Its evolution and historical development. *Journal of Criminal Psychopathology, 2,* 329-356.

MCCORD, W. M. (1982). *The psychopath and milieu therapy : A longitudinal study,* New York : Academy Press.

MCCORD, W., & MCCORD, J. (1964). *The psychopath : An essay on the criminal mind,* New York : Van Nostrand.

MILLON, T., & DAVIS, R.-D. (1996). *Disorders of personality : DSM- IV and beyond (2th),* Toronto : Wiley.

MOREL, B.A. (1857). *Traité des dégénérérescences physiques, intellectuelles et morales de l'espèce humaine.* Paris : J.-B. Baillière.

MORGENTHALER, W., & FOREL, O. (1930). *Le traitement des malades nerveux et mentaux.* Berne : Editions Hans Huber.

PARTRIDGE, G.E. (1930). Current conceptions of psychopathic personality. *American Journal of Psychiatry, 87,* 53-99.

PASCALIS, G. (1980). Psychopathie, déséquilibre psychique : Historique et nosologie psychiatriques. *Confrontations psychiatriques, 18,* 15-25.

PICHOT, P. (1978). *Psychopathic behavior : A historical overview.* In R. D. Hare, & D. Schalling (Eds), *Psychopathic behavior : Approaches to research,* Chichester, England : Wiley.

PINEL, P. (1801). *Traité médico-philosophique sur l'aliénation mentale, ou la manie.* Paris : Richard, Caille et Ravier.

POSTEL, J. (1997). *Introduction.* In E. Kraepelin (1899/1997). *Leçons cliniques sur la démence précoce et la psychose maniaco-dépressive.* Paris : L'Harmattan.

PRITCHARD, J.C. (1835). *A treatise on insanity and other disorders affecting the mind.* London : Sherwood, Gilbert, and Piper.

RAY, I. (1838). *A treatise on the medical jurisprudence of insanity.* Boston : Charles C. Little.

REICH, W. (1933/1961). *L'analyse caractérielle.* Paris : Payot.

REIK, T. (1926-1928/1973). *Le besoin d'avouer : Psychanalyse du crime et du châtiment.* Paris : Payot.
ROBINS, L.N. (1966). *Deviant children grown up : A sociological and psychiatric study of sociopathic personality.* Baltimore : Williams & Wilkins.
– (1978). Study childhood predictors of adult antisocial behaviour : Replications from longitudinal studies. *Psychological Medicine, 8,* 611-622.
ROTENBERG, M., & DIAMOND, B.L. (1971). The biblical conception of psychopathy : The law of the stubborn and rebellious son. *Journal of History of Behavioral Sciences, 17,* 29-38.
RUSH, B. (1827). *Medical inquiries and observations upon the diseases of the mind (3th ed.).* Philadelphia : J. Grigg.
SASS, H., & HERPERTZ, S. (1995). Personality disorders - Clinical section. In R. P. G. E. Berrios (Eds), *A history of clinical psychiatry : The origin and history,* (pp. 633-644). New York : New York University Press.
SCHNEIDER, K. (1923). *Les personnalités psychopathiques.* Paris : PUF.
SHORTER, E. (1997). *A history of psychiatry : From the era of the asylum to the age of prozac.* Toronto : Wiley.
SPITZER, R.L. ; ENDICOTT, J., & ROBINS, E. (1978) Research *Diagnostic Criteria : Rationale and reliability. Archives of General Psychiatry, 35,* 773-782.
TYRER, P., & FERGUSON, B. (1988). *Development of the concept of abnormal personality.* In P. Tyrer (Ed.), Personality disorders : Diagnosis, management and course (pp. 1-11). Toronto : Wright.
VERRILL, A.H. (1932). *L'inquisition.* Paris : Payot.
WIDIGER, T.-A. (1998). Psychopathy and normal personality. In D. J. Cooke, A. Forth, & R.D. Hare (Eds), *Psychopathy : Theory, Research and Implications for Society,* (pp. 47-68). Dortrecht, The Netherlands : Kluwer.
WIDIGER, T.-A., CADORET, R., HARE, R., ROBINS, L., RUTHERFORD, M., ZANARINI, M., ALTERMAN, A., APPLE, M., CORBITT, E., FORTH, A., HART, S., KULTERMANN, J., WOODY, G., & FRANCES, A. (1996). DSM-IV antisocial personality disorder field trial. *Journal of Abnormal Psychology, 105,* 3-16.
WIDIGER, T.A., & CORBITT, E. M. (1995). Antisocial personality disorder. In W. J. Livesley (Ed), *The DSM-IV personality disorder,* (pp. 103-126). New York : Guilford.

CHAPITRE 2

Psychopathie : prévalence et spécificité clinique

GILLES CÔTÉ, SHEILAGH HODGINS,
& JEAN TOUPIN

À travers l'évolution de la nosographie, la notion de psychopathie vient occuper une place spécifique basée sur la reconnaissance d'une entité clinique distincte. La définition même de la psychopathie a constamment évolué depuis plus de 100 ans. Toutefois, au cours des vingt dernières années, la définition opérationnelle qui semble la plus prometteuse s'appuie sur l'échelle de psychopathie de Hare (1991), connue aussi sous l'acronyme PCL-R ; utilisé également en français, cet acronyme réfère à l'appellation anglaise originale de l'échelle, soit la Psychopathy Checklist Revised. Le chapitre montre que cette opérationnalisation laisse encore place à des discussions et à des études, notamment en regard des critères adoptés par l'Association des psychiatres américains dans leur Diagnostic and Statistical Manual of mental disorders (DSM) (American Psychiatric Association, 1980, 1987, 1994). Le trouble de personnalité antisociale réfère davantage à des comportements antisociaux, alors que l'échelle de psychopathie cerne à la fois des traits de personnalité et des comportements antisociaux.

Aspects techniques de l'échelle de psychopathie de Hare (1991)

La version révisée de l'instrument publié par Hare en 1991 compte 20 items (Tableau 1) ; il existe une version française validée de cet instrument (Côté & Hodgins, 1996).

Tableau I

L' échelle de psychopathie de Hare-Révisée (PCL-R)

1. Loquacité et charme superficiel
2. Surestimation de soi
3. Besoin de stimulation et tendance à s'ennuyer
4. Tendance au mensonge pathologique
5. Duperie et manipulation
6. Absence de remords et de culpabilité
7. Affect superficiel
8. Insensibilité et manque d'empathie
9. Tendance au parasitisme
10. Faible maîtrise de soi
11. Promiscuité sexuelle
12. Apparition précoce de problèmes de comportement
13. Incapacité de planifier à long terme et de façon réaliste
14. Impulsivité
15. Irresponsabilité
16. Incapacité d'assumer la responsabilité de ses faits et gestes
17. Nombreuses cohabitations de courte durée
18. Délinquance juvénile
19. Violation des conditions de mise en liberté conditionnelle
20. Diversité des types de délits commis par le sujet

Au plan technique, chacun des items reçoit une cote selon que la description de l'item ne caractérise pas le sujet (0), le définit bien à certains égards mais des réserves ou des doutes demeurent sur le caractère spécifique des observations (1), ou le caractérise dans l'ensemble assez bien (2). Sur la base du nombre d'items de l'échelle et des cotes possibles, le résultat varie entre 0 et 40 ; le sujet peut ainsi être évalué sur un continuum. Certain chercheurs se limitent à une utilisation de l'échelle sur cette base de continuum, considérant que la psychopathie ne constitue pas un syndrome particulier, mais qu'elle réfère à une intensité variable de traits de personnalité particuliers (Widiger, 1998). Toutefois, d'autres chercheurs, et les cliniciens en général, désirent parfois considérer la psychopathie non pas sous l'angle d'un continuum mais plutôt sous celui d'un mode d'organisation, d'un type particulier. La psychopathie est ici considérée sous un angle taxonomique ; elle constitue alors une classe spécifique (Harris, Rice & Quinsey, 1994). Dès lors, il importe de définir des valeurs critiques qui puissent précisément définir lesdits modes d'organisation. Le diagnostic de psychopathie est posé pour un score de 30 ou plus, l'absence de psychopathie est notée pour un score inférieur à 20, alors que les résultats se situant entre 20 et 29 permettent de parler de problématique dite mixte. Hare (1991) reconnaît qu'il n'y a pas de réponse simple et totalement satisfaisante pour établir le point de coupure devant définir le fonctionnement psychopathique. Toutefois, le point de coupure de 30 permet la meilleure classification des sujets. En effet, Cooke et Michie (1997) observent peu d'erreurs de classification à partir des points de coupure de 20 et 30 ; l'indice critère utilisé ici est basé sur un trait latent identifié à l'intérieur de l'échelle à partir des items les plus discriminants. Ces points de coupure permettent de définir des groupes de psychopathes et de non psychopathes qui se différencient de façon statistiquement significative sur un certain nombre de mesures de comportement, notamment en ce qui a trait à la récidive (chapitre 3), et de « variables expérimentales » (Hare, 1991), notamment dans le champ des émotions et du langage (chapitre 5).

Hart, Cox, et Hare (1995) ont également développé une version abrégée de l'échelle de psychopathie. Celle-ci comporte 12 items. Elle comprend les items 1, 2, 5, 6, 8, 10, 13, 14, 15 et 16 de la version originale de l'échelle. Les deux autres items reprennent les items 18 (délinquance juvénile) et 20 (diversité des types de délits commis par le sujet), mais avec la modification suivante : il n'est plus nécessaire qu'il y ait eu contact formel avec le système judiciaire pour que les comportements identifiés soient considérés. Chacun des items est évalué sur une échelle en trois points identiques à la version originale. L'échelle s'étend maintenant sur un continuum allant de 0 à 24 ; un score égal ou supérieur à 18 définit le point de coupure permettant de parler de psychopathie sous un angle typologique. En moyenne, la version abrégée est corrélée à .80 avec l'échelle originale (Hart et al., 1995), avec une sensibilité de .81 et une spécificité de .85 (Hart, Hare, & Forth, 1994) ; la version abrégée a tendance à surestimer quelque peu le taux de prévalence de la psychopathie (Hart et al., 1994).

Bien qu'il n'y ait qu'un petit nombre d'études au sujet de la psychopathie au cours de l'adolescence, les résultats à ce jour suggèrent que la transposition du construit de la psychopathie auprès des adolescents est valide (Forth & Burke, 1998). Les ajustements exigés par l'adaptation de l'échelle de psychopathie aux adolescents sont somme toute minimes. Les premières études conduites auprès des adolescents ont éliminé deux ou trois items plus difficilement applicables aux adolescents (tendance au parasitisme, nombreuses cohabitations de courte durée) et modifié la cotation de certains items pour l'adapter à l'âge des participants (incapacité de planifier à long terme et de façon réaliste, irresponsabilité, diversité des types de délits commis) (Chandler & Moran, 1990 ; Forth et al., 1990 ; Trevethan & Walker, 1989). Dans la version plus récente destinée aux adolescents (PCL-YV), l'ensemble des items de l'échelle de psychopathie ont été maintenus, mais l'adaptation des règles de cotation a été étendue à un plus grand nombre d'items pour tenir compte de la réalité des adolescents (Forth & Burke, 1998). Cette nouvelle version (PCL-YV) a été utilisée dans quelques études (Brandt, Kennedy, Patrick, & Curtin, 1997 ; Laroche, 1998 ; McBride, 1998 ; Toupin et al., 1996). Les données relatives à la fidélité inter-juges, à l'accord inter-juges et à la consistance interne sont présentées au tableau 2 ; à ce chapitre, les résultats sont excellents et tout à fait comparables à ce qui est observé auprès des échantillons adultes.

Qualités métrologiques de l'échelle de psychopathie

La fidélité du diagnostic a été l'un des critères ultimes qui a fait pencher le groupe de travail sur l'élaboration du DSM-III pour une description comportementale du trouble de personnalité antisociale. Le premier défi des chercheurs intéressés à l'échelle de psychopathie fut donc de démontrer sa fidélité. Dans le cadre actuel, il s'agit moins de démontrer que l'échelle de psychopathie n'a rien à envier au DSM au plan des qualités métrologiques, que d'asseoir les bases sur lesquelles la considération des taux de prévalence prend sens. Les divers coefficients de fidélité interjuges ou d'accord interjuges, de même que la consistance interne, sont présentés aux tableau 2. Seules les études qui permettront d'établir des taux de prévalence de la psychopathie sont retenues ici ; l'absence de données métrologiques d'une étude retenue dans les tableaux qui suivront est attribuable au fait que celles-ci ne sont pas fournies par les auteurs.

La fidélité interjuges, établie généralement à l'aide du coefficient intraclasse (Shrout & Fleiss, 1979), est excellente auprès des hommes incarcérés, variant de .78 à .94 selon l'étude (Côté & Hodgins, 1996 ; Hare, 1980, 1985, 1991 ; Hart, Hare, & Forth, 1994 ; Hemphill, Hart, & Hare, 1994 ; Kosson, Smith, & Newman, 1990 ; Pham, 1998 ; Smith & Newman, 1990 ; Wong, 1984), de même qu'auprès des femmes incarcérées, avec des coefficients de .92 et .96 (Louth, Hare, & Linden, 1998 ; Neary, 1990 : voir Strachan, 1993 ; Strachan, 1993). Des résultats similaires sont obtenus auprès de délinquants sexuels, avec des coefficients variant entre .91 et .98 (Brown & Forth, 1997 ; Rochefort & Earls, 1998), auprès de toxicomanes, avec des coefficients variant entre .85 et .95 (Alterman, Cacciola, & Rutherford, 1993 ; Pietrowsky, Tusel, Sees, Banys, & Hall, 1996), auprès d'échantillons de patients psychiatriques, les coefficients variant alors entre .86 et .97 (Côté & Lesage, 1995 ; Hare, 1991 ; Pham, Remy, Dailliet, & Lienard, 1997 ; Rasmussen, & Levander, 1996a), auprès d'adolescents détenus, avec des coefficients de .88 et .94 (Forth et al., 1990) et, finalement, auprès d'échantillons issus de la population générale, avec des coefficients variant entre .86 et .95 (Forth, Brown, Hart, & Hare, 1996 ; Hart et al., 1994). Les données obtenues auprès d'échantillons issus de la population générale réfèrent à la version abrégée de l'instrument (PCL-SV). L'utilisation clinique de l'échelle exigeant un accord

TABLEAU 2
QUALITÉS MÉTROLOGIQUES
DE L'ÉCHELLE DE PSYCHOPATHIE DE HARE

Étude		Interjuges		Consistance interne (alpha)
		Fidélité[1]	Accord (kappa)	
Af Klinteberg et al., 1992		.85[2]	—	Évaluateur 1 .95 Évaluateur 2 .89
Alterman et al., 1993		.85	.76	.86
Andersen et al., 1996		—	—	—
Brown & Forth, 1997	Simple	.91		
	Moyen	.94	—	.81
Cooke, 1995		—	—	.88
Côté & Hodgins, 1996		.87	.67	.88
Côté & Lesage, 1995		.97	1.00	.90
Forth, 1996[3]		—	—	—
Forth, Hart & Hare, 1990	Simple	.88		
	Moyen	.94	.77[3]	.90
Forth & Kramer, 1994 (voir Hart & Hare, 1998)				
Hare, 1980		.93	—	.88
Hare, 1981 **Étude 2**		—	—	—
Hare, 1983		.90[2]	—	—
Hare, 1985		.89	—	.90
Hare, 1991				
Détenus	Simple	.83		
	Moyen	.91	.67	.87
Patients psychiatriques	Simple	.86		
	Moyen	.93	—	.85
Hare & Mc Pherson, 1984 **Étude 3**		—	—	.90
Hare, Mc Pherson & Forth, 1988		—	—	—
Harris et al., 1991		.96	—	—
Hart & Hare, 1989		—	.74	—
Hemphill et al., 1994	Simple	.78		
	Moyen	.89	—	.86
Koivisto & Haapasalo, 1996		—	.70	.36
Kosson et al., 1990	Blancs	.85	—	Blancs .80 à .84
	Noirs	.78		Noirs .76 à .82
Laroche, 19983		—	.84	—
Loucks & Zamble, 1994		—	—	—
Louth et al., 1998		.95[2]	—	—
Miller et al., 1994		—	—	—
Muller et al., 1994		—	—	—
Myers & Blashfield, 1997		—	—	—
Neary, 1990 (voir Strachan, 1993; Hare, 1991)		.94[2]	—	.77
Pham, 1998	Moyen	.91	.66 à .76	.86
Pham et al., 1998		.92	.85	—
Pietrowski et al., 1996		.94 et .95[2]	.83 à 1.00 (moyenne .88)	
Rasmussen & Levander, 1996a		.86[2]	—	—
Rice & Harris, 1995		.96[2]	.82	—
Rochefort & Earls, 1998		.70	.65	—
Serin, 1991		—	—	.89
Serin & Amos, 1995		—	—	—
Serin, De V. Peters et al., 1990		—	—	—
Serin, Malcolm et al., 1994		—	—	—
Smith & Newman, 1990		.84	.62	.86
Sreenivasan et al, 1997		—	—	—
Stalenheim & von Knorring, 1996		—	—	—
Strachan, 1993	Simple	.92		
	Moyen	.96[2]	.78	.87
Toupin et al., 1996[3]		—	—	.89
Trevethan & Walker, 1989[3]		.97[2]	—	—
Wong, 1985		.85[2]	—	—

1. Il s'agit généralement du coefficient de corrélation intraclasse (Shrout & Fleiss, 1979)
2. Coefficient de corrélation r de Pearson
3. Version pour adolescents
4. Le type de coefficient de corrélation n'est pas précisé

absolu entre les évaluateurs, d'une part (Hare, 1991), la psychopathie devant être considérée sur un plan taxonomique pour certains, d'autre part (Harris et al., 1994), il importe de considérer non seulement la fidélité interjuges, mais également l'accord interjuges. En somme, il importe que deux cliniciens s'entendent sur le fait qu'un individu est psychopathe ou non psychopathe (accord interjuges). Au plan de la fidélité interjuges, deux cliniciens peuvent différer sur le score de psychopathie, mais si leur désaccord relatif est constant, la fidélité interjuges sera bonne ; l'accord est relatif ici et non absolu (voir Tinsley & Weiss, 1983, pour une discussion sur les indices de fidélité interjuges et d'accord interjuges). Un clinicien appelé à poser un diagnostic doit pouvoir se référer à des barèmes, mais ceux-ci auront une signification pour autant que tel ou tel score définit une intensité spécifique, quelque soit le juge qui porte le diagnostic. Évalué à l'aide du coefficient kappa (Cohen, 1960), les coefficients sont généralement substantiels selon les barèmes de Landis et Koch (1977), soit .67 (Côté & Hodgins, 1996 ; Hare, 1991). Les accords ont tendance à être encore plus élevés auprès des échantillons de femmes détenues, coefficient de .78 (Strachan, 1993), de sujets toxicomanes, les coefficients variant entre .83 à 1.00 (Pietrowski et al., 1996), de patients psychiatriques, avec des coefficients entre .82 et 1.00 (Côté & Lesage, 1995 ; Rice & Harris, 1995), et d'adolescents, coefficients de .77 à .84 (Laroche, 1998 ; Hare, 1991, précisant les données de l'étude de Forth et al., 1990).

La consistance interne est excellente, le coefficient alpha de Cronbach variant de .76 à .96 parmi les études ci-dessus rapportées, toutes catégories d'études étant ici confondues. La corrélation moyenne inter-items varie entre .22 et .47 (Hare, 1991 ; Koivisto & Haapasalo, 1996 ; Kosson et al.,1990 ; Strachan, 1993 ; Toupin, Mercier, Déry, Côté, & Hodgins, 1996). Les coefficients de généralisation sont également excellents, variant de .82 (Hare, 1991) à .90 (Schroeder, Schroeder, & Hare, 1983).

Des analyses factorielles et des analyses d'items ont permis de dégager deux facteurs principaux à l'intérieur de l'échelle de psychopathie (Cooke & Michie, 1997 ; Harpur, Hakstian, & Hare, 1988 ; Harpur, Hare, & Hakstian, 1989). Le premier réfère à des traits de personnalité. Il est composé des items « loquacité/charme superficiel, surestimation de soi, tendance au mensonge pathologique, duperie/manipulation, absence de remords et de culpabilité, affect superficiel, insensibilité/manque d'empathie et incapacité d'assumer la responsabilité de ses faits et gestes ». Le second identifie essentiellement des comportements ; il regroupe les items « besoin de stimulation/tendance à s'ennuyer, tendance au parasitisme, faible maîtrise de soi, apparition précoce de problèmes de comportement, incapacité de planifier à long terme et de façon réaliste, impulsivité, irresponsabilité, délinquance juvénile et violation des conditions de mise en liberté conditionnelle ». Les coefficients de fidélité interjuges, d'accord interjuges et de consistance interne sont tout à fait comparables à ce qui a été présenté pour l'échelle totale et ce, pour l'un et l'autre facteurs. Cette structure factorielle est caractéristique des échantillons masculins. Auprès d'échantillons féminins, il est observé une certaine concordance, Strachan (1993) obtenant des coefficients de congruence de .91 pour l'un et l'autre facteur avec des échantillons masculins regroupés. Elle conclut à une « forte » similitude. A partir de leur étude Salekin, Rogers, et Sewell (1997) concluent pour leur part à une correspondance « modérée » des facteurs. Les données de l'une et l'autre études montrent que c'est au niveau du facteur 2 (comportements antisociaux) que les différences sont les plus notables. Ainsi, sur la base de ces deux études, les items 11 (promiscuité sexuelle) et 20 (diversité des types de délits commis par le sujet) s'associent au facteur 2, contrairement à ce qui est observé chez les hommes. Par ailleurs, la violation des conditions de mise en liberté conditionnelle (item 19) ne constitue plus un aspect associé au facteur 2, alors que l'incapacité d'assumer la responsabilité de ses faits et gestes (item 16) ne s'associent plus au facteur 1 (traits de personnalité). De plus, il est intéressant de noter que, chez les femmes, les items 1 (loquacité/charme superficiel), 2 (surestimation de soi) et 4 (tendance au mensonge pathologique) sont faiblement associés au score total, ce qui suppose qu'il s'agit là de traits de personnalité moins souvent rencontrés chez les femmes (Strachan, 1993). Par contre, ces derniers items sont fortement associés au facteur 1 dans l'étude de Strachan. Cette dernière attribue les différences observées à des différences d'échantillonnage.

Au plan de la validité, l'échelle de psychopathie est reliée de façon statistiquement significative aux critères présentés par Cleckley (corrélation canonique de .90) (Hare, 1980), à un score global en sept points obtenu à l'aide de la description du psychopathe fournie par Cleckley (r variant entre .80 et .90) (Hare, 1985, 1991), à une version auto-rapportée de l'échelle de psychopathie (r =.38 à .54), aux échelles Psychopathie (r = .19 à .26) et Manie (r = .14 à .27) du Minnesota Multiphasic Personality Inventory (MMPI), à l'échelle Socialisation (SO) (r = -.27 à -.43) du California Personality Inventory (CPI) et au diagnostic du trouble de personnalité antisociale du DSM-III (corrélations points-bisérial généralement situées entre .45 et .67 ; deux échantillons avec un taux de base de prévalence du trouble de personnalité antisociale se situant à 80 % présentent toutefois des coefficients de .08 et .13, ce qui est exceptionnel) (Hare, 1985, 1991). Des résultats montrent également que le score à l'échelle de psychopathie est corrélé avec le résultat à l'échelle de personnalité antisociale du Millon Clinical Multiaxial Inventory (MCMI) (r = .12 à .45) (Hare, 1991), au diagnostic de trouble de personnalité antisociale du DSM-III-R (corrélation point-bisérial =.54) (Hare, 1991) (r =.48 à .86) (Widiger et al., 1996), et au trouble de personnalité dyssociale de l'International Classification of Diseases (ICD-10) (r = .75 à .83) (Widiger et al., 1996). La validité de prédiction et la validité discriminante sont abordées respectivement aux chapitres 3 et 5 ; qu'il suffise pour le moment d'affirmer que l'instrument a fait preuve de qualités certaines sur ces aspects.

En somme, l'échelle de psychopathie s'avère fidèle et valide et ce, à la fois au niveau de la validité concurrente ou de champ (validité interne) et de la validité discriminante et de prédiction (validité externe). La définition de la psychopathie retenue ici réfère à un individu narcissique, insensible, alexithymique, qui n'éprouve pas de remords et de culpabilité malgré son irresponsabilité, sa tendance à exploiter autrui, son caractère impulsif, ses nombreux manquements à ses engagements et malgré le fait qu'il transgresse régulièrement les normes sociales légalement sanctionnées.

Prévalence de la psychopathie chez les détenus

Établir le taux de prévalence de la psychopathie exige au préalable de définir le point de coupure à partir duquel il est possible de parler de psychopathie. Tel que mentionné antérieurement, Hare (1991) fixe ce point de coupure à 30 ; rappelons que l'échelle de psychopathie s'étend sur un continuum variant entre 0 et 40. Bien qu'il s'agisse du point de coupure généralement accepté par la communauté scientifique, il existe néanmoins certaines variantes. Afin d'assurer une base commune de comparaison, les taux de prévalence présentés dans les tableaux qui vont suivre sont établis à partir du point de coupure fixé par Hare, à moins de précisions supplémentaires.

Chez les détenus masculins, les taux de prévalence varient entre 3 % (Cooke, 1995) et 39,2 % (Hare, McPherson & Forth, 1988) (tableau 3). Il est intéressant de noter que les premières études, réalisées à l'aide d'une version préliminaire de l'échelle de psychopathie (Hare, 1980), obtiennent des taux de prévalence un peu plus élevés (Hare, 1980, 1981, 1985 ; Hare & McPherson, 1984 ; Hare et al., 1988) en comparaison avec des études plus récentes ; ces dernières obtiennent des taux de prévalence variant entre 13,4 % (Serin & Amos, 1995) et 24 % (Serin, 1991), si nous ne considérons que les études conduites en Amérique du Nord. En Europe, les taux varient entre 3 % (Cooke, 1995) et 17 % (Andersen, Sestoft, Lillebaeck, Gabrielsen, & Kramp, 1996). Certaines études d'avant 1990 obtiennent des taux plus faibles que la tendance générale identifiée ici, mais il est vraisemblable que le fait que ces études aient établi les scores de psychopathie sur la base des

TABLEAU 3

PRÉVALENCE DE LA PSYCHOPATHIE CHEZ LES HOMMES DÉTENUS

Étude		n =	Version	Moyenne	Écart type	Point de coupure	Taux de prévalence (%)
Andersen et al., 1996 [1-2]		228 (10 % femmes)	PCL-R	—	—	?	17
Cooke, 1995		310 (19 % femmes)	PCL-R	13,8	—	30	3
Côté & Hodgins, 1996		106	PCL-R				
	cote simple			22,1	8,7	30	17
	cote moyenne			22,6	9,0	30	20,8
Hare, 1980	cote moyenne	143	PCL	28,7	7,1	Cotes 6-7 sur échelle de cotation globale	32,9
Hare, 1983	Échantillon pénitencier	171	PCL	—	—	?	35,7
Hare, 1985		274	PCL	36,3	2,4	—	—
Hare, 1991 [3]		1192	PCL-R	23,6	7,9	30	28,4
Hare & Mc Pherson, 1984	Étude 3	227	PCL4	24,5	2,3	30	32,2
Hare et al., 1988		521	1) échelle en 3 points (n = 225) 2) échelle en 7 points (n = 262) 3) PCL (n = 34)	—	—	1)Score de 2 2)Score de 6-7 3)1/3 de la distribution	39,2
Hemphill et al., 1994		200	PCL-R	24,0	7,0	30	23,5
Kosson et al., 1990	Étude 1	Blancs 232	PCL	25,7	6,9	31,5	23,7
		Noirs 124		28,0	5,9		36,3
Pham, 1998		103	PCL-R	18,8	9,3	30	7,8
Serin, 1991		87	PCL-R	20,4	8,8	29	24,1
Serin & Amos, 1995		300	PCL-R	—	—	30	13,3
Serin et al., 1990		93	PCL	—	—	32	18
Smith & Newman, 1990		360	PCL-R	—	—	30	31,4
Wong, 1984		315	PCL	25,3	5,9	30	21,6

1. Échantillon composé de prévenus.
2. Les taux de prévalence ne sont pas distingués pour l'un et l'autre sexe.
3. Regroupement des échantillons considérés.
4. Les items 11 et 21 n'ont pas été considérés dans le calcul de l'échelle.

seules données recueillies dans les dossiers, soit sans procéder à l'entrevue structurée préconisée par Hare notamment, contribue à ces taux de prévalence réduits (Wong, 1984). En effet, certains items requièrent une observation directe pour être évalués sur la base de l'opérationnalisation de l'échelle de psychopathie ; il s'agit en particulier des items portant sur la loquacité et le charme superficiel (item 1), la surestimation de soi (item 2), le mensonge pathologique (item 4). Une certaine équivalence est observée au niveau des études nord-américaines, mais les études conduites dans des cultures distinctes, notamment européennes, obtiennent des taux de prévalence très variables, voire parfois très bas, comme en témoigne l'étude de Cooke (1995). Le problème des variations transculturelles sera abordé dans une section ultérieure. Hare (1991) juge que le taux réel se situe entre 20 et 30 % ; Hart et Hare (1998) parlent de 15 à 30 %, Hare (1998) mentionne maintenant un taux variant entre 15 et 25 %, tandis que Wong (1996) conclut que ce taux se situe entre 15 et 20 % selon le degré de sécurité rattaché à l'établissement de détention où l'échantillon est recueilli. Pour notre part, nous serions portés à conclure, en accord avec Hart et Hare (1998), que la majeure partie des études observent une prévalence variant entre 15 % et 30 % (Andersen et al., 1996, auprès d'un échantillon de prévenus ; Côté & Hodgins, 1996 ; Hare, 1983, 1991 ; Kosson et al., 1990, en ce qui a trait à l'échantillon de détenus de race blanche ; Serin, 1991 ; Serin, Peters, & Barbaree, 1990). Par ailleurs, il importe de souligner que les taux de prévalence varient en fonction du niveau de sécurité rattaché à l'établissement d'où est issu l'échantillon étudié (Côté & Hodgins, 1991 ; Wong, 1984). L'écart obtenu par Hart et al. (1994) entre le taux de prévalence obtenu auprès de l'échantillon 1 (détenus fédéraux dans un seul établissement à sécurité moyenne) (34,0 %) et celui obtenu auprès de l'échantillon 3 (détenus fédéraux issus de divers pénitenciers) (17,9 %) est indicateur.

En considérant un certain nombre de traits de personnalité (facteur 1), en plus de la présence de comportements antisociaux (facteur 2), l'échelle de psychopathie cerne un groupe de sujets ayant des caractéristiques spécifiques. En comparaison, le diagnostic de trouble de personnalité antisociale (DSM), en reposant presque exclusivement sur des comportements antisociaux, s'observe chez 28 à 62 % des sujets arrêtés ou rencontrés en milieu carcéral (Abram, 1990 ; Bland, Newman, Thompson & Dyck, 1998 ; Collins, Schlenger, & Jordan, 1988 ; Hodgins & Côté, 1990 ; Motiuk & Porporino, 1992 ; Neighbors et al., 1987 ; Robins, Tipp, & Przybeck, 1991). Établis à l'aide d'un instrument diagnostique standardisé, soit le Diagnostic Interview Schedule for DSM-III (DIS-III) (Robins, Helzer, Crougham, & Ratcliff, 1981), ces taux reposent sur de larges échantillons, tout en permettant une base uniforme de comparaison.

En somme, parler de psychopathes réfère à un groupe de sujets beaucoup plus restreint, sujets qui présentent des caractéristiques, rappelons-le, liées à un narcissisme pathologique (loquacité, charme superficiel, surestimation de soi), à un affect superficiel, au mensonge et à la manipulation, à une incapacité de comprendre ce que ses gestes font vivre à autrui (insensibilité, manque d'empathie, absence de remords et de culpabilité, incapacité d'assumer la responsabilité de ses actions). Il est prévisible de rencontrer de tels individus en milieu carcéral, mais force est de constater que ce ne sont pas tous les groupes de détenus qui présentent de tels taux de prévalence de la psychopathie ; les sections portant sur les délinquants sexuels et sur les sujets atteints de troubles mentaux graves en milieu carcéral permettront d'apporter certaines nuances.

Prévalence de la psychopathie chez les détenues

Il est difficile d'avoir un aperçu de la prévalence de la psychopathie chez les femmes détenues (tableau 4) ; très peu de travaux ont été réalisés auprès de cette clientèle, et ceux-ci ont très peu été publiés.

TABLEAU 4

PRÉVALENCE DE LA PSYCHOPATHIE CHEZ LES FEMMES DÉTENUES

Étude	n =	Version	Moyenne	Écart-type	Point de coupure	Taux de prévalence (%)
Neary, 1990 (voir Strachan, 1993)	?	PCL-R	21,1	6,5	?	11
Strachan, 1993	75	PCL-R	24,5	7,5	30	31
Salekin et al., 1997	103	PCL-R	—	—	30	16
Loucks et Zamble, 1994	100	PCL-R	18,0	8,1	?	11
Louth et al., 1998	37	PCL-R	24,1	7,7	30	30

Qui plus est, ceux qui existent portent sur des échantillons souvent restreints. L'étude de Neary est rapportée, même s'il s'agit d'une information recueillie par l'entremise de Strachan (1993), étant donné que cette dernière a réalisé sa thèse au sein du laboratoire de recherche du docteur Hare, lequel est généralement bien documenté sur ce qui se publie à l'aide de l'échelle de psychopathie. Dans les six études rapportées, les taux de prévalence varient de 11 % à 37,5 %. L'écart est important. Malheureusement, aucune information n'est fournie sur le point de coupure utilisé par les deux études obtenant les taux de prévalence les plus bas, soit 11 % (Loucks & Zamble, 1994 ; Neary, 1990 : voir Strachan, 1993). Toutefois, il serait surprenant que ce point de coupure soit supérieur à 30. L'étude de Salekin et al. (1997) offre une certaine crédibilité du fait qu'elle est bien documentée, le nombre de sujets est acceptable, soit une centaine, et le point de coupure est bien défini. Cependant, elle ne porte que sur un seul établissement de détention. Par ailleurs, Strachan note que les items 1 (loquacité et charme superficiel), 2 (surestimation de soi) et 4 (tendance au mensonge pathologique) présentent des corrélations item-score total nettement plus basses que ce qui est observé chez les hommes. Toutefois, Neary n'observe pas la même tendance. Strachan en conclut que la différence observée ici entre les femmes et les hommes est vraisemblablement attribuable à des différences d'échantillonnage. Selon elle, il est nécessaire de recourir à de plus grands échantillons dans les études conduites auprès des femmes.

Prévalence de la psychopathie chez les délinquants sexuels

TABLEAU 5

PRÉVALENCE DE LA PSYCHOPATHIE CHEZ LES DÉLINQUANTS SEXUELS

Étude	n =	Version	Moyenne	Écart-type	Point de coupure	Taux de prévalence (%)
Brown & Forth, 1997	60	PCL-R	24,9	6,7	30	35
Forth & Kroner, 1994 (voir Hart & Hare, 1998)	456	PCL-R			30	
Inceste			14,9	7,0	?	5,4
Viol			23,0	7,8	?	26,1
Miller et al., 1994 voir Hart & Hare, 1998)	60	PCL-R				
Viol			31,0	8,3	?	76,5
Agression sexuelle d'adolescents			22,8	10,4		25,0
Agression sexuelle d'enfants			21,1	8,3		14,8
Rochefort & Earls, 1998	101	PCL-R	—	—	30	3,0
Serin et al., 1994	65	PCL-R	15,3	8,4	29	9,9
Viol	33		17,1	8,6		12,2
Agression sexuelle d'enfants	32		13,2	7,8		7,5

1.Sujets condamnés pour agression sexuelle ou tentative d'agression sexuelle d'une femme de 16 ans ou plus.

Les psychopathes sont peu présents parmi les délinquants sexuels (tableau 5), notamment les pédophiles, les taux de prévalence chez les délinquants sexuels variant entre 3 et 15 % (Forth & Kroner, 1994 : voir Hart & Hare, 1998 ; Miller, Geddings, Levenston, & Patrick, 1994 : voir Hart & Hare,1998 ; Rochefort & Earls, 1998 ; Serin, Malcolm, Khanna, & Barbaree, 1994) ; toutefois, ils sont nettement plus présents parmi les violeurs, les taux de prévalence variant alors entre 35 et 77 % (Brown & Forth, 1997 ; Miller et al., 1994 : voir Hart et Hare, 1998). Pour Prentky & Knight (1991), il y aurait un type de violeurs composé d'un sous-groupe de psychopathes. Cependant, pour Brown & Forth (1997), les délits sexuels sont une extension du tableau général des délits chez les psychopathes ; les violeurs psychopathes ne forment pas un type de violeurs à part. Il s'agit de violeurs opportunistes ; parmi les violeurs sadiques de leur échantillon, un seul sujet sur sept rencontrait les critères de la psychopathie. Barbaree, Seto, Serin, Amos, & Preston (1994) distinguent quatre types de violeurs selon que la motivation première est soit sexuelle, avec composante sadique ou non sadique, soit agressive, distinguant alors entre le viol opportuniste et le viol vindicatif. Le résultat à l'échelle de psychopathie ne permet pas de différencier ces quatre groupes ; le résultat au facteur 2 est cependant statistiquement plus élevé chez les sujets du sous-type sexuel-sadique. Il importe de rappeler que le facteur 2 s'appuie essentiellement sur des comportements antisociaux, et que c'est le facteur 1 qui caractérise principalement le psychopathe (Cooke & Michie, 1997) ; ce dernier renvoie à des traits de personnalité caractérisés par un narcissisme pathologique et un détachement émotionnel. Malheureusement, Barbaree et ses collaborateurs ne rapportent aucun taux de prévalence.

Prévalence de la psychopathie chez les toxicomanes

Il est très difficile d'avoir une idée précise du taux de prévalence de la psychopathie chez les toxicomanes. L'obstacle principal repose sur le fait qu'il ne s'agit pas d'un groupe homogène (Alterman & Cacciola, 1991, pour un relevé de la littérature). Au chapitre de l'hétérogénéité, Ross, Glaser, et Germanson (1988) observent que 84,2 % des sujets rencontrant les critères du DSM-III de l'abus ou de la dépendance à l'alcool ou à la drogue rencontrent aussi les critères de l'un ou l'autre trouble mental, à l'exclusion des problèmes rencontrés avec les substances psychoactives. Il s'agit ici du diagnostic à vie établi à l'aide du DIS. Parmi eux, 46,9 % rencontrent les critères du trouble de personnalité antisociale. A l'aide des critères du RDC (Research Diagnostic Criteria) (Spitzer, Endicott, & Robins, 1978), Rounsaville, Weissman, Crits-Christoph, Wilner, et Kleber (1982) observent également que 73,5 % des sujets qui connaissent une assuétude à la cocaïne rencontrent les critères d'un trouble mental autre que l'abus des substances psychoactives. Chez ceux qui connaissent une assuétude aux opiacés, ce pourcentage s'élève à 86,9 %, mais inclut l'alcoolisme (Rounsaville, Weissman, Kleber, & Wilner, 1982). En ce qui a trait au trouble de personnalité antisociale, les taux de prévalence rencontrés dans ces deux dernières études sont respectivement de 32,9 et 53,9 % ; ces derniers taux étant établis sans tenir compte du critère d'exclusion lié aux problèmes de drogue, critère spécifique au RDC. Ainsi, les critères deviennent comparables à ceux du DSM-III (Rounsaville, Anton, Carroll, Budde, Prusoff, & Gawin, 1991).

Trois études seulement permettent d'établir un taux de prévalence de la psychopathie (tableau 6). Alterman et al. (1993) obtiennent un taux de prévalence tellement faible, avec un point de coupure 30, qu'ils optent en définitive pour un point de coupure 25 ; il s'agit également

TABLEAU 6
PRÉVALENCE DE LA PSYCHOPATHIE CHEZ LES TOXICOMANES

Étude	n =	Version	Moyenne	Écart-type	Point de coupure	Taux de prévalence (%)
Alterman et al., 1993	88[1]	PCL-R	18,0	7,6	30	« Peu »
Pietrowski et al., 1996	102[1]	PCL-R			25	
Hommes			21,3			37,5
Femmes			19,0			23,3
Smith & Newman, 1990	360[2]	PCL-R			30	
Alcool	283					37,1
Drogue						40,1

1. Participants soumis à un traitement à la méthadone.
2. Détenus de race blanche. Le taux de prévalence repose sur un nouveau calcul déduit à partir du tableau 2.
De l'échantillon, 283 sujets rencontrent les critères de l'abus ou de la dépendance à l'alcool selon les critères DSM-III ; 207 sujets rencontrent les critères de l'abus ou de la dépendance à la drogue selon les critères du DSM-III.

du point de coupure retenu par Pietrowski et al. (1996). Dans l'une ou l'autre de ces dernières études, le nombre de participants est restreint. En contrepartie, Smith et Newman (1990) obtiennent des taux de prévalence assez élevés auprès de détenus ayant rencontré les critères de l'abus ou de la dépendance à la drogue à un moment ou à un autre au cours de leur vie. La difficulté réside toutefois ici dans la distinction à faire entre ce qui appartient à la toxicomanie et ce qui appartient au fonctionnement antisocial, étant donné que l'échantillonnage repose sur un tamisage judiciaire. La littérature pertinente distingue les toxicomanes antisociaux primaires des toxicomanes antisociaux secondaires (Alterman & Cacciola, 1991), une distinction faite notamment par Cleckley (1941/1982). Selon que les problèmes avec la justice soient attribuables à une activité criminelle pour l'obtention de drogues, d'une part, ou que le problème de toxicomanie se situe dans le prolongement de la personnalité antisociale caractérisée entre autres par une recherche d'excitation, d'autre part, il est vraisemblable que les taux de prévalence de la psychopathie varieront.

Prévalence de la psychopathie chez les sujets atteints d'un trouble mental grave

Les caractéristiques retenues pour définir la psychopathie, relatives notamment aux traits de personnalité, définissent bien un certain nombre de sujets incarcérés, mais cadrent difficilement avec les caractéristiques des sujets atteints d'un trouble mental grave (psychose ou

TABLEAU 7
PRÉVALENCE DE LA PSYCHOPATHIE CHEZ DES PATIENTS PSYCHIATRIQUES

Étude	n =	Version	Moyenn	Écart-type	Point de coupure	Taux de prévalence (%)
Côté et Lesage, 1995	129	PCL-R	11,3	7,7	30	1,5
Freese et al., 1996	100	PCL-SV	—	—	?	8,0
Hare, 1991	440	PCL-R	20,6	7,8	30	13,6
Harris et al.,1991	169	PCL-R	—	—	30	13,6
Hart & Hare, 1989	80	PCL-R	22,0	6,8	30	12,5
O'Kane et al., 1996	40	PCL-R	13,6-17,3[3]	—	30	2,5
Pham et al., 1998	62	PCL-R	16,9	7,6	23	24,2
Rasmussen & Levander, 1996a	87[1]	PCL-R	21,5	9,8	30	25,3
Rice & Harris, 1995	161[2]	PCL-R			25	8,1
Sreenivasan et al., 1997		PCL-R			30	
Patients violents/mandat de mise sous garde[4]	43		22,1	7,8		17
Patients violents/mandat de dépôt[5]	32		13,7	6,1		0
Patients non violents/mandat de dépôt ou de mise sous garde	34		13,6	6,4		0

1. Seuls les hommes sont retenus ici. L'échantillon original comprenait également 7 femmes.
2. Seuls les schizophrènes sont retenus ici.
3. Pour un intervalle de confiance de 95 %, la limite inférieure est de 13,6 et la limite supérieure de 17,3.
4. Mise sous garde : patients gardés à l'hôpital parce que considérés dangereux pour autrui.
5. Mandat de dépôt : patients tenus non responsables d'un délit pour cause d'aliénation mentale.

trouble grave de l'humeur). Alors que le diagnostic de trouble de personnalité antisociale se retrouve chez un nombre appréciable de sujets incarcérés ayant un trouble mental grave, avec une prévalence variant entre 39,1 % (Côté et Lesage, 1995) et plus de 60 à 70 % (Côté & Hodgins, 1990), la prévalence de la psychopathie (PCL-R) est très réduite, soit 2,9 % (Côté & Lesage, 1995) (tableau 7). Les taux varient généralement entre 0 % et 13 % (Freese, Müller-Isberner, & Jöckel, 1996 ; Hare, 1991 ; Hart & Hare, 1989 ; Sreenivasan et al., 1997) ; seuls Rasmussen et Levander (1996a, 1996b) obtiennent une prévalence supérieure, autour de 25 %, pourcentage qui s'élève à 26,1 % chez les hommes schizophrènes. Les études rapportées ici ont utilisé un score de 30 ou plus pour définir la psychopathie, ce qui constitue le barème habituel. De l'étude des rapports entre la psychopathie et les troubles mentaux graves, il s'avère que la psychopathie constitue une entité clinique distincte du fait qu'elle connaît très peu de recoupement avec les troubles mentaux sévères et persistants (Freese et al., 1996 ; Hart & Hare, 1989 ; Hodgins, Côté, & Toupin, 1998).

Prévalence de la psychopathie chez les adolescents incarcérés

À l'aide d'une version adaptée de l'échelle de psychopathie, des études conduites auprès d'adolescents connaissant des démêlés avec la justice obtiennent des taux de prévalence très variables (tableau 8). L'écart entre l'étude de Toupin et al. (1996) et celle de Forth (1996)

TABLEAU 8

PRÉVALENCE DE LA PSYCHOPATHIE CHEZ LES ADOLESCENTS CONNAISSANT UNE MESURE JUDICIAIRE POUR LEUR COMPORTEMENT ANTISOCIAL

Étude	n =	Version	Moyenne	Écart-type	Point de coupure	Taux de prévalence (%)
Chandler & Moran, 1990	60	PCL-adapté	—	—	37[1]/51	21,7
Forth, 1996	181	PCL-YV	26,3	6,13	31	34
Laroche, 1998	106	PCL-YV	—	—	30	24,5
McBride, 1998						
Étude 1	233	PCL-YV	21,4	7,3	30	23,2
Étude 2	74	PCL-YV	24,8	6,6	30	27,0
Myers & Blashfield, 1997 [2]	14	PCL-YV	22,4	—	?	7,7
Toupin et al., 1996	52	PCL-YV	17	8,6	30	9,6
Trevethan & Walker, 1989	31	PCL-adapté	—	—	29/38	45,2

1. Le score maximum est de 51. Les auteurs affirment que ce point de coupure est comparable aux études de Forth, Hare, & Hart (non publié) et de Trevethan & Walker (1989), voire même que ce point de coupure est un peu plus conservateur.
2.. Jeunes ayant commis un homicide à caractère sexuel.

peut s'expliquer par des différences d'échantillonnage. Les participants de l'étude de Forth sont issus d'un établissement de détention d'un niveau élevé de sécurité, de sorte qu'ils sont vraisemblablement plus violents que ce qui est rencontré en général auprès de la clientèle des délinquants juvéniles. Cette explication est notamment fournie par Forth elle-même pour rendre compte de l'écart entre le taux de prévalence qu'elle obtient et ce qui est observé auprès des échantillons de détenus adultes. L'étude de Myers et Blashfield (1997) est retenue ici malgré l'échantillon très restreint en raison du peu d'études sur la prévalence de la psychopathie auprès des adolescents incarcérés, d'une part, et du fait que l'échantillon est composé de jeunes ayant commis un acte criminel très violent, soit un homicide à caractère sexuel, d'autre part. Cette dernière présente un intérêt parce qu'elle porte sur un sous-groupe d'adolescents particulier et qu'elle aidera ultérieurement à comprendre le lien entre la psychopathie et la violence (chapitre 3), mais elle ne permet pas de conclure sur la prévalence de la psychopathie chez les adolescents incarcérés.

Prévalence de la psychopathie dans la population générale

Cleckley (1941/1982) décrit des psychopathes qui réussissent à éviter les contacts avec le système judiciaire. Il situe certaines de ses vignettes cliniques parmi les hommes d'affaires, les hommes de science, les médecins, voire même les psychiatres. L'équipe de chercheurs autour du professeur Hare reconnaît la possibilité que certains psychopathes échappent au système judiciaire malgré leurs actes criminels (Forth et al., 1996). Très peu d'études permettent de conclure sur la prévalence de la psychopathie dans la population générale. A l'aide de la version abrégée de l'échelle de psychopathie, Hart et al. (1994) obtiennent un taux de 0 %, alors que Forth et al. (1996) trouvent un taux de 1,3 %. Dans ce dernier cas, il s'agit de deux hommes (donc 2,7 % de l'échantillon masculin) ; aucune femme ne rencontre le niveau requis pour parler de psychopathie sous un angle typologique. Toutefois, le taux de prévalence de la psychopathie n'est pas très représentatif du fait que les deux participants rencontrant les critères de la psychopathie proviennent d'un sous-échantillon d'étudiants rencontrant les critères du trouble des conduites avant 15 ans ; il s'agit donc d'un sous-échantillon filtré. Les autres études qui se sont intéressées à la psychopathie en population générale à l'aide de l'échelle de psychopathie ont utilisé des adaptations de l'échelle, d'une part, et elles ont utilisé l'échelle comme continuum, d'autre part (af Klinteberg, Humble, & Schalling, 1992, pour un sous-groupe contrôle ; Belmore & Quinsey, 1994 ; Hare, Forth, Harpur, & Hart, 1990 : voir Hare, 1991 ; Kosson, Kelly, & White, 1997 ; Lalumière & Quinsey, 1996 ; Zagon & Jackson, 1994). Pour sa part, Hare (1998) émet l'hypothèse que le taux de prévalence de la psychopathie en population générale serait d'environ 1 %.

Variations transculturelles

L'échelle de psychopathie a été développée en Amérique du Nord. Il existe maintenant un nombre suffisant d'études pour permettre de conclure que cet instrument est fidèle et valide. Il est aussi établi que, sous un angle typologique, il est possible de parler de psychopathie à partir du point de coupure 30 ; ce point de coupure s'impose en raison du construit sous-jacent à l'échelle, du potentiel de prédiction issu du regroupement permis par un tel point de coupure, de même que d'un certain nombre de résultats liés au pouvoir discriminant permis par celui-ci, eu égard aux études expérimentales dans le champ des émotions et du langage. Ceci étant acquis, peut-on pour autant conclure que cet instrument est directement transposable dans d'autres milieux culturels ?

L'échelle de psychopathie a été utilisée en Allemagne (Freese et al., 1996 ; Nedopil, Hollweg, Hartmann, & Jaser, 1996), en Angleterre (Raine, 1985), en Belgique (Pham, 1998 ; Pham et al., 1997), au Danemark (Andersen et al., 1996), en Ecosse (Cooke, 1995), en Espagne (Molto, Carmona, Poy, Avila, & Torrubia, 1996), en Finlande (Koivoisto & Haapasalo, 1996), en Norvège (Rasmussen & Levander, 1996a, 1996b), au Portugal (Gonçalves, 1996), de même qu'en Suède (af Klinteberg et al., 1992 ; Stalenheim & von Knorring, 1996). Le tableau 9 présente les études européennes qui permettent d'identifier un taux de prévalence de la psychopathie, plusieurs autres études se limitant à utiliser l'échelle comme continuum. Les taux de prévalence sont très variables, allant de 0 % (Koivisto & Haapasalo, 1996) à 25,3 % (Rasmussen & Levander, 1996a). Le point de coupure utilisé pour définir le groupe des psychopathes est variable. Avec le point de coupure 30, les taux de prévalence sont plus bas que ce qui est observé en Amérique du Nord, s'il est fait exception des études de Rasmussen et Levander (1996a, 1996b) et de Stalenheim et von Knorring (1996). Dans le premier cas, le taux de 25,3 % est nettement supérieur à ce qui est observé en Amérique du Nord auprès des patients psychiatriques. Aux plans théorique et empirique, ce taux de prévalence est surprenant, eu égard aux traits de personnalité caractéristiques des psychopathes. Il est difficile d'évaluer la justesse de l'étude de Stalenheim et von Knorring puisqu'il n'est pas vraiment possible de saisir la nature de l'échantillon. Les auteurs parlent de sujets déférés par les tribunaux à un département de psychiatrie pour y subir un examen psychiatrique, d'une part, mais sans qu'il s'agisse de cas de psychose, de troubles organiques ou de déficience mentale, d'autre part.

Cooke (1996, 1998 ; Cooke & Michie, 1997, 1999) est sans contredit celui qui s'est le plus intéressé aux variations transculturelles de la psychopathie. Après avoir vérifié l'effet potentiel d'une migration possible des psychopathes de l'Écosse vers l'Angleterre ou le Pays de Galles, l'effet potentiel d'une sous-cotation des évaluateurs écossais, la structure latente du construit de la psychopathie mesuré à l'aide de la PCL-R et ce, en comparant les données nord-américaines et écossaises, il conclut que les données écossaises permettent d'obtenir le même construit, qu'il y a congruence entre les facteurs, de sorte que la différence observée dans les taux de prévalence est attribuable à une variation transculturelle. L'explication serait à chercher du côté des facteurs culturels. A partir d'une analyse d'items sophistiquée, il observe cer-

TABLEAU 9

PRÉVALENCE DE LA PSYCHOPATHIE DANS DIVERSES ÉTUDES EUROPÉENNES

Étude	Pays	n =	Version	Type d'échantillon	Moyenne	Écart-type	Point de coupure	Taux de prévalence %
Andersen et al., 1996	Danemark	228	PCL-R (10 % femmes)	Prévenus	—	—	?	17
Af Klintberg et al., 1992	Suède	199	PCL-R (13 items)	Cohorte de jeunes dont 2/3 délinquants Relance âge adulte	—	—	10	24,6
Cooke, 1995	Écosse	310 (19 % femmes)	PCL-R	Détenus	13,8	—	30	3
Koivisto & Haapasalo, 1996	Finlande	52 (incluant 8) femmes	PCL-R	Examens psychiatriques après délit	17,9	6,5	30	0
O'Kane et al., 1996	Angleterre	40	PCL-R psychiatrique	Hôpital	13,6 17,3[1]	—	30	2,5
Pham, 1998	Belgique	103	PCL-R	Prison	18,8	9,3	30	7,8
Pham et al., 1997	Belgique	62	PCL-R	Hôpital sécuritaire	16,9	7,6	23	24,2
Rasmussen & Lavander, 1996	Norvège	87	PCL-R	Hôpital sécuritaire	9,8	—	30	25,3
Stalenheim & von Knorring, 1996	Suède	61	PCL-R	Examens psychiatriques sans cas de psychose	18,7	—	30	25

1. Pour un intervalle de confiance de 95 %, la limite inférieure est de 13,6 et la limite supérieure de 17,3.

taines variations dans le poids des items, notamment celui portant sur la loquacité et le charme superficiel. Ce trait de personnalité cadre mal avec la retenue caractéristique de la culture écossaise, en comparaison avec la tendance naturelle des Nord-Américains à divulguer certains aspects de leur vie personnelle. Selon lui, ces variations culturelles exigent des adaptations au plan de la mesure ; à partir des données de l'étude de Cooke et Michie (1995, 1999), il conclut que le point de coupure de 25 en Écosse équivaut au point de coupure 30 en Amérique du Nord. Il adresse également quelques critiques à l'échantillonnage dans les études nord-américaines, en ce que les échantillons ne couvrent pas réellement tous les établissements concernés. Cette remarque paraît s'adresser plus difficilement à Wong (1984), selon nous. Toutefois, même en admettant l'équivalence du point de coupure de 25, le taux de prévalence en Écosse ne serait que de 8 % (Cooke & Michie, 1999).

Les travaux des autres équipes européennes en sont encore aux stades préliminaires, de sorte qu'il n'est pas possible de généraliser cette dernière conclusion de Cooke à l'ensemble des milieux européens. En somme, aucune conclusion définitive ne peut être portée sur la prévalence de la psychopathie dans les cultures autres que nord-américaines. Bien que l'instrument soit de plus en plus utilisé en Europe, non seulement dans le milieu de la recherche, mais également dans le milieu de la clinique, la réflexion engagée par Cooke place de sérieuses mises en garde. Définir un point de coupure acceptable pour une culture donnée exige que les diverses études menées en Amérique de Nord à l'aide de l'échelle soient répliquées dans ladite culture (Cooke, 1998). Rappelons que Hare (1991) en est arrivé à définir le point de coupure actuel, soit 30, sur la base des diverses études dans le champ de la validité discriminante et de la validité de prédiction.

Conclusion

A partir d'une définition opérationnelle fournie par l'échelle de psychopathie de Hare (PCL), le taux de prévalence de la psychopathie se situe entre 15 et 30 % chez les hommes reconnus coupables d'actes criminels. Cette observation est valable pour l'Amérique du Nord ; il existe des variations culturelles qui rendent difficile la généralisation de cette observation. Au stade actuel de la recherche, il est difficile de conclure même pour la comparaison entre les divers pays européens ; à l'exception des études conduites par Cooke (1995), les travaux sont encore trop embryonnaires.

La prévalence de la psychopathie est assez clairement établie chez les hommes incarcérés, les patients psychiatriques et, pour une bonne part, chez les délinquants sexuels. Dans ce dernier cas, les observations montrent qu'il faut distinguer les divers types de délinquants sexuels, les violeurs étant le sous-groupe qui connaît le taux de prévalence le plus élevé à peu près comparable à celui des hommes incarcérés. Par contre, le nombre réduit d'études, la variation dans les procédures d'échantillonnage, la taille des échantillons et la variation des taux de prévalence ne permettent pas de conclusion définitive chez les femmes et les adolescents reconnus coupables d'actes criminels. Ces dernières limites valent également pour les toxicomanes. Toutefois, dans ce dernier cas, des distinctions importantes restent à faire entre les divers types de toxicomanes, que ceux-ci soient définis, d'une part, en fonction du type de drogue consommé et, d'autre part, en fonction de la prédominance de la toxicomanie sur l'activité criminelle (toxicomanie primaire) et de l'activité criminelle sur la toxicomanie (toxicomanie secondaire).

Par ailleurs, les taux de prévalence considérés ici l'ont été à partir d'études expérimentales, de regroupement d'échantillons divers recueillis au fil des projets de recherche, d'une pratique clinique. A ce chapitre, la réserve adressée par Cooke (1998) sur la représentativité des échantillons, y compris nord-américains, est pertinente. Aucune des études existantes n'a appliqué la méthodologie stricte propre aux études épidémiologiques. Cette méthodologie exige que soit établie la représentativité des échantillons, non seulement en termes des divers milieux concernés, mais également en termes de taille de l'échantillon. Sous cet angle, la taille de l'échantillon, définie à partir d'un critère basé sur la différence absolue entre l'estimation et le paramètre à estimer, serait de 800 participants pour un taux de prévalence estimé à 25 %, avec une marge d'erreur de 3 % ; cette observation serait alors vraie 95 fois sur 100 (Jenicek & Cléroux, 1982). Toute chose étant égale par ailleurs, les tailles d'échantillons devraient être respectivement de 450 participants et de 288 participants pour des marges d'erreur définies à 4 % et 5 %. Si la prévalence estimée est inférieure à 25 %, dans le cas des clientèles atteintes de troubles mentaux graves par exemple, les tailles d'échantillons seraient quelque peu réduites ; à titre de démonstration, il serait alors nécessaire d'évaluer 196 patients pour une marge d'erreur de 5 %, tout en gardant le même taux de probabilité, soit une observation juste, tenant compte de la marge d'erreur, 95 fois sur 100.

En somme, il existe un nombre appréciable d'études. Certaines clientèles ont été davantage étudiées ; il est possible d'y dégager un taux de prévalence relativement stable. Les travaux réalisés auprès d'autres clientèles en sont encore au stade embryonnaire. L'échelle de psychopathie a connu une expansion dans des milieux culturels distincts au cours des dernières années ; toutefois, il n'est pas encore démontré que l'instrument puisse y être transposé intégralement. Au strict plan épidémiologique, il y a place pour des études qui se préoccuperaient d'une représentativité plus contrôlée de l'échantillon.

Références

ABRAM, K. M. (1990). The problem of co-occurring disorders among jail detainees : Antisocial disorder, alcoholism, drug abuse, and depression. *Law and Human Behavior, 14,* 333-345.

AF KLINTEBERG, B. A., HUMBLE, K., & Schalling, D. (1992). Personality and psychopathy of males with a history of early criminal behaviour. *European Journal of Personality, 6,* 245-266.

ALTERMAN, A. I., & CACCIOLA, J. S. (1991). The antisocial personality disorder diagnosis in substance abusers : Problems and issues. *Journal of Nervous and Mental Disease, 179,* 401-409.

ALTERMAN, A. I., CACCIOLA, J. S., & RUTHERFORD, M. J. (1993). Reliability of the Revised Psychopathy Checklist in substance abuse patients. *Psychological Assessment : A Journal of Consulting and Clinical Psychology, 5,* 442-448.

American Psychiatric Association. (1980). *Diagnostic and Statistical Manual of mental disorders (3th ed.)* (DSM-III). Washington, D. C. : Author.

American Psychiatric Association. (1987). *Diagnostic and Statistical Manual of mental disorders (3th revised ed.) (DSM-III-R).* Washington, D. C. : Author.

American Psychiatric Association. (1994). *Diagnostic and Statistical Manual of mental disorders (4th ed.) (DSM-IV).* Washington, D. C. : Author.

ANDERSEN, H. S., SESTOFT, D., LILLEBAECK, T., GABRIELSEN, G., & KRAMP, P. (1996). Prevalence of ICD-10 psychiatric morbidity in random samples of prisoners on remand. *International Journal of Law and Psychiatry, 198,* 61-74.

BARBAREE, H. E., SETO, M. C., SERIN, R. C., AMOS, N. L., & PRESTON, D. L. (1994). Comparisons between sexual and nonsexual rapist subtypes : Sexual arousal to rape, offense precursors, and offense characteristics. *Criminal Justice and Behavior, 21,* 95-114.

BELMORE, M. F., & QUINSEY, V. L. (1994). Correlates of psychopathy in a noninstitutional sample. *Journal of Interpersonal Violence, 9,* 339-349.

BLAND, R. C., NEWMAN, S. C., THOMPSON, A. H., & Dyck, R. J. (1998). Psychiatric disorders in the population and in prisoners. *International Journal of Law and Psychiatry, 21,* 273-279.

BRANDT, J. R., KENNEDY, W. A., PATRICK, C. J., & CURTIN, J. J. (1997). Assessment of psychopathy in a population of incarcerated adolescent offenders. *Psychological Assessment, 9,* 429-435.

BROWN, S. L., & FORTH, A. E. (1997). Psychopathy and sexual assault : Static risk factors, emotional precursors, and rapist subtypes. *Journal of Consulting and Clinical Psychology, 65,* 848-857.

CHANDLER, M., & MORAN, T. (1990). Psychopathy and moral development : A comparative study of delinquent and non delinquent youth. *Development and Psychopathology, 2*, 227-246.

CLECKLEY, H. (1941/1982). *The mask of sanity*. New York : Mosby.

COHEN, J. (1960). A coefficient of agreement for nominal scales. *Educational and Psychological Measurement, 20*, 37-46.

COLLINS, J. J., SCHLENGER, W. E., & JORDAN, B. K. (1988). Antisocial personality and substance abuse disorders. *Bulletin of the American Academy of Psychiatry and the Law, 16*, 187-198.

COOKE, D. J. (1995). Psychopathic disturbance in the Scottish prison population : Cross-cultural generalizability of the Hare Psychopathy Checklist. *Psychology, Crime, and Law, 2*, 101-118.

– (1996). Psychopathic personality in different cultures : What we know ? What we need to find out ? *Journal of Personality Disorders, 10*, 23-40.

– (1998). Psychopathy across cultures. In D. J. Cooke, A. E. Forth, & R.D. Hare (Eds.), *Psychopathy : Theory, research and implications for society* (pp. 13-45). Dordrecht, Netherlands : Kluwer Academic Publishers.

COOKE, D. J., & Michie, C. (1997). An item response theory analysis of the Hare Psychopathy Checklist-Revised. *Psychological Assessment, 9*, 3-14.

– (1999). Psychopathy across cultures : North America and Scotland compared. *Journal of Abnormal Psychology, 108*, 58-68.

CÔTÉ, G., & Hodgins, s. (1996). *L'Echelle de psychopathie de Hare - Révisée (PCL-R) : Eléments de la validation française*. Toronto : Multi-Health Systems.

CÔTÉ, G., & LESAGE, A. (1995). *Diagnostics complémentaires et adaptation sociale chez des détenus schizophrènes ou dépressifs*. Montréal, Québec : Centre de recherche de l'Instiut Philippe Pinel de Montréal.

FORTH, A. (1996). Psychopathy in adolescent offenders : Assessment, family background, and violence. In D. J. Cooke, A. E. Forth, J. Newman, & R. D. Hare (Eds), *Issues in criminological and legal psychology : No. 24. International perspectives on psychopathy* (pp. 42-44). Leicester, UK : British Psychological Society.

FORTH, A. E., BROWN, S. L., HART, S. D., & HARE, R. D. (1996). The assessment of psychopathy in male and female noncriminals : Reliability and validity. *Personality and Individual Differences, 20*, 531-543.

FORTH, A. E., & BURKE, H. C. (1998). Psychopathy in adolescence : Assessment, violence, and developmental precursors. In D.J. Cooke, A.E. Forth, & R.D. Hare (Eds.), *Psychopathy : Theory, research and implications for society* (pp. 205-229). Dordrecht, Netherlands : Kluwer Academic Publishers.

FORTH, A. E., HART, S. D., & HARE, R. D. (1990). Assessment of psychopathy in male young offenders. *Psychological Assessment : A Journal of Consulting and Clinical Psychology, 2*, 342-433.

FREESE, R., MÜLLER-ISBERNER, R., & JÖCKEL, D. (1996). Psychopathy and co-morbidity in a german hospital order population. In D. J. Cooke, A. E. Forth, J. Newman, & R. D. Hare (Eds), *Issues in criminological and legal psychology : No. 24. International perspectives on psychopathy* (pp. 45-46). Leicester, UK : British Psychological Society.

GONÇALVES, R. A. (1996). Psychopathy and adaptation to prison. In D. J. Cooke, A. E. Forth, J. Newman, & R. D. Hare (Eds), *Issues in criminological and legal psychology : No. 24. International perspectives on psychopathy* (p. 60). Leicester, UK : British Psychological Society.

HARE, R. D. (1980). A research scale for the assessment of psychopathy in criminal populations. *Personality and Individual Differences, 1*, 111-119.

– (1981). Psychopathy and violence. In J. R. Hays et al. (Eds), *Violence and the violent individual* (pp. 53-74). Jamaica, NY : Spectrum.

– (1983). Diagnosis of antisocial personality disorder in two prison populations. *American Journal of Psychiatry, 140*, 887-890.

– (1985). Comparison of procedures for the assessment of psychopathy. *Journal of Consulting and Clinical Psychology, 53*, 7-16.

– (1991). *The Hare Psychopathy Checklist : Revised*. Toronto, Ontario : Multi-Health Systems, Inc.

– (1998). Psychopaths and their nature : Implications for the mental health and criminal justice systems. In T. Millon, E. Simonsen, M. Birket-Smith, & R.D. Davis (Eds.), *Psychopathy : Antisocial, criminal, and violent behavior* (pp. 188-212). New York : Guilford.

HARE, R. D., & MCPHERSON, L. M. (1984). Violent and aggressive behavior by criminal psychopaths. *International Journal of Law and Psychiatry, 7*, 35-50.

HARE, R. D., MCPHERSON, L. M., & FORTH, A. E. (1988). Male psychopaths and their criminal careers. *Journal of Consulting and Clinical Psychology, 56*, 710-714.

HARPUR, T. J., HAKSTIAN, A. R., & HARE, R. D. (1988). Factor structure of the Psychopathy Checklist. *Journal of Consulting and Clinical Psychology, 56*, 741-747.

HARPUR, T. J., HARE, R. D., & HAKSTIAN, A. R. (1989). Two-factor conceptualization of psychopathy : Construct validity and assessment implications. Psychological Assessment : A *Journal of Consulting and Clinical Psychology, 1*, 6-17.

HARRIS, G. T., RICE, M. E., & QUINSEY, N. (1994). Psychopathy as a taxon : Evidence that psychopaths are a discrete class. *Journal of Consulting and Clinical Psychology, 62*, 387-397.

HART, S. D., COX, D. N., & HARE, R. D. (1995). *The Hare Psychopathy Checklist : Screening version (PCL-SV)*. Toronto : Multi-Health Systems Inc.

HART, S. D., & HARE, R. D. (1989). Discriminant validity of the Psychopathy Checklist in a forensic psychiatric population. *Psychological Assessment : A Journal of Consulting and Clinical Psychology, 1*, 211-218.

– (1998). Psychopathy : Assessment and association with criminal conduct. In D. M. Stoff, & J. Maser (Eds), *Handbook of antisocial behavior* (pp. 22-35). Toronto : Wiley.

HART, S. D., HARE, R. D., & FORTH, A. E. (1994). Psychopathy as a risk marker for violence : Development and validation of a screening version of the revised Psychopathy Checklist. In J. Monahan, & H. J. Steadman (Eds.), *Violence and mental disorder : Developments in risk assessment* (pp. 81-98). Chicago : The University of Chicago Press.

HEMPHILL, J. F., HART, S. D., & HARE, R. D. (1994). Psychopathy and substance use. *Journal of Personality Disorders, 8*, 169-180.

HODGINS, S., & CÔTÉ, G. (1990). Prévalence des troubles mentaux chez les détenus des pénitenciers du Québec. *Santé Mentale Au Canada, 38 (1)*, 1-5.

HODGINS, S., CÔTÉ, G., & TOUPIN, J. (1998). Major mental disorder and crime : An ethiological hypothesis. In D. Cooke, A. Forth, & R. D. Hare (Eds), *Psychopathy : Theory, Research and Implications for Society* (pp. 231-256). Dortrecht, The Netherlands : Kluwer.

JENICEK, M. and CLÉROUX, R. (1982). *Épidémiologie : Principes, techniques, applications*. St-Hyacinthe, Canada : Edisem.

KOIVISTO, H., & HAAPASALO, J. (1996). Childhood maltreatment and adulthood psychopathy in light of file-based assessment among mental state examinees. *Studies on Crime and Crime Prevention, 5*, 91-104.

KOSSON, D. S., KELLY, J. C., & WHITE, J. W. (1997). Psychopathy-related traits predict self-reported sexual aggression among college men. *Journal of Interpersonal Violence, 2*, 241-254.

KOSSON, D. S., SMITH, S. S., & NEWMAN, J. P. (1990). Evaluating the construct validity of psychopath in black and white male inmates : Three preliminary studies. *Journal of Abnormal Psychology, 99*, 250-259.

LALUMIERE, M. L., & QUINSEY, V. L. (1996). Sexual deviance, antisociality, mating effort, and the use of sexually coercitive behaviors. *Personality and Individual Differences, 21*, 33-48.

LANDIS, J. R., & KOCH, G. G. (1977). The measurement of observer agreement for categorical data. *Biometrics, 33*, 159-174.

LAROCHE, I. (1998). *Les composantes psychologiques et comportementales parentales associées à la psychopathie de jeunes contrevenants violents*. Thèse de doctorat inédite. Département de psychologie, Université de Montréal.

LOMBROSO, C. (1911). Introduction. In G.L. Ferrero. *Criminal man : According to the classification of Cesare Lombroso*. New York : The Knickerbocker Press.

LOUCKS, A. D., & ZAMBLE, E. (1994). *Criminal and violent behavior in incarcerated female federal offenders*. Canadian Psychological Association Annual Convention. Penticton, British Columbia, Canada.

LOUTH, S. M., HARE, R. D., & LINDEN, W. (1998). Psychopathy and alexithymia in female offenders. *Canadian Journal of Behavioural Science, 30*, 91-98.

MCBRIDE, M.L. (1998). *Individual and familial risk factors for adolescent psychopathy*. Unpublished doctoral dissertation, University of British Columbia, Vancouver, British Columbia.

MOLTO, J., CARMONA, E., POY, R., AVILA, C., & TORRUBIA, R. (1996). Psychopathy Checklist-Revised in spanish prison populations : Some data on reliability and validity. In D. J. Cooke, A. E. Forth, J. Newman, & R. D. Hare (Eds), *Issues in criminological and legal psychology : No. 24. International perspectives on psychopathy* (pp. 109-114). Leicester, UK : British Psychological Society.

MOTIUK, L. L., & PORPORINO, F. J. (1992). *The prevalence, nature and severity of mental health problems among federal male inmates in canadian penitentiaries*. (Report No. R-24). Ottawa, Ontario : Correctional Service Canada.

MYERS, W. C., & BLASHFIELD, R. (1997). Psychopathology and personality in juvenile sexual homicide offenders. *Journal of the American Academy of Psychiatry and the Law, 25*, 497-508.

NEDOPIL, N., HOLLWEG, M., HARTMAN, J., & Jaser, R. (1996). Comorbidity of psychopathy with major mental disorders. In D. J. Cooke, A. E. Forth, J. Newman, & R. D. Hare (Eds), *Issues in criminological and legal psychology : No. 24. International perspectives on psychopathy* (pp. 115-118). Leicester, UK : British Psychological Society.

NEIGHBORS, H. W., WILLIAMS, D. H., GUNNINGS, T. S., LIPSCOMB, W. D., BROMAN, C., & LEPKOWSKI, J. (1987). *The prevalence of mental disorder in Michigan prisons*. Michigan : Michigan State University.

O'KANE, A., FAWCETT, D., & BLACKBURN, R. (1996). Psychopathy and moral reasoning comparison of two classifications. *Personality and Individual Differences, 20*, 505-514.

PHAM, T. H. (1998). Evaluation psychométrique du questionnaire de la psychopathie de Hare auprès d'une population carcérale belge. *L'Encéphale, XXIV*, 435-441.

PHAM, T. H., REMY, S., DAILLIET, A., & LIENARD, L. (1997). *Psychopathy and prediction of violent behaviors : An assessment in security hospital*. Poster presented at the 5th International Congress on the Disorders of Personality. Vancouver, British Columbia, Canada.

PIOTROWSKI, N. A., TUSEL, D. J., SEES, K. L., BANYS, P., & HALL, S. M. (1996). Psychopathy and antisocial personality in men and women with primary opioid dependence. In D. J. Cooke, A. E. Forth, J. Newman, & R. D. Hare (Eds), *Issues in criminological and legal psychology : No. 24. International perspectives on psychopathy* (pp. 123-126). Leicester, UK : British Psychological Society.

PRENTKY, R. A., & KNIGHT, R. A. (1991). Identifying critical dimensions for discriminating among rapists. *Journal of Consulting and Clinical Psychology, 59*, 643-661.

RAINE, A. (1985). A psychometric assessment of Hare's checklist for psychopathy on an English prison population. *British Journal of Clinical Psychology, 24*, 247-258.

RASMUSSEN, K., & LEVANDER, S. (1996a). Symptoms and personality characteristics of patients in a maximum security psychiatric unit. *International Journal of Law and Psychiatry, 19*, 27-37.

– (1996b). Violence in the mentally disordered : A differential clinical perspective. In D. J. Cooke, A. E. Forth, J. Newman, & R. D. Hare (Eds), *Issues in criminological and legal psychology : No. 24. International perspectives on psychopathy* (pp. 127-130). Leicester, UK : British Psychological Society.

RICE, M. E., & HARRIS, G. T. (1995). Psychopathy, schizophrenia, alcohol abuse, and violent recidivism. *International Journal of Law and Psychiatry, 18*, 333-342.

ROBINS, L.N., HELZER, J. E., CROUGHAM, J., & RATCLIFF, K.S. (1981). National Institute of Mental Health Diagnostic Interview Schedule : Its history, characteristics, and validity. *Archives of General Psychiatry, 81*, 381-389.

ROBINS, L. N., TIPP, J., & PRXYBECK, T. (1991). Antisocial personality. In L. E. Robins, & D. A. Regier (Eds*)*, *Psychiatric disorders in America : The Epidemiological Catchyment Area study*. Toronto : Collier Macmillan.

ROCHEFORT, S., & EARLS, C. (1998). *Facteurs déterminants du fonctionnement antisocial et psychopathique chez deux groupes de sujets détenus en milieu carcéral* Présentation au 66 ième congrès de l'Association Canadienne Française pour l'Avancement des Sciences (ACFAS).

ROSS, H. E., GLASER, F. B., and GERMANSON, T. (1988). The prevalence of psychiatric disorders in patients with alcohol and other drug problems. *Archives of General Psychiatry, 45*, 1023-1031.

ROUNSAVILLE, B. J., ANTON, S., CARROLL, K., BUDDE, D., PRUSOFF, B. A., and GAWIN, F. (1991). Psychiatric diagnoses of treatment-seeking cocaine abusers. *Archives of General Psychiatry, 48*, 43-51.

ROUNSAVILLE, B. J., WEISSMAN, M. M., CRITS-CRISTOPH, K., WILBER, C., and KLEBER, H. D. (1982). Diagnosis and symptoms of depression in opiate addicts. *Archives of General Psychiatry, 39*, 151-156.

ROUNSAVILLE, B. S., WEISSMAN, M. M., KLEBER, H. D., and WILBER, C. (1982). Heterogeneity of psychiatric diagnosis in treated opiate addicts. *Archives of General Psychiatry, 39*, 161-166.

SALEKIN, R. T., ROGERS, R., & SEWELL, K. W. (1997). Construct validity of psychopathy in a female offender sample : A multitrait-multimethod evaluation. *Journal of Abnormal Psychology, 106*, 576-585.

SCHROEDER, M. L., SCHROEDER, K. G., & HARE, R. D. (1983). Generalizability of a checklist for assessment of psychopathy. *Journal of Consulting and Clinical Psychology, 51*, 511-516.

SERIN, R. C. (1991). Psychopathy and violence in criminals. *Journal of Interpersonal Violence, 6*, 423-431.

SERIN, R. C., & AMOS, N. L. (1995). The role of psychopathy in the assessment of dangerousness. *International Journal of Law and Psychiatry, 18*, 231-238.

SERIN, R. C., MALCOLM, P. B., KHANNA, A., & BARBAREE, H. (1994). Psychopathy and deviant sexual arousal in incarcerated sexual offenders. *Journal of Interpersonal Violence, 9*, 3-11.

SERIN, R. C., PETERS, R. D., & BARBAREE, H. E. (1990). Predictors of psychopathy and release outcome in a criminal population. *Journal of Consulting and Clinical Psychology : Psychological Assessment, 2*, 419-422.

SHROUT, P. E., & FLEISS, J. I. (1979). Intraclass correlations : Uses in assessing rater reliability. *Psychological Bulletin, 86*, 420-428.

SMITH, S. S., & NEWMAN, J. P. (1990). Alcohol and drug abuse-dependence disorders in psychopathic and nonpsychopathic criminal offenders. *Journal of Abnormal Psychology, 99*, 430-439.

SPITZER, R. L., ENDICOTT, J., and ROBINS, E. (1978). Research Diagnostic Criteria : Rationale and reliability. *Archives of General Psychiatry, 35*, 773-782.

SREENIVASAN, S., KIRKISH, P., ETH, S., MINTZ, J., HWANG, S., VAN GORP, W., & VAN VORT, W. (1997). Predictors of recidivistic violence in criminally insane and civilly committed psychiatric inpatients. *International Journal of Law and Psychiatry, 20*, 279-291.

STALENHEIM, E. G., & VON KNORRING, L. (1996). Psychopathy and Axis I and Axis II psychiatric disorders in a forensic psychiatric population in Sweden. *Acta Psychiatrica Scandinavica, 94*, 217-223.

STRACHAN, C. E. (1993). *The assessment of psychopathy in female offenders*. Unpublished doctoral dissertation, University of British Columbia, Vancouver, British Columbia.

TINSLEY, H. E. A. and WEISS, D. J. (1983). Interrater reliability and agreement of subjective judgments. *Journal of Counseling Psychology, 22*, 358-376.

TOUPIN, J., MERCIER, H., DÉRY, M., CÔTÉ, G., & HODGINS, S. (1996). Validity of the PCL-R for adolescents. In D. J. Cooke, A. E. Forth, J. Newman, & R. D.

Hare (Eds), *Issues in criminological and legal psychology : No. 24. International perspectives on psychopathy* (pp. 143-145). Leicester, UK : British Psychological Society.

TREVETHAN, S. D., & WALKER, L. J. (1989). *Hypothetical versus real-life moral reasoning among psychopathic and delinquent youth. Development and Psychopathology, 1*, 91-103.

WIDIGER, T. A. (1998). Psychopathy and normal personality. In D. J. Cooke, A. Forth, & R.D. Hare (Eds), *Psychopathy : Theory, Research and Implications for Society* (pp. 47-68). Dortrecht, The Netherlands : Kluwer.

WIDIGER, T. A., CADORET, R., HARE, R., ROBINS, L., RUTHERFORD, M., ZANARINI, M., ALTERMAN, A., APPLE, M., CORBITT, E., FORTH, A., HART, S., KULTERMANN, J., WOODY, G., & FRANCES, A. (1996). DSM-IV antisocial personality disorder field trial. *Journal of Abnormal Psychology, 105*, 3-16.

WONG, S., (1984). *The criminal and institutional behaviour of psychopaths.* Ottawa, Ontario : Ministry of the Solicitor General of Canada, Research Division.

WONG, S., (1996). Recidivism and criminal career profiles of psychopaths : A longitudinal study. In D. J. Cooke, A. E. Forth, J. Newman, & R. D. Hare (Eds), *Issues in criminological and legal psychology : No. 24. International perspectives on psychopathy* (pp. 147-152). Leicester, UK : British Psychological Society.

ZAGON, I., & JACKSON, H. (1994). Construct validity of a psychopathy measure. *Personality and Individual Differences, 17*, 125-135.

Chapitre 3

Psychopathie et comportements violents

Gilles Côté, Sheilagh Hodgins, Jean Toupin
& Thierry Hoang Pham

Les caractéristiques de la psychopathie présentées dans les chapitres précédents, notamment au chapitre deux, permettent aisément d'entrevoir un lien entre psychopathie et comportement violent. Au delà des aspects portant sur la faible maîtrise de soi et la multiplicité des types de délits, la recherche d'excitation, le manque d'empathie et de sensibilité à autrui, de même que le besoin de se sentir supérieur à autrui, ce dernier aspect étant lié à la surestimation de soi, sont autant de caractéristiques susceptibles de favoriser l'expression de comportements violents. Ces derniers aspects s'accordent bien avec le manque d'inhibition observée chez les psychopathes, tels que définis jusqu'à maintenant (voir Arnett, 1997, pour une synthèse des travaux portant sur les systèmes incitatif et inhibitif tels qu'appliqués à la psychopathie à partir de la théorie de Gray).

L'hypothèse d'un lien entre psychopathie et comportements violents peut être soutenue à partir de l'opérationnalisation même de la notion de psychopathie, mais il y a lieu de se demander si les comportements violents forment une catégorie homogène. Les individus responsables d'homicides sont-ils les mêmes que ceux qui présentent un comportement violent assumé depuis leur plus jeune âge ? Les agressions sexuelles constituant des comportements violents, les actes pédophiliques peuvent-ils être associés aux mêmes caractéristiques de personnalité que celles rencontrées chez les responsables de viols ? En somme, la considération du lien entre psychopathie et comportements violents exige aussi d'examiner les aspects qualitatifs liés au type de comportement violent et à certains aspects du comportement qui donnent des indices de sa signification.

Les méta-analyses publiées jusqu'à maintenant, lorsqu'elles abordent l'apport de l'échelle de psychopathie (Hare, 1991), observent que le score de psychopathie est un bon indice de prédiction de la violence (Gendreau, Little, & Goggin, 1996 ; Hemphill, Hare, & Wong, 1998 ; Salekin, Rogers, & Sewell, 1996) [1]. L'apport de la psychopathie à la prédiction du comportement violent prévaut que celle-ci soit considérée sous l'angle d'un continuum (approche linéaire) ou d'un mode d'organisation spécifique (approche taxonomique) (Hemphill et al., 1998). L'examen des diverses études sur lesquelles repose cette conclusion générale permet de mieux saisir l'association entre psychopathie et comportement violent, tout en permettant un certain nombre de nuances qui s'imposent.

Psychopathie et crimes violents chez les sujets incarcérés

Les psychopathes présentent une criminalité plus importante et plus variée que les autres, mais c'est au plan de la criminalité violente que la différence est la plus marquée et, peut-être, la plus nette. Les psychopathes ont été accusés ou condamnés plus souvent pour des crimes violents que les non psychopathes (Hare, 1981 ; Hare & Jutai, 1983 ; Hare & McPherson, 1984 ; Kosson, Smith, & Newman, 1990 ; Williamson, Hare, & Wong, 1987). C'est plus particulièrement le cas pour les vols à main armée, les voies de fait, les viols, bien que, dans ce dernier cas, une analyse statistique n'a pu être réalisée en raison du nombre restreint de sujets (Hare, 1981). Williamson et al. (1987) soulignent le cas des voies de fait graves. Serin (1991) observe de telles différences ; tous les sujets psychopathes de son étude auraient déjà été condamnés pour au moins un délit violent. La même différence est constatée quant au nombre de condamnations pour délits violents par année de liberté (Hare, 1981 ; Hare & McPherson, 1984). Ces différences statistiques demeurent lorsque sont retirés les items plus directement associés aux comportements violents et susceptibles de produire un effet redondant dans l'analyse, notamment les items 12 (apparition précoce de problèmes de comportement), 18 (délinquance juvénile), 19 (violation des conditions de mise en liberté conditionnelle), et 20 (diversité des types de délits commis par le sujet) (Hare & McPherson, 1984).

1. – La méta-analyse de Bonta, Law, et Hanson (1998) concerne des sujets atteints de troubles mentaux ; ces auteurs relèvent trop peu d'études ayant utilisé la PCL-R dans un cadre de prédiction de la récidive, notamment la récidive violente, auprès de cette clientèle pour évaluer l'apport de cet indice de psychopathie, selon leur propre conclusion.

Utilisant l'échelle comme continuum, Molto, Carmona, Poy, & Torrubia (1996) obtiennent une corrélation statistiquement significative entre le résultat à l'échelle de psychopathie et le nombre de condamnations pour crime violent ; une telle association est observée chez les femmes également (Loucks & Zamble, 1994). Weiler et Widom (1996) font la même constatation aussi bien pour les arrestations pour crimes violents que pour les comportements antisociaux auto-rapportés ; cette observation est faite respectivement auprès des échantillons masculin et féminin. Pham (1998) conclut également que le score à l'échelle de psychopathie est associé aux délits violents ; toutefois, cette observation vaut pour le vol avec violence, les coups et blessures, le port d'arme, mais non pour les délits sexuels et la prise d'otage ou l'enlèvement. Dans cette dernière étude, l'homicide est quant à lui négativement associé au score de psychopathie. Sur une base typologique, Strachan (1993) constate également que, chez les femmes, les délits violents sont associés à la psychopathie : bien que les psychopathes ne représentent que le tiers de l'échantillon, elles sont responsables d'environ la moitié des délits violents, comme des délits non-violents, attribués à l'échantillon. En contrepartie, chez les femmes, Salekin, Rogers et Sewell (1997) n'observent pas de corrélation statistiquement significative entre le score total à l'échelle de psychopathie et diverses échelles d'agression (échelles de type Likert) complétées par les surveillants de l'établissement de détention. L'évaluation par le personnel concernait notamment l'agression verbale, le comportement non-coopératif, de même qu'une perception globale du degré de dangerosité.

En ce qui a trait à la récidive violente, Serin (1996) montre que les psychopathes se démarquent en général nettement des sujets non-psychopathes avec une récidive plus violente et plus rapide. Selon Serin & Amos (1995), les psychopathes récidivent cinq fois plus souvent de façon violente que les non psychopathes. Les périodes de suivi étaient en moyenne de 30 mois pour l'étude de Serin et de 5,5 ans pour celle de Serin et Amos. Dans le cadre d'un suivi d'une dizaine d'années, Wong (1996) observe toujours une différence entre les psychopathes et les non-psychopathes, mais non entre les psychopathes et les sujets dits « mixtes ». Par ailleurs, il est intéressant de noter que la récidive violente est associée principalement au facteur 1 (traits de personnalité), alors que la récidive générale est corrélée avec le facteur 2 (comportements antisociaux) (Serin, 1996).

Psychopathie et violence en milieu institutionnel

Les psychopathes présentent également plus de problèmes en détention. Ils y manifestent plus de violence, notamment liée aux menaces, aux batailles, à l'utilisation d'une arme, à des comportements homosexuels de nature agressive (Hare, 1981 ; Hare & McPherson, 1984 ; Wong, 1984, 1996). Les psychopathes sont également surreprésentés parmi ceux qui ont agressé sexuellement un membre féminin du personnel à l'emploi du Service Correctionnel du Canada (Furr, 1996). Comparant un groupe de sujets ayant feint la maladie mentale à un groupe de patients tenus non-responsables de leurs actes pour cause d'aliénation mentale, Gacono, Meloy, Sheppard, Speth et Roske (1995) observent que les sujets du premier groupe obtiennent tous un résultat supérieur à l'échelle de psychopathie, ont commis des délits plus violents, manifestent plus de problèmes de fonctionnement sur l'unité et sont responsables de voies de faits physiques et verbales dans l'établissement. Parmi les problèmes de comportement, ces auteurs notent le commerce de drogue à l'intérieur de l'établissement, de même que les relations sexuelles avec le personnel féminin. Chez les femmes, Loucks et Zamble (1994) obtiennent une corrélation statistiquement significative entre le résultat à l'échelle de psychopathie et les comportements violents en établissement.

Psychopathie et comportement violent en regard de clientèles spécifiques et du type de délit violent

Psychopathie et violence chez les sujets atteints de troubles mentaux graves

Le lien entre la psychopathie et la violence peut-il être généralisé à toutes les clientèles accusées ou tenues responsables de crimes violents ? L'association entre la psychopathie et la violence prévaut-elle pour toutes les formes de crimes violents ?

Les caractéristiques retenues pour définir la psychopathie, relatives notamment aux traits de personnalité, définissent bien un certain nombre de sujets incarcérés, mais cadrent difficilement avec les caractéristiques des sujets atteints d'un trouble mental grave (psychose ou trouble grave de l'humeur). Alors que le diagnostic de trouble de personnalité antisociale se retrouve chez un nombre appréciable de sujets incarcérés ayant un trouble mental grave, avec une prévalence variant entre 39,1 % (Côté et Lesage, 1995) et plus de 60 à 70 % (Côté & Hodgins, 1990), la prévalence de la psychopathie (PCL-R) est très réduite, soit 2,9 % (Côté & Lesage, 1995). Chez des patients relevant de la psychiatrie légale, le taux varie entre 0 % et 13 % (Freese, Müller-Isberner, & Jöckel, 1996 ; Hare, 1991 ; Hart & Hare, 1989 ; Sreenivasan et al., 1997) ; seuls Rasmussen et Levander (1996a, 1996b) obtiennent une prévalence supérieure, autour de 25 %, taux qui s'élève à 26,1 % chez les hommes schizophrènes. Les études rapportées ici ont utilisé un score de 30 ou plus pour définir la psychopathie, ce qui constitue le barème habituel. De l'étude des rapports entre la psychopathie et les troubles mentaux graves, il s'avère que la psychopathie constitue une entité clinique distincte (Freese et al., 1996 ; Hart & Hare, 1989 ; Hodgins, Côté, & Toupin, 1998).

Dans le champ des troubles mentaux graves, la psychopathie a été presque exclusivement abordée sous l'angle d'un continuum. La seule exception est l'étude de Harris, Rice et Cormier (1991) ; ceux-ci utilisent toutefois un point de coupure établi à 25 pour conclure que les psychopathes récidivent davantage de façon violente que les non-psychopathes. Le problème est alors de savoir à quoi correspond exactement un groupe de sujets qui présentent un score total de 25 ou plus à l'échelle. Utilisée comme continuum, l'échelle de psychopathie fournit le meilleur indice pour la prédiction des comportements violents observés auprès de cette clientèle psychiatrique, selon le document synthèse des travaux de l'équipe du Penetanguishene Mental Health Centre (Webster, Harris, Rice, Cormier, & Quinsey, 1994) ; cet indice est également intégré au Violence Risk Appraisal Guide (VRAG) (Rice & Harris, 1997). L'échelle de psychopathie est également reprise dans un nouvel instrument d'évaluation des risques de violence chez cette clientèle, soit le HCR-20 : Assessing Risk for Violence, version 2 (Webster, Douglas, Eaves, & Hart, 1997), un instrument en cours de validation. Dans le cas des patients hospitalisés, le score de psychopathie est associé au nombre total de délits, au nombre de délits violents et au nombre de délits non violents, au nombre moyen de délits violents et de délits non-violents par année de liberté (Hare, 1991), au vol avec violence (Pham, Rémy, Dailliet, & Lienard, 1997). Le score à l'échelle est également un bon indice pour prédire la récidive générale et violente (Harris, Rice, & Quinsey, 1993 ; Heilbrun et al., 1998 ; Rice & Harris, 1992, 1995 ; Wintrup, Coles, Hart, & Webster, 1994 : voir Hart & Hare, 1998) [2]. Il est par contre intéressant de noter que, dans l'étude de Heilbrun et al. (1998), cette association positive est attribuable essentiellement au facteur 2 ; le nombre d'arrestations pour crimes contre la personne au moment du suivi post-hospitalisation n'est pas associé au facteur 1. Ces derniers auteurs observent également une association significative entre le score à l'échelle de psychopathie et l'agression verbale ou physique au cours des deux premiers mois d'hospitalisation. L'étude conduite dans le cadre de la procédure de validation du HCR-20 montre que le score global de psychopathie observé à l'aide de la version courte de l'échelle de psychopathie (PCL-SV) permet de prédire à la fois les comportements d'agression manifestés en cours

2. – Les études rapportées par l'entremise d'une source secondaire n'ont pas été publiées ; la source citée comprend généralement un des auteurs de l'étude originale, ou un des proches de l'équipe du professeur Hare.

d'hospitalisation et ceux manifestés pendant la période de suivi en externe (Ross, Hart, & Webster, 1998). Toutefois, le facteur 1 n'est pas relié à la violence en cours d'hospitalisation, alors que les facteurs 1 et 2 le sont dans le cadre de la violence manifestée dans la communauté.

La version courte de l'échelle de psychopathie (PCL-SV) (Hart, Cox, & Hare, 1995) est aussi utilisée dans le cadre du projet MacArthur (MacArthur Risk Assessment Study) sous la responsabilité de Steadman et Monahan (Steadman et al., 1994). Ce projet évalue le risque de comportements violents chez des sujets atteints de troubles mentaux. Seules les données portant sur la prévalence des comportements violents ont été publiées jusqu'à maintenant (Steadman et al., 1998). Toutefois, il ressort clairement des résultats présentés lors de conférences scientifiques que l'indice de psychopathie offre le meilleur indice de prédiction des comportements violents (Monahan, 1998). Le score de psychopathie permet également de distinguer entre des sujets atteints de troubles mentaux graves en milieu carcéral et ceux atteints de troubles mentaux graves hospitalisés en milieu psychiatrique général (Côté & Lesage, 1995) ; pratiquement tous les sujets incarcérés (91,3 %) avaient déjà été condamnés pour un délit violent comparativement à 18,3 % dans le groupe des patients hospitalisés.

Psychopathie et violence chez les délinquants sexuels

Au niveau des délinquants sexuels, l'étude de la clientèle et l'étude du type de comportement antisocial se trouvent liées, du fait que l'une est définie par l'autre. Les psychopathes sont peu présents parmi l'ensemble des délinquants sexuels, les taux de prévalence variant entre 3 et 15 % (Forth & Kroner, 1994 : voir Hart & Hare, 1998 ; Miller, Geddings, Levenston, & Patrick, 1994 : voir Hart & Hare,1998 ; Rochefort, 1997 ; Serin, Malcolm, Khanna, & Barbaree, 1994) ; toutefois, ils sont nettement plus présents parmi les violeurs, les taux de prévalence variant alors entre 35 et 77 % (Brown & Fort, 1997 ; Miller et al., 1994 : voir Hart et Hare, 1998). Pour Prentky & Knight (1991), il y aurait un type de violeurs issu d'un sous-groupe de psychopathes. Cependant, pour Brown & Forth (1997), les délits sexuels sont une extension du tableau général des délits chez les psychopathes ; les violeurs psychopathes ne forment pas un type de violeurs à part. Il s'agit de violeurs opportunistes. Eu égard à la violence, soulignons que, parmi les violeurs sadiques, un seul sujet sur sept rencontrait les critères de la psychopathie dans cette dernière étude. Barbaree, Seto, Serin, Amos, & Preston (1994) distinguent quatre types de violeurs selon que la motivation première est sexuelle, avec composante sadique ou non sadique, ou agressive, distinguant alors entre le viol opportuniste et le viol vindicatif. Le résultat à l'échelle de psychopathie ne permet pas de différencier ces quatre groupes ; le résultat au facteur 2 est cependant statistiquement plus élevé chez les sujets du sous-type sexuel-sadique que chez les sujets des trois autres sous-types. Il importe de rappeler que le facteur 2 s'appuie essentiellement sur des comportements antisociaux et que c'est le facteur 1 qui caractérise principalement le psychopathe (Cooke & Michie, 1997) ; ce dernier renvoie à des traits de personnalité caractérisés par un narcissisme pathologique et un détachement émotionnel. A la suite d'une analyse d'item, Cooke et Michie observent que, par rapport aux items du facteur 2, ceux du facteur 1 correspondent significativement plus au trait latent mesuré par l'échelle ; ces derniers items présentent une plus grande précision pour la définition du trait. Ces données sont congruentes avec les descriptions de la littérature clinique qui considère les items du facteur 1 comme les plus représentatifs du mode de fonctionnement du psychopathe (Cleckley, 1976/1982). Par ailleurs, à partir du manuel de classification des individus reconnus coupables de délits criminels, élaboré par le FBI, Dempster et Hart (1996 : voir Hart & Hare, 1998) observent que 43 adolescents reconnus coupables d'homicides sexuels ou de tentatives de meurtre à caractère sexuel obtiennent un score plus élevé à l'échelle de psychopathie en comparaison de ceux qui ont commis des délits basés sur la recherche d'excitation ou l'appropriation ; Hart et Hare (1998) reconnaissent une composante de sadisme dans ce type d'homicides ou de tentatives de meurtre. Rapportant les résultats d'études non publiées, ces derniers soulignent également que la psychopathie est reliée à la fréquence et au degré de violence commis lors de délits à caractère sexuel (Miller, Geddings, Levenston, & Patrick, 1994 : voir Hart & Hare, 1998 ; Gretton, McBride, Lewis, O'Shaughnessy, & Hare, 1994 : voir Hart & Hare, 1998). A partir d'une analyse de survie sur une période de 10 ans, Rice et Harris (1997) comparent le potentiel de prédiction du diagnostic de psychopathie, défini ici à partir d'un score 25 à l'échelle de psychopathie de Hare, et un indice de déviance sexuelle basé sur des mesures phallométriques. Le diagnostic de psychopathie offre le meilleur indice de prédiction au plan de la récidive violente, alors que c'est un indice basé sur l'interaction entre le diagnostic de psychopathie et le diagnostic de déviance sexuelle qui offre le meilleur potentiel de prédiction en ce qui a trait à la récidive sexuelle. Rice et Harris en concluent que, parmi le groupe de sujets condamnés pour un délit sexuel, les psychopathes sans préférence sexuelle déviante sont portés à récidiver de façon violente, sans que cette violence n'adopte spécifiquement une connotation sexuelle. Par ailleurs, ils émettent l'hypothèse que la psychopathie se rencontre davantage chez les violeurs que chez les pédophiles ; ceci s'accorde avec leurs observations selon lesquelles les violeurs récidivent davantage, et plus rapidement, de façon violente que les pédophiles, alors que ce sont les pédophiles qui récidivent davantage et plus rapidement au plan des délits sexuels. Le score de psychopathie n'est pas associé au nombre de délits sexuels antérieurs, mais à l'histoire criminelle non sexuelle (Brown & Forth,1995, 1997 ; Quinsey et al., 1995). Sur un continuum, Harris et al. (1993), de même que Quinsey et al. (1995) observent que le score de psychopathie est associé au viol de femmes et à la récidive violente. Ces derniers auteurs n'observent pas d'interaction statistiquement significative entre psychopathie et indice phallométrique de déviance sexuelle dans le cadre d'analyses multivariées visant à prédire la récidive sexuelle et la récidive violente. Serin et al. (1994) rapportent une corrélation de .28 entre le score total à l'échelle et l'indice de phallométrie pour l'ensemble de leur échantillon. Toutefois, cette corrélation n'est pas statistiquement significative dans le cas des violeurs.

Psychopathie et homicide

Dans l'ensemble des délits violents, tels que définis par Statistique Canada (1995) [3], les délits sexuels ne constituent pas le seul type qui présente une problématique distincte en regard de la psychopathie, c'est-à-dire où la psychopathie n'est pas l'aspect central associé à la violence. Ainsi, l'homicide se rencontre peu fréquemment chez les psychopathes (Hare, 1981 ; Hare et Jutai, 1983) ; il y a même une tendance à observer plus d'homicides chez les non-psychopathes que chez les psychopathes (Hare et McPherson, 1984 ; Williamson et al., 1987). Sur la base d'un continuum, Pham (1998) observe même une corrélation négative statistiquement significative entre le score global à l'échelle de psychopathie et l'homicide. Cette observation vaut à la fois pour les facteurs 1 (traits de personnalité) et 2 (comportements antisociaux). Parmi les auteurs d'homicides et de tentatives de meurtre, le score global de psychopathie est associé à l'homicide à caractère sexuel, mais pas à ceux commis à l'occasion d'activités criminelles ou d'une stimulation de groupe ou pour un motif purement personnel ; à noter qu'il s'agit ici d'une analyse considérant la psychopathie sous l'angle d'un continuum et non d'une typologie (Dempster & Hart, 1997 : voir Hart & Dempster, 1997). Dans les échantillons recrutés en milieux psychiatriques, le résultat à l'échelle de psychopathie n'est pas associé à l'homicide (Pham et al., 1997). Dans son sous-échantillon de patients

3. – La catégorie des délits violents regroupe l'homicide, la tentative de meurtre, les voies de fait, et inclut le fait de décharger une arme à feu avec intention, les agressions sexuelles, l'enlèvement et les vols qualifiés.

violents relevant de la psychiatrie légale et comprenant 40,6 % de sujets homicides, Sreenivasam et al. (1997) ne rencontrent aucun psychopathe. Certes il est difficile de conclure à l'absence de lien entre la psychopathie et l'homicide à partir d'échantillons recrutés en milieu psychiatrique, étant donné que le taux de prévalence de la psychopathie y est très réduit. Toutefois, un certain nombre d'observations complémentaires permettent ce rapprochement. Il est démontré que les sujets atteints de troubles mentaux graves sont plus souvent reconnus coupables de crimes violents que les sujets de la population générale (Hodgins, 1992 ; Hodgins, Mednick, Brennan, Schulsinger, & Engberg, 1996). L'expression de cette violence prend parfois la forme extrême qu'est l'homicide ; dans un échantillon représentatif de détenus, les sujets homicides présentent ou ont présenté plus souvent un trouble mental grave que les sujets non-homicides (Côté & Hodgins, 1992).

En somme, la violence ne constitue pas un continuum, s'étendant par exemple de la voie de fait simple à l'homicide, en passant par les délits à caractère sexuel. Le lien à établir entre la psychopathie et la violence exige donc un certain nombre de nuances. Bien que la psychopathie soit associée à la violence dans la voie de fait physique, la menace, l'utilisation d'armes et le vol qualifié, elle paraît peu associée à l'homicide, une forme extrême de violence, ni à la violence sexuelle. Même lorsqu'il y a violence sexuelle, il semble que l'aspect sexuel, évalué par le biais d'un indice phallométrique de stimulation sexuelle déviante, soit moins la caractéristique du comportement que l'aspect opportuniste et utilitaire lié au tableau général des comportements antisociaux. Dans le lien à établir entre la psychopathie et la violence, il importe à tout le moins de considérer les types de clientèle et de violence.

Psychopathie et comportement violent chez les adolescents

Le lien entre la psychopathie et la violence ne s'observe pas seulement auprès de sujets adultes ; quelques études ont vérifié qu'il se retrouve également chez les clientèles plus jeunes. À l'aide d'une version adaptée de l'échelle de psychopathie, des études conduites auprès d'adolescents connaissant des démêlés avec la justice montrent que le score à cette échelle est associé non seulement à la délinquance et aux conduites antisociales non violentes, mais également aux comportements agressifs ou violents (Forth, 1996 ; Forth, Hart, & Hare, 1990 ; Toupin, Mercier, Déry, Côté, & Hodgins, 1996). Les adolescents obtenant un score élevé à l'échelle sont susceptibles de présenter une plus grande variété de comportements délinquants (Forth, 1996). Le score total de psychopathie n'est toutefois pas associé à la récidive générale, mais bien à la récidive violente (Forth et al., 1990).

Forth et al. (1990) notent également une forte association entre le score total à l'échelle de psychopathie et des comportements agressifs ou violents à l'intérieur des établissements de détention. Lynam (1997) est parvenu à développer un instrument diagnostic basé sur l'échelle de psychopathie afin d'évaluer ce syndrome chez des enfants de 10-13 ans. À nouveau, le score de psychopathie est associé à la délinquance générale, de même qu'à des indices de violence (bataille de gangs, utilisation d'une arme dans une bataille).

Chez les adolescents agresseurs sexuels, la psychopathie est associée au viol sadique, mais non à l'inceste, à la pédophilie, au viol visant à rassurer le sujet de son pouvoir, au viol d'une personne accompagnée lors d'une sortie occasionnelle, à l'exhibitionnisme, au voyeurisme, etc. (Dixon, Hart, Gretton, McBride, & O'Shaughnessy, 1995 : voir Hart & Hare, 1998). Sans qu'il soit possible de départager entre ce qui est attribuable au fait qu'il s'agit de délinquants sexuels ou d'homicides, soulignons quand même que, chez un groupe d'adolescents ayant commis un homicide à caractère sexuel, Myers et Blashfield (1997) observent qu'un seul sujet sur 13 présente un score supérieur ou égal à 30 à l'échelle de psychopathie.

Aspects qualitatifs de la violence rencontrée chez les psychopathes

La considération des aspects qualitatifs reliés à la violence rencontrée chez les psychopathes permet de dépasser la simple analyse actuarielle pour la prédiction de la violence. Ce faisant, nous tendons vers une approche qui cherche davantage à comprendre qu'à simplement prédire le comportement violent. Il s'agit d'une tendance souhaitable sur la base de la distinction faite par Hart (1998) entre l'approche actuarielle et le jugement clinique structuré.

Le résultat observé à l'échelle de psychopathie est davantage associé à une violence de type instrumental, c'est-à-dire utilitaire, que réactionnel (Cornell et al., 1996) ; en fait, le facteur 1 est plus associé aux délits planifiés et le facteur 2 aux délits plus impulsifs (Dempster et al., 1996 : voir Hart & Dempster, 1997). Ces deux études observent que la violence instrumentale est associée à une connaissance moindre de la victime. Dans le cas du viol, l'hypothèse voulant que la victime du psychopathe soit une personne inconnue de lui n'est pas soutenue ; il importe de souligner que cette conclusion de Brown & Forth (1997) repose sur une corrélation et non sur une analyse typologique. Sur une base typologique, Williamson et al. (1987) ont démontré que les psychopathes utilisent la violence surtout à des fins matérielles, alors que la victime est généralement inconnue. Patrick et Zempolich (1998) cherchent à comprendre cette observation en la situant dans le prolongement du déficit émotionnel des psychopathes. Selon eux, ce déficit implique que les psychopathes ne sont pas capables d'un attachement profond à l'autre, de sorte qu'il est peu probable que leur faible réponse émotionnelle puisse les amener à des réactions émotionnelles susceptibles de conduire à un comportement violent de type réactionnel. Ainsi leur comportement violent relèverait davantage d'un système relié à une certaine forme d'appétence (à mettre selon nous en relation avec la recherche du plaisir, l'appât du gain, le désir de contrôler) que d'un système réactif (ce qui supposerait un contenu émotionnel chargé). Le déficit au niveau du système réactif est rapproché des observations de Patrick (1994) sur l'absence d'un potentiel normal de réaction aux stimuli devant inciter la peur ou l'effroi chez les psychopathes lorsque ces derniers sont soumis à des scènes répugnantes ; il en concluait alors à un déficit de la capacité de mobiliser des réponses défensives. Eu égard à ce qui a été observé par Dempster et al. (voir Hart & Dempster, 1997) en ce qui a trait à la distinction à faire au niveau des facteurs 1 (traits de personnalité) et 2 (comportements antisociaux), il est intéressant de noter que Patrick et Zempolich (1998) qualifient le premier facteur par ses caractéristiques liées au détachement émotionnel et le second par « la composante de déviance sociale ». Il y a ici une convergence certaine au niveau de l'analyse sans pour autant que nous puissions souscrire, à partir de ces seules observations, à la conception constitutionnaliste de Patrick. Quant au type de blessure infligée, il n'y a pas d'association (Cornell et al., 1996) ou de différence statistiquement significative entre les psychopathes et les non psychopathes, à l'exception de l'homicide, où les non-psychopathes ont tendance à être davantage représentés (Brown & Forth, 1997 ; Williamson et al., 1987), tel que nous l'avons déjà mentionné.

Stabilité du comportement violent

Les délinquants persistants débutent leurs problèmes de comportements très tôt ; il s'agit d'un indicateur de la poursuite des comportements criminels à l'âge adulte (Blumstein, Cohen, Roth, & Visher, 1986 ; Fréchette & LeBlanc, 1987). La pertinence de cette observation est reconnue dans l'opérationnalisation même de la psychopathie établie par Hare au niveau de l'item 12, soit l'apparition précoce de problèmes de comportement. Diverses études ont démontré que les psychopathes commencent leur carrière criminelle officielle plus jeunes que les non-psychopathes ou les sujets dits « mixtes » (De Vita, Forth,

& Hare, 1990 ; Hare, 1981 [étude 1] ; Hare & Jutai, 1983 ; Wong, 1984).

La carrière criminelle des sujets criminalisés connaît un déclin à la mi-âge, soit autour de 35 ans (Robins, 1966). Blumstein et al. (1986) notent qu'il existe des différences individuelles importantes en ce qui a trait à la durée de la carrière criminelle. Au plan de l'analyse de groupe, la durée estimée de la carrière est de cinq ans lorsque cette évaluation est effectuée dans le groupe des sujets âgés de 18 ans ; toutefois, cette durée estimée est de 10 ans chez ceux qui sont encore actifs au plan criminel dans la trentaine. Une partie importante des individus reconnus coupables d'un délit criminel feront une courte incursion dans le domaine du crime. À ce chapitre, les psychopathes se distinguent. Les premières études notent que les psychopathes connaissent un déclin de leur activité criminelle comme les non-psychopathes, bien que ce soit un peu plus tardivement (Hare et Jutai, 1983). Wong (1984) n'observe plus de réelle différence après l'âge de 45 ans ; son échantillon comporte cependant très peu de sujets au delà de l'âge de 39 ans. Hare (1981) note une pointe maximale de l'activité criminelle autour de 30-35 ans, puis une baisse importante de cette dernière, y compris pour les crimes violents. Cependant, il souligne que les psychopathes plus âgés sont toujours plus agressifs que les autres détenus du même âge. Bien qu'il ne précise pas spécifiquement l'étendue d'âge de son échantillon, son dernier sous-groupe d'âge s'appuie sur un point de coupure à 30 ans, ce qui demeure relativement jeune. Les échantillons de départ ayant vieilli, les données plus récentes amènent des résultats intéressants. Alors que Hare, Mc Pherson, & Forth (1988) font l'hypothèse qu'il ne semble pas y avoir de réel changement au plan des délits violents au delà de l'âge de 40 ans, le fait est démontré dans l'étude de Hare, Forth, & Strachan (1992) : presque 50 % des psychopathes continuent à être condamnés après l'âge de 46 ans. À la fois les psychopathes et les non-psychopathes connaissent une diminution marquée de leur activité criminelle après 40 ans, mais, chez les psychopathes, le pourcentage de condamnations pour délits violents augmentent après 45 ans. Entre les âges de 46 à 50 ans, 30 % de condamnations chez les psychopathes le sont pour des délits violents, alors que ce pourcentage n'est que de 8,8 % chez les non psychopathes. Au plan clinique, il est intéressant de mettre en parallèle le fait que le résultat au facteur 2 (comportements antisociaux) diminue avec l'âge, alors que le résultat au facteur 1 (traits de personnalité ; détachement émotionnel) demeure relativement constant (Hare et al., 1992 ; Harpur & Hare, 1994). En rapport avec ce qui a déjà été présenté, à savoir que c'est le facteur 1 qui caractérise véritablement le psychopathe (Cooke & Michie, 1997) et qui s'avère le meilleur indice de prédiction de la récidive violente chez les détenus (Serin, 1996), on peut conclure que la disposition à la violence caractérise les psychopathes parmi l'ensemble des sujets reconnus coupables de délits criminels.

Psychopathie, quotient intellectuel et comportement violent

Le quotient intellectuel (QI) joue-t-il un rôle dans la relation qui s'établit entre la psychopathie et le comportement violent ?

Les études concluent que les délinquants présentent un QI inférieur à celui observé chez les non-délinquants (Kandel, 1991 ; Kratzer & Hodgins, soumis ; Lynam, Moffitt, & Stouthamer-Loeber, 1993). Cette observation est l'une des mieux appuyées et des plus constantes rencontrées dans le champ de la délinquance. Le lien entre QI inférieur et délinquance ne serait pas attribuable au fait que les sujets mieux nantis au plan intellectuel arrivent à échapper à l'arrestation ; cette conclusion, faite par Kandel (1991), s'appuie sur le fait qu'il existe une corrélation négative entre le QI et la délinquance auto-rapportée (West & Farrington, 1973). L'hypothèse alternative, démontrée par Kandel, soutient qu'un QI élevé est un facteur de protection eu égard aux comportements délinquants. Pour leur part, Lynam et al. (1993) démontrent que cette relation inversée entre le QI et la délinquance n'est pas attribuable à l'effet du niveau socio-économique, à la motivation déficiente lors de l'évaluation, à l'impulsivité, à la race, à la performance scolaire, du moins chez les participants blancs dans ce dernier cas. Sur la base de ces observations, il y a lieu de se demander si celles-ci prévalent pour le groupe des psychopathes, d'une part, et s'il existe une interaction entre la psychopathie et le QI pour rendre compte des comportements violents, d'autre part.

Hart, Forth, & Hare (1990) montrent que les psychopathes présentent un QI qui se situe dans la moyenne ; il n'y a donc pas de déficience à ce chapitre chez ce sous-groupe particulier de sujets antisociaux. Plusieurs études démontrent qu'il n'y a pas d'association entre le score à l'échelle de psychopathie et le score à une échelle évaluant le QI (Hare, 1991 ; Kosson et al., 1990). En ce qui a trait à l'apport de cet indice dans la relation entre la psychopathie et le comportement violent, Hare et McPherson (1984) observent que le QI n'affecte pas cette relation, sauf lorsqu'il s'agit de l'utilisation d'une arme dans un dessein criminel. Ces derniers auteurs constatent que, chez les psychopathes uniquement, l'augmentation du QI est associée à l'utilisation plus fréquente d'une arme dans un dessein criminel.

CONCLUSION

Psychopathie et comportement violent sont associés. Cette conclusion repose sur une quantité appréciable d'études empiriques partageant une base opérationnelle commune. Les psychopathes sont plus violents que les autres sujets criminalisés et cette propension à la violence se maintient au-delà de l'âge où généralement la carrière criminelle s'est fortement estompée. Toutefois, cette conclusion exige un certain nombre de nuances.

Premièrement, il importe de distinguer la psychopathie, comme entité clinique, et l'échelle de psychopathie développée par Hare. Nous référant aux études qui utilisent l'échelle de psychopathie comme un continuum pour associer le résultat aux comportements violents, ou pour prédire la récidive violente, nous pouvons affirmer que l'instrument est valide, mais qu'il paraît difficile de conclure que ce sont les psychopathes qui sont violents sur cette seule base de démonstration ; cette conclusion est soutenable dès lors que la psychopathie est considérée comme une entité clinique distincte, ce que semblent appuyer les analyses d'items (Cooke & Michie, 1997) et les analyses taxométriques (Harris et al., 1994). La valeur de l'instrument pour prédire la violence n'est pas à mettre en doute ; les méta-analyses sont concluantes à ce chapitre. Toutefois, il peut ne s'agir que d'une accumulation de symptômes ou de comportements qui ne cernent pas spécifiquement la nature de la psychopathie comprise ici en termes d'entité clinique, d'un type particulier. La preuve en est que l'instrument offre ce potentiel de prédiction auprès de clientèles dont le taux de prévalence de la psychopathie est très bas, voire pratiquement inexistant (Côté & Lesage, 1995). Ces études ont été rapportées ici parce qu'elles réfèrent à une compréhension de la psychopathie partagée par certains chercheurs, tel Widiger (1998). Par contre, les études qui ont utilisé l'échelle de manière taxonomique permettent de conclure que, effectivement, la psychopathie est associée à la violence. Cette conclusion est facile à poser dans le cas des comparaisons entre les psychopathes et les non psychopathes, mais plus difficile à arrêter dans le cas de la comparaison avec les sujets dits mixtes. Les analyses de survie indiquent par contre que les psychopathes récidivent de façon violente plus rapidement que ces sujets dits « mixtes ».

Deuxièmement, les différences observées dans les taux de prévalence de la psychopathie selon les clientèles permettent de définir un contexte de compréhension. Les psychopathes sont plus violents mais leurs actions violentes se limitent plus spécifiquement à certaines formes (menaces, voies de fait physiques, utilisation d'arme, occasionnellement viol) ; l'homicide ne s'avère pas une forme de violence caractéristique du psychopathe. Au contraire, ce sont les non-psychopathes qui se distinguent au plan de l'homicide. Par conséquent, la violence ne peut être considérée comme un continuum. De plus, les psychopathes sont violents certes, mais leur violence est beaucoup plus instrumentale, inscrite dans une action opportuniste et non réactive. Leurs proches ne sont pas les victimes les plus fréquentes de leur violence, du moins dans sa forme physique et manifeste. À l'occasion, la violence du psychopathe prend une forme sexualisée, vécue alors comme une extension du tableau général de l'activité criminelle. En ce domaine, rappelons qu'ils commettent surtout des viols ; les victimes sont essentiellement des femmes adultes. En somme, ces données relatives aux victimes et au caractère particulier de la violence sexuelle exprimée renvoient à une distinction qualitative permettant d'éclairer la forme de violence manifestée.

Troisièmement, il ressort que la violence manifestée par les psychopathes est principalement de type instrumental et non de type réactif. Cet état de fait semble devoir se comprendre sous l'angle de leur détachement émotionnel.

Références

ARNETT, P. A. (1997). Autonomic responsivity in psychopaths : A critical review and theoretical proposal. *Clinical Psychology Review, 17*, 903-936.

BARBAREE, H. E., SETO, M. C., SERIN, R. C., AMOS, N. L., & PRESTON, D. L. (1994). Comparisons between sexual and nonsexual rapist subtypes : Sexual arousal to rape, offense precursors, and offense characteristics. *Criminal Justice and Behavior, 21*, 95-114.

BLUMSTEIN, A., COHEN, J., ROTH, J.A., & VISHER, C.A. (Eds) (1986). *Criminal careers and « career criminals »*. V. 1. Washington, D.C. : National Academic Press.

BONTA, J., LAW, M., & HANSON, K. (1998). The prediction of criminal and violent recidivism among mentally disordered offenders : A meta-analysis. *Psychological Bulletin, 123*, 123-142.

BROWN, S. L., & FORTH, A. E. (1995). Psychopathy and sexual aggression against adult females : Static and dynamic precursors. *Canadian Psychology, 36*, 19.
– (1997). Psychopathy and sexual assault : Static risk factors, emotional precursors, and rapist subtypes. *Journal of Consulting and Clinical Psychology, 65*, 848-857.

CLECKLEY, H. (1976/1982). *The mask of sanity*. New York : Mosby.

COOKE, D. J., & MICHIE, C. (1997). An item response theory analysis of the Hare Psychopathy Checklist-Revised. *Psychological Assessment, 9*, 3-14.

CORNELL, D. G., WARREN, J., HAWK, G., STAFFORD, E., ORAM, G., & PINE, D. (1996). Psychopathy in instrumental and reactive violent offeenders. *Journal of Consulting and Clinical Psychology, 64*, 783-790.

CÔTÉ, G., & HODGINS, S. (1990). Co-occurring mental disorders among criminal offenders. *Bulletin of the American Academy of Psychiatry and the Law, 18*, 271-281.
– (1992). The prevalence of major mental disorders among homicide offenders. *International Journal of Law and Psychiatry, 15*, 89-99.

CÔTÉ, G., & LESAGE, A. (1995). *Diagnostics complémentaires et adaptation sociale chez des détenus schizophrènes ou dépressifs*. Montréal, Québec : Centre de recherche de l'Institut Philippe Pinel de Montréal.

DEVITA, E. L., FORTH, A. E., & HARE, R. D. (1990). *Family background of male criminal psychopaths*. Ottawa, Ontario : Poster presented at the annual congress of tha Canadian Psychological Association.

FORTH, A. (1996). Psychopathy in adolescent offenders : Assessment, family background, and violence. In D. J. Cooke, A. E. Forth, J. Newman, & R. D. Hare (Eds), *Issues in criminological and legal psychology : No. 24. International perspectives on psychopathy,* (pp. 42-44). Leicester, UK : British Psychological Society.

FORTH, A. E., HART, S. D., & HARE, R. D. (1990). Assessment of psychopathy in male young offenders. Psychological Assessment *: A Journal of Consulting and Clinical Psychology, 2,* 342-433.

FRÉCHETTE, M., & LEBLANC, M. (1987). *Délinquances et délinquants.* Chicoutimi : Gaétan Morin.

FREESE, R., MÜLLER-ISBERNER, R., & JÖCKEL, D. (1996) Psychopathy and co-morbidity in a german hospital order population. In D. J. Cooke, A. E. Forth, J. Newman, & R. D. Hare (Eds), *Issues in criminological and legal psychology : No. 24. International perspectives on psychopathy,* (pp. 45-46). Leicester, UK : British Psychological Society.

FURR, K. D. (1996). Caractéristiques des agressions sexuelles contre les employées des pénitenciers. *Forum : Recherche sur l'actualité correctionnelle, 8 (2),* 25-27.

GACONO, C. B., MELOY, J. R., SHEPPARD, K., SPETH, E., & ROSKE, A. (1995). A clinical investigation of malingering and psychopathy in hospitalized insanity acquittees. *Bulletin of the American Academy of Psychiatry and the Law, 23,* 387-397.

GENDREAU, P., LITTLE, T., & GOGGIN, C. (1996). A meta-analysis of the predictors of adult offender recidivism : What works ! *Criminology, 34,* 575-607.

HARE, R. D. (1981). Psychopathy and violence. In J. R. Hays, T. K. Roberts, & & K. S. Soloways (Eds), *Violence and the violent invidual,* (pp. 53-74). Jamaica, NY : Spectrum.

– (1991). *The Hare Psychopathy Checklist : Revised,* Toronto, Ontario : Multi-Health Systems, Inc.

HARE, R. D., FORTH, A. E., & STRACHAN, K. E. (1992). Psychopathy and crime across the life span. In R. D. Peters, R. J. McMahon, & V. L. Quinsey (Eds), *Agression and the violence throughout the life span,* (pp.285-300), Newbury Park : Sage Publications.

HARE, R. D., & JUTAI, J. W. (1983). Criminal history of the male psychopath : Some preliminary data. In K. T. Dusen, & S. A. Mednick (Eds), *Studies of crime and delinquency,* Boston, MA : Kluwer Nijhoff Publishing.

HARE, R. D., & MCPHERSON, L. M. (1984). Violent and aggressive behavior by criminal psychopaths. *International Journal of Law and Psychiatry, 7,* 35-50.

HARE, R. D., MCPHERSON, L. M., & FORTH, A. E. (1988). Male psychopaths and their criminal careers. *Journal of Consulting and Clinical Psychology, 56,* 710-714.

HARPUR, T. J., & HARE, R. D. (1994). Assessment of psychopathy as a function of age. *Journal of Abnormal Psychology, 103,* 604-609.

HARRIS, G. T., RICE, M. E., & CORMIER, C. A. (1991). Psychopathy and violent recidivism. *Law and Human Behavior, 15,* 625-637.

HARRIS, G. T., RICE, M. E., & QUINSEY, N. (1994). Psychopathy as a taxon : Evidence that psychopaths are a discrete class. *Journal of Consulting and Clinical Psychology, 62,* 387-397.

HART, S. D. (1998). The role of psychopathy in assessing risk for violence : Conceptual and methodological issues. *Legal and Criminological Psychology, 3,* 121-137.

HART, S. D., COX, D. N., & HARE, R. D. (1995). *The Hare Psychopathy Checklist : Screening version (PCL-SV).* Toronto : Multi-Health Systems Inc.

HART, S. D., & DEMPSTER, R. J. (1997). Impulsivity and psychopathy. In C. D. Webster, & M. A. Jackson (Eds), *Impulsivity : Theory, assessment, and treatment,* (pp. 212-232). New York : Guilford.

HART, S.D., FORTH, A.E., & HARE, R.D. (1990). Performance of criminal psychopaths on selected neuropsychological tests. *Journal of Abnormal Psychology, 99,* 374-379.

HART, S. D., & HARE, R. D. (1989). Discriminant validity of the Psychopathy Checklist in a forensic psychiatric population. *Psychological Assessment : A Journal of Consulting and Clinical Psychology, 1,* 211-218.

– (1998). Psychopathy : Assessment and association with criminal conduct. In D. M. Stoff, & J. Maser (Eds), *Handbook of antisocial behavior,* (pp. 22-35). Toronto : Wiley.

HART. S. D., KROPP, P. R., & HARE, R. D. (1988). Performance of male psychopaths following conditional release from prison. *Journal of Consulting and Clinical Psychology, 56,* 227-232.

HEILBRUN, K., HART, S. D., HARE, R. D., GUSTAFSON, D., NUMEZ, C., & WHITE, A. J. (1998). Inpatient and postdischarge aggressionn in mentally disordered offenders : The role of psychopathy. *Journal of Interpersonal Violence, 13,* 514-527.

HEMPHILL, J. F., HARE, R. D., & WONG, S. (1998). Psychopathy and recidivism : A review. *Legal and Criminological Psychology, 3,* 139-170.

HODGINS, S. (1992). Mental disorder, intellectual deficiency, and crime : Evidence from a birth cohort. *Archives of General Psychiatry, 49,* 476-483.

HODGINS, S., CÔTÉ, G., & TOUPIN, J. (1998). Major mental disorder and crime : An ethiological hypothesis. In D. Cooke, A. Forth, & R. D. Hare (Eds), *Psychopathy : Theory, Research and Implications fot Society,* (pp. 231-256). Dortrecht, The Netherlands : Kluwer.

HODGINS, S., MEDNICK, S. A., BRENNAN, P. A., SCHULSINGER, F., & ENGBERG, M. (1996). Mental disorder and crime : Evidence from a Danish cohort. *Archives of General Psychiatry, 53,* 489-496.

KANDEL, E. (1991). An examination of the relationship between IQ and delinquency. In R.S. Greene (Ed.), *Mainstreaming retardation delinquency* (pp. 35-42). Lancaster (Pensylvania) : Technomic Publishing Co.

KOSSON, D. S., SMITH, S. S., & NEWMAN, J. P. (1990). Evaluating the construct validity of psychopath in black and white male inmates : Three preliminary studies. *Journal of Abnormal Psychology, 99,* 250-259.

LOUCKS, A. D., & ZAMBLE, E. (1994). *Criminal and violent behavior in incarcerated female federal offenders.* Paper presented at the Canadian Psychological Association Annual Convention. Penticton, BC, Canada.

LYNAM, D. R. (1997). Pursuing the psychopath : Capturing the fledgling psychopath in a nomological net. *Journal of Abnormal Psychology, 106,* 425-438.

LYNAM, D., MOFFITT, T., & STOUTHAMER-LOEBER, M. (1993). Explaining the relation between IQ and delinquency : Class, race, test motivation, school failure, or self-control ? *Journal of Abnormal Psychology, 102,* 187-196.

MOLTO, J., CARMONA, E., POY, R., AVILA, C., & TORRUBIA, R. (1996). Psychopathy Checklist-Revised in spanish prison populations : Some data on reliability and validity. In D. J. Cooke, A. E. Forth, J. Newman, & R. D. Hare (Eds), *Issues in criminological and legal psychology : No. 24. International perspectives on psychopathy,* (pp. 109-114). Leicester, UK : British Psychological Society.

MONAHAN, J. (1998). *Violence and mental health.* Presentation at the XXIII th International Congress on Law and Mental Health. Paris, France, June, 30.

MYERS, W. C., & BLASHFIELD, R. (1997). Psychopathology and personality in juvenile sexual homicide offenders. *Journal of the American Academy of Psychiatry and the Law, 25*, 497-508.

PATRICK, C. J. (1994). Emotion and psychopathy : Startling new insight. *Psychophysiology, 31*, 319-330.

PATRICK, C. J., & ZEMPOLICH, K. A. (1998). Emotion and aggression in the psychopathic personality. *Aggression and Violent Behavior, 3*, 303-338.

PHAM, T. H. (1998). Évaluation psychométrique du questionnaire de la psychopathie de Hare auprès d'une population carcérale belge. *L'Encéphale, XXIV*, 435-441.

PHAM, T. H., REMY, S., DAILLIET, A., & LIENARD, L. (1997*). Psychopathy and prediction of violent behaviors : An assessment in security hospital.* Poster presented at the 5th International Congress on the Disorders of Personality, Vancouver, Canada, June

PRENTKY, R. A., & KNIGHT, R. A. (1991). Identifying critical dimensions for discriminating among rapists. *Journal of Consulting and Clinical Psychology, 59*, 643-661.

QUINSEY, V. L., RICE, M. E., & HARRIS, G. T. (1995). Actuarial prediction of sexual recidism. *Journal of Interpersonal Violence, 10*, 85-105.

RASMUSSEN, K., & LEVANDER, S. (1996a). Symptoms and personality characteristics of patients in a maximum security psychiatric unit. *International Journal of Law and Psychiatry, 19*, 27-37.

– (1996b). Violence in the mentally disordered : A differential clinical perspective. In D. J. Cooke, A. E. Forth, J. Newman, & R. D. Hare (Eds*), Issues in criminological and legal psychology : No. 24. International perspectives on psychopathy*, (pp. 127-130). Leicester, UK : British Psychological Society.

RICE, M. E., & HARRIS, G. T. (1992). A comparison of criminal recidivism among schizophrenic and nonschizophrenic offenders. *International Journal of Law and Psychiatry, 15*, 397-408.

– (1995). Psychopathy, schizophrenia, alcohol abuse, and violent recidivism. *International Journal of Law and Psychiatry, 18*, 333-342.

– (1997). Cross-validation and extension of the Violence Risk Appraisal Guide for child molesters and rapists. *Law and Human Behavior, 21*, 231-241.

ROBINS, L. N. (1966*). Deviant children grown up : A sociological and psychiatric study of sociopathic personality*. Baltimore : Williams & Wilkins.

ROCHEFORT, S. (1997). *Facteurs déterminants du fonctionnement antisocial et psychopathique chez deux groupes de sujets détenus en milieu carceral.* Mémoire de maîtrise non publié, Université du Quebec à Trois-Rivières, Trois-Rivières, Québec.

ROSS, D. J., Hart, S. D., & WEBSTER, C. D. (1998). *Facts and fates : Testing the HCR-20 against aggressive behavior in hospital and community.* Burnaby : Department of psychology, Simon Fraser University.

ROSS, D., HODGINS, S., & CÔTÉ, G. (1992). *The predictive validity of the French Psychopathy Checklist : Male inmates on parole. (29).* Montréal, Québec : Departement de psychologie, Université de Montréal.

SALEKIN, R. T., Rogers, R., & Sewell, K. W. (1996). A review and meta-analysis of the Psychopathy Checklist and Psychopathy Checklist-Revised : Predictive validity of dangerousness. *Clinical Psychology : Science and Practice, 3*, 203-215.

– (1997). Construct validity of psychopathy in a female offender sample : A multitrait-multimethod evaluation. *Journal of Abnormal Psychology, 106*, 576-585.

SERIN, R. C. (1991). Psychopathy and violence in criminals. *Journal of Interpersonal Violence, 6*, 423-431.

– (1996). Violent recidivism in criminal psychopaths. *Law and Human Behavior, 20*, 207-217.

SERIN, R. C., & AMOS, N. L. (1995). The role of psychopathy in the assessment of dangerousness. *International Journal of Law and Psychiatry, 18*, 231-238.

SERIN, R. C., MALCOLM, P. B., KHANNA, A., & BARBAREE, H. (1994). Psychopathy and deviant sexual arousal in incarcerated sexual offenders. *Journal of Interpersonal Violence, 9*, 3-11.

SERIN, R. C., PETERS, R. D., & BARBAREE, H. E. (1990). Predictors of psychopathy and release outcome in a criminal population. *Journal of Consulting and Clinical Psychology : Psychological Assessment, 2*, 419-422.

SREENIVASAN, S., KIRKISH, P., ETH, S., MINTZ, J., HWANG, S., VAN GORP, W., & VAN VORT, W. (1997). Predictors of recidivistic violence in criminally insane and civilly committed psychiatric inpatients. *International Journal of Law and Psychiatry, 20*, 279-291.

STATISTIQUE CANADA. (1995). Statistiques de la criminalité au Canada, 1994. *Juristat*, 15 *(12)*, 1-38.

STEADMAN, H. J., MONAHAN, J., APPELBAUM, P. S., GRISSO, T., MULVEY, E. P., ROTH, L. H., CLARK ROBBINS, P., & KLASSEN, D. (1994). Designing a new generation of risk assessment research. In J. Monahan, & H. J. Steadman (Eds*), Violence and mental disorder developments in risk assessment* (pp. 297-318). Chicago, IL : The University of Chicago Press.

STEADMAN, H. J., MULVEY, E. P., MONAHAN, J., ROBBINS, P. C., APPLEBAUM, P. S., GRISSO, T., & ROTH, L. H. (1998). Violence by people discharged from acute psychiatric inpatient facilities and by others in the same neighborhoods. *Archives of General Psychiatry, 55*, 393-401.

STRACHAN, C. E. (1993). *The assessment of psychopathy in female offenders. Unpublished doctoral dissertation*, University of British Columbia, Vancouver, British Columbia.

TOUPIN, J., MERCIER, H., DERY, M., CÔTÉ, G., & HODGINS, S. (1996). Validity of the PCL-R for adolescents. In D. J. Cooke, A. E. Forth, J. Newman, & R. D. Hare (Eds), *Issues in criminological and legal psychology : No. 24. International perspectives on psychopathy*, (pp. 143-145). Leicester, UK : British Psychological Society.

WEBSTER, C. D., DOUGLAS, K. S., EAVES, D., & HART, S. D. (1997*). HCR-20 : Assessing risk for violence. Version 2.* Burnaby, Canada : Mental Health, Law and Policy Institute, Simon Fraser University.

WEBSTER, C. D., HARRIS, G. T., RICE, M. E., CORMIER, C., & QUINSEY, V. L. (1994). *The violence prediction scheme : Assessing dangerousness in high risk men.* Toronto : Centre of Criminology, University of Toronto.

WEILER, B. L., & WIDOM, C. S. (1996). Psychopathy and violent behaviour in abused and neglected young adults. *Criminal Behaviour and Mental Health, 6*, 253-271.

WEST, D. J., & Farrington, D. P. (1973). *Who becomes delinquent ?* London : Heinemann.

WIDIGER, T. A. (1998). Psychopathy and normal personality. In D. J. Cooke, A. Forth, & R.D. Hare (Eds), *Psychopathy : Theory, Research and Implications for Society*, Dortrecht, The Netherlands : Kluwer.

WILLIAMSON, S., HARE, R. D., & WONG, S. (1987). Violence : Criminal psychopaths and their victims. *Canadian Journal of Behavioral Science, 19*, 454-462.

WONG, S. (1996)., Recidivism and criminal career profiles of psychopaths : A longitudinal study. In D. J. Cooke, A. E. Forth, J. Newman, & R. D. Hare (Eds), *Issues in criminological and legal psychology : No. 24. International perspectives on psychopathy*, (pp. 147-152). Leicester, UK : British Psychological Society.

WONG. S. (1984)., *The criminal and institutional behaviours of psychopaths.* Ottawa, Ontario : Ministry of the Solicitor General of Canada, Research Division.

CHAPITRE 4

Psychopathie et développement des conduites antisociales de l'enfance à l'âge adulte

JEAN TOUPIN, SHEILAGH HODGINS,
& GILLES CÔTÉ

L'accumulation des connaissances scientifiques des 20 dernières années a permis d'établir l'utilité du construit de la psychopathie pour la compréhension des conduites criminelles adultes et l'amélioration des interventions (Hart & Hare, 1998). L'originalité principale de ce construit est d'éviter une focalisation exclusive sur les comportements criminels et de reconnaître l'importance des traits affectifs et interpersonnels des personnes antisociales. Ce construit a donné lieu à de nombreuses études de validation dont traitent les chapitres précédents. Toutefois, pour quiconque s'intéresse à la survenue et à la continuation des conduites antisociales dans une perspective développementale, il existe des différences importantes entre les travaux relatifs à la psychopathie et ceux ayant trait aux conduites antisociales ou délinquantes chez les jeunes qui méritent d'être approfondies.

Typiquement, les études relatives aux conduites antisociales ou délinquantes portent sur des enfants ou des adolescents, tandis que les travaux sur la psychopathie sont majoritairement réalisés auprès d'adultes. De même, les travaux sur la psychopathie sont habituellement conduits auprès de personnes incarcérées, tandis que le recours à des échantillons populationnels est fréquent lors de l'étude des conduites délinquantes et antisociales. En outre, alors que les

Ce chapitre a été produit grâce à un financement d'équipe du FCAR et de l'Université de Sherbrooke de même que d'une subvention de groupe du Conseil Québécois de la Recherche Sociale.

recherches longitudinales adoptant une perspective développementale sur les facteurs familiaux et cognitifs sont légion auprès des jeunes antisociaux, elles sont beaucoup plus rares, voire inexistantes, auprès des psychopathes. Enfin, comme le suggère le deuxième chapitre, la perspective la plus fréquemment retenue pour l'étude de la psychopathie est celle d'une typologie basée sur la présence de comportements antisociaux et de traits affectifs et interpersonnels. Par opposition, la perspective adoptée lors de l'analyse des conduites antisociales porte souvent sur le nombre, la stabilité de ces conduites et le moment de leur survenue.

Ces différences dans ces deux groupes de recherches permettent d'introduire les questions abordées dans ce chapitre. La définition et l'opérationalisation de la psychopathie chez l'adulte est-elle transposable chez les enfants et les adolescents ? La classification des jeunes antisociaux en fonction des critères de la psychopathie est-elle une avenue préférable à une classification en fonction des conduites antisociales ? Les recherches suggèrent-elles la présence de facteurs familiaux et cognitifs distincts chez les psychopathes juvéniles ? Y a-t-il des facteurs familiaux et cognitifs communs aux recherches portant sur les jeunes psychopathes et à celles portant sur les jeunes manifestant des conduites antisociales précoces et chroniques ?

Si des développements de recherche doivent survenir pour mieux comprendre l'origine et l'évolution des conduites antisociales et fournir un éclairage sur une typologie de ceux qui les manifestent, cela sera à notre avis par le rapprochement des travaux de recherche portant, d'une part, sur les conduites antisociales de l'enfance et, d'autre part, sur la psychopathie adulte. L'importance d'étudier au cours de l'enfance et de l'adolescence l'origine de la psychopathie adulte se justifie notamment par la probabilité nettement accrue d'une carrière criminelle adulte chez les jeunes ayant des antécédents antisociaux. Dans la « Newcastle Thousand Family Study », près de 80 % des garçons ayant commis des actes délinquants avant l'âge de 15 ans ont commis d'autres délits jusqu'à l'âge de 33 ans, contre environ 17 % des non délinquants (Kolvin, Miller, Fleeting & Kolvin, 1988). Ces résultats sont cohérents avec les données d'autres études, par exemple, McCord (1979) et Farrington (1992). Toutefois, la prédiction imparfaite de la continuation des conduites antisociales entre la jeunesse et l'âge adulte (de 40 % à 80 % selon les recherches) (Farrington, 1991 ; Kolvin et al., 1988 ; Robins 1966, 1991, 1993 ; Stattin & Magnusson, 1989) pourrait être améliorée par la considération des traits de personnalité psychopathiques comme indices prévisionnels complémentaires aux comportements antisociaux (Toupin, Mercier, Déry, Côté & Ohayon, 1995). De plus, l'évaluation de la psychopathie au cours de l'enfance et de l'adolescence est susceptible d'améliorer l'efficacité des interventions thérapeutiques en permettant une action plus précoce et adaptée aux caractéristiques personnelles, sociales et familiales de ce sous-groupe de délinquants (Toupin, Mercier, Déry, Côté & Hodgins, 1996).

Le but de ce chapitre est, d'une part, de favoriser la transposition des connaissances relatives au développement des conduites antisociales au cours de l'enfance et de l'adolescence à l'étude de la psychopathie et, d'autre part, de susciter le recours au construit de la psychopathie dans les études développementales portant sur les conduites antisociales chez les jeunes. Pour y parvenir, nous ferons tout d'abord le point sur l'évaluation de la psychopathie au cours de l'enfance et de l'adolescence et identifierons des facteurs personnels et familiaux relevés dans ces études. Ensuite, nous examinerons les études longitudinales ayant eu recours à des indicateurs personnels et familiaux afin de prédire la criminalité ultérieure, notamment la criminalité persistante et chronique, à la fin de l'adolescence et à l'âge adulte. Enfin, nous tenterons de dégager des convergences entre les deux groupes d'études, ainsi que des pistes de recherches prometteuses pour l'avancement des connaissances.

L'évaluation de la psychopathie chez les jeunes

Des stratégies distinctes d'évaluation ont été développées selon que l'évaluation de la psychopathie concerne des enfants ou des adolescents. Les études portant sur les enfants seront abordées dans un premier temps, puis celles portant sur les adolescents.

Évaluation des enfants

Deux approches d'évaluation de la psychopathie auprès des enfants sont actuellement en développement (Frick, 1998 ; Frick, O'Brien, Wootton & McBurnett, 1994 ; Lynam, 1997 ; O'Brien & Frick, 1996 ; Wootton, Frick, Shelton & Silverthorn, 1997). Dans les deux cas, il s'agit de mesures destinées à évaluer des enfants âgés de 6 à 13 ans et dont les items sont fortement inspirés par les items de la PCL-R, soit le « Psychopathy Checklist Revised » (Hare, 1991). La mesure développée par Paul Frick et son équipe comporte 20 items comme la PCL-R (Frick et al., 1994). Une analyse factorielle de l'instrument révèle la présence de deux facteurs (Frick et al., 1994). Le premier réunit dix items associés aux comportements problématiques de l'enfant, soit les troubles des conduites et l'impulsivité (agit sans réfléchir, blâme les autres pour ses erreurs, poursuit des activités illégales). Le second regroupe 6 items associés à des traits de personnalité spécifiques, soit l'insensibilité et l'absence d'émotions (affect superficiel, insensibilité, manque d'empathie). Les propriétés psychométriques de base, telles la cohérence interne et la fidélité test-retest sont satisfaisantes pour chacun des facteurs (Frick et al., 1994 ; Wooton et al., 1997).

Les travaux de l'équipe de Paul Frick sur la mesure de la psychopathie chez les enfants peuvent cependant être qualifiés d'exploratoires car ils se distinguent clairement des travaux sur la psychopathie chez l'adulte. En effet, la stratégie d'évaluation de la psychopathie préconisée par cette équipe avec le « Psychopathy Screening Device » (PSD) s'éloigne passablement de l'évaluation classique de ce construit. En règle générale, l'évaluation de la psychopathie chez les adultes requiert un jugement pour chacun des items de l'échelle à la suite d'une entrevue semi-structurée et de la consultation des dossiers. De plus, la cotation de l'échelle est réalisée par un interviewer entraîné et fait habituellement l'objet d'une vérification au plan de la fidélité interjuges en cours de cueillette des données. Pour sa part, le PSD est une échelle autocomplétée par l'un des parents et par un enseignant. Les cotations de ces deux informateurs sont combinées pour établir un score de sévérité à chacun des facteurs de l'échelle (Frick et al, 1994 ; Wootton et al., 1997). Toutefois, dans certaines études, seul le score relatif aux traits de personnalité, basé sur six items, est utilisé de façon catégorielle pour établir la présence de la psychopathie (Wootton et al., 1997). Contrairement à la PCL-R, le PSD n'établit pas de score minimal calculé sur l'ensemble de l'échelle pour établir la présence de la psychopathie. L'état actuel des connaissances ne permet pas d'établir si le PSD et la PCL-R cernent le même construit de psychopathie. Cependant, les indications préliminaires mettent en évidence une faible concordance entre le score au PSD et l'évaluation de la psychopathie à l'aide de la PCL auprès d'adolescents (McBride, 1998). En effet, la corrélation entre les facteurs 1 des deux échelles est non significative (r =.16), tandis que celle entre les facteurs 2 l'est (r =.43, p <.01). Au plan de la validité concurrente, les résultats obtenus à ce jour avec le PSD indiquent des corrélations allant dans le sens attendu entre le score à la dimension des comportements problématiques du PSD et les mesures traditionnelles des troubles de comportement (Frick et al., 1994). C'est donc possiblement la dimension plus spécifique aux traits de personnalité associés à la psychopathie qui est moins bien cernée par cette échelle. Un tel constat ne saurait surprendre puisque c'est vraisemblablement dans l'évaluation des traits de personnalité affectifs et interpersonnels que se situe le défi de la mesure de la psychopathie au cours de l'enfance.

La seconde mesure de la psychopathie a été développée encore plus récemment (Lynam, 1997). L'auteur a créé une échelle d'évaluation de la psychopathie de l'enfant, connue sous le nom de « Child Psychopathy Scale » (CPS) à partir d'items tirés de deux instruments complétés par la mère soit le « Child Behavior Checklist » (Achenbach, 1991) et le « California Child Q-SET » (Block & Block, 1980). L'échelle composée de 41 items génère un score pour 13 des 20 items de la PCL-R. Contrairement à la mesure habituelle de la psychopathie, une seule dimension, soit celle des traits de personnalité, plutôt que deux est évaluée. Des propriétés psychométriques satisfaisantes sont obtenues au plan de la cohérence interne de l'échelle, soit un alpha de .91. Toutefois, puisqu'à ce jour deux études ont été publiées avec cette échelle, sa convergence avec le construit de la psychopathie mesuré par la PCL-R demeure également incertaine.

Évaluation des adolescents

Bien qu'il n'y ait qu'un nombre limité d'études sur la mesure de la psychopathie à l'adolescence, les résultats à ce jour suggèrent que l'adaptation de ce construit auprès des adolescents est valide (Forth & Burke, 1998). Les différences entre la composition des items de l'échelle auprès d'adultes, (PCL-R) et les versions adaptées aux adolescents, telle la Psychopathy Checklist - Youth Version (PCL-YV), sont somme toute minimes. Néanmoins, la cotation de l'échelle auprès d'adolescents a parfois varié selon les études. En effet, si certains des travaux auprès des adolescents ont suivi exactement la procédure de la PCL-R (Burke & Forth, 1996 ; Forth et al., 1990 ; Laroche, 1998 ; Trevethan & Walker, 1989), elle n'est pas toujours adoptée. C'est ainsi que Chandler et Moran (1990) établissent le score à la PCL des jeunes en traitement grâce à la cotation des thérapeutes. Dans le cas des non-délinquants, ce sont des conseillers scolaires qui complétent l'échelle. D'autres travaux ont été réalisés avec la PCL-YV en ne recourant qu'aux informations contenues dans les dossiers institutionnels (Brandt et al., 1997 ; McBride, 1998). Finalement, une étude est basée sur l'administration de la PCL-YV en entrevue mais sans l'étude des dossiers (Toupin et al., 1996). Ce type de cueillette de données est parfois impossible, en particulier lorsqu'il s'agit de jeunes de la communauté pour lesquels il n'y a pas nécessairement de dossier psychosocial ou judiciaire. L'inconvénient de l'adoption de procédures d'évaluation variables est qu'il est possible, même probable, que certaines de ces différences de cotation de la PCL-YV entraînent une délimitation de sous-groupes distincts de jeunes psychopathes selon les études. Néanmoins, tel que suggéré au chapitre 2 les résultats relatifs à la fidélité de la PCL-YV sont satisfaisants.

Les études portant sur la validité de convergence de la PCL-YV suggèrent, dans l'ensemble, des associations cohérentes entre le score à la PCL-YV et des critères externes. C'est ainsi que des corrélations significatives sont obtenues entre le score à la PCL-YV et les symptômes de troubles des conduites, les conduites agressives, la consommation d'alcool et la consommation de drogues (Forth, 1995b ; Toupin et al., 1996). Dans ces deux études, les conduites antisociales ont des corrélations plus élevées avec le facteur 2 qu'avec le facteur 1, tandis que l'inverse est observé pour les traits de personnalité. C'est ainsi qu'une mesure de l'estime de soi est plus fortement corrélée au facteur 1 qu'au facteur 2 (r =.39 vs r =.18), ce qui est aussi le cas du nombre de symptômes anxieux (r = -.27 vs r =.04) (Toupin et al., 1996). Des résultats similaires sont obtenus par McBride (1998) qui rapporte des corrélations significatives entre l'histoire criminelle du jeune et les scores obtenus aux facteurs 1 et 2 de la PCL-YV. Toutefois, tel qu'anticipé, ces corrélations s'avèrent supérieures avec le facteur 2 qu'avec le facteur 1.

Quelques études ont examiné la validité de prédiction de la PCL destiné aux adolescents. Forth, Hart et Hare (1990), lors d'un suivi de 16 à 24 mois, ont obtenu une corrélation de .26 entre le score à la PCL et le nombre de délits violents commis suite au départ de l'institution. Toupin et al. (1996) ont noté des corrélations significatives entre le score total à la PCL-YV et la délinquance (r =.43), les conduites agressives (r =.30) et la consommation d'alcool (r =.32) rapportées par les jeunes un an plus tard. L'étude de Gretton (décrite par Forth et Burke, 1998) portant sur des délinquants sexuels suivis sur une période de 34 mois en moyenne, suggère que les psychopathes récidivent plus rapidement que les non-psychopathes (16.2 mois vs 26.7 mois) et qu'ils sont plus nombreux à récidiver (66 % vs 27 %). Enfin, Brandt et al. (1997) ont comparé la rapidité de la première récidive criminelle lors d'un suivi de 18 à 24 mois selon trois groupes établis d'après le score obtenu à la PCL-YV (faible, moyen ou élevé). Aucune différence significative n'a été obtenue pour la récidive non-violente. Toutefois, une différence est observée pour la récidive violente ; les contrevenants ayant un score élevé à la PCL-YV récidivant plus rapidement que les deux autres groupes. En outre, le facteur 2 et le facteur 1 permettaient un apport significatif indépendant l'un de l'autre à la prédiction du nombre total de récidives, et ce, au-delà des variables démographiques (éducation, âge), criminelles (âge lors du premier délit, sévérité des délits) et psychologiques (MMPI, CBCL, quotient intellectuel).

En guise de conclusion sur cette section, il semble que le construit de la psychopathie peut être transposé fidèlement chez les enfants et les adolescents. Dans le cas des adolescents, les résultats publiés à ce jour au sujet de la PCL-YV révèlent qu'il s'agit d'une mesure fidèle et valide dont les propriétés sont similaires à la PCL-R. La possibilité de mesurer le construit de la psychopathie caractérisé par la présence de traits affectifs et interpersonnels spécifiques et de comportements sociaux déviants chez les adolescents de sexe masculin est donc appuyée par les études conduites à ce jour. Il s'agit toutefois d'un nombre limité d'études, en provenance de quelques groupes de recherche, ayant souvent recours à des échantillons réduits et utilisant des mesures qui ne peuvent pas toujours être considérées équivalentes. L'élaboration plus formelle et définitive des procédures et règles de cotation de même que la définition d'un point de césure formel pour parler de psychopathie chez les adolescents seraient les étapes subséquentes à franchir dans l'adaptation de cet instrument. Dans le cas des instruments destinés à évaluer la psychopathie chez les enfants, des efforts de recherche accrus doivent être consentis afin de s'assurer qu'ils cernent un construit similaire à celui évalué grâce à la PCL-R. En outre, un ancrage solide des items au niveau de développement de l'enfant, en particulier ceux mesurant les traits de personnalité, est requis pour assurer la validité et l'équivalence de la mesure chez de jeunes enfants (6 ans) et de jeunes adolescents (13 ans). Enfin, il y aurait certes lieu d'explorer la création d'une mesure adaptée aux enfants permettant d'exercer un jugement clinique dans la tradition de la PCL. Globalement, ces premiers résultats incitent à la poursuite des travaux sur l'évaluation de la psychopathie des enfants et des adolescents et suggère le suivi jusqu'à l'âge adulte des jeunes évalués selon ces procédures.

Certaines caractéristiques personnelles et familiales des enfants et des adolescents psychopathes

Quelques études ont tenté d'établir des associations entre la psychopathie juvénile et certaines caractéristiques personnelles, en particulier aux plans cognitif et affectif, et des caractéristiques familiales. Ces travaux portent sur des enfants (Frick et al, 1994 ; Loney, Frick, Ellis & McCoy, soumis ; O'Brien & Frick, 1996 ; Wootton et al., 1997) et des adolescents (Burke & Forth, 1996 ; Chandler & Moran, 1990 ; Laroche, 1998 ; McBride, 1998 ; Roussy & Toupin, soumis ; Trevethan & Walker, 1989). Dans le cadre de la présente recension, les quelques travaux relatifs aux caractéristiques familiales des psychopathes réalisés auprès d'adultes (De Vita, Hare & Forth, 1990 ; Hare, McPherson & Forth, 1984) n'ont pas été considérés en raison de la validité discutable des informations recueillies rétrospectivement

(Henry, Moffitt, Caspi, Langley & Silva, 1994 ; Widom & Shepard, 1996).

Études portant sur des enfants

Les travaux portant sur la psychopathie chez des enfants proviennent essentiellement des deux groupes de recherche qui sont à l'origine des deux mesures de la psychopathie chez les enfants. Ceux de l'équipe de Frick s'appuient principalement sur un échantillon recruté dans un service de psychologie universitaire (Frick et al., 1994 ; Wootton et al., 1997). Cet échantillon de taille variable d'une étude à l'autre (n = 92, n = 166) comprend une forte proportion de garçons âgés entre 6 à 13 ans. S'ajoutent parfois à celui-ci des participants volontaires en provenance de la communauté (Wootton et al., 1997). Au plan des caractéristiques cognitives de ces jeunes, les chercheurs de ce groupe (Loney, Frick, Ellis & McCoy, soumis) observent un déficit du QI verbal uniquement chez les enfants antisociaux ne démontrant pas de traits psychopathiques. De plus, grâce à une épreuve à l'aide d'un jeu de cartes (voir chapitre 5) visant à établir la capacité d'inhibition comportementale (Newman, Patterson & Kosson, 1987) adaptée pour les enfants, ils établissent que la faible capacité d'inhibition est plus directement liée à la dimension traits de personnalité du PSD qu'à la dimension comportementale.

D'autres travaux de ce groupe (Wootton et al., 1997) suggèrent que les pratiques éducatives déficitaires des parents (un score composite incluant le faible engagement à l'égard de l'enfant, le recours peu fréquent à des stratégies éducatives positives, le manque de supervision de l'enfant, l'inconsistance dans la discipline et le recours à la punition corporelle) sont étroitement associées à la dimension comportementale du PSD, mais uniquement en l'absence d'un score élevé à la dimension traits de personnalité (insensibilité/absence d'émotions) du PSD. Enfin, une autre étude du groupe (Christian, Frick, Hill, Tyler & Frazer, 1997) indique une plus forte prévalence du trouble de personnalité antisociale chez les parents (40 %) d'enfants ayant un score de psychopathie élevé comparativement à celle observée chez les parents d'enfants ne présentant que des troubles de comportement (14 %).

L'ensemble de ces résultats permet à Frick (1998) de proposer une étiologie différente des traits de personnalité psychopathiques chez les jeunes ayant des troubles de comportement. Les traits de personnalité caractérisés par l'insensibilité et l'absence d'émotions tireraient leur origine d'un cheminement développemental distinct entraînant une combinaison de facteurs d'influence spécifique. Selon Frick (1998), deux des éléments explicatifs de ces traits sont la faible capacité d'inhibition des comportements et la faible sensibilité à la punition. Dans le cas des jeunes ayant des troubles de comportement mais sans traits psychopathiques, un QI moins élevé et des pratiques éducatives inefficaces de la part des parents sont suggérés comme les éléments les plus significatifs au plan du développement du trouble (Frick, 1998).

Des hypothèses de recherche distinctes mais possiblement complémentaires à celles de Frick (1998) ont été formulées par Lynam (1996, 1997). Ce dernier suggère que les jeunes psychopathes sont caractérisés par la présence simultanée de troubles du comportement et d'inattention-impulsivité-hyperactivité (IIH). Cette hypothèse est appuyée par une recension exhaustive des écrits scientifiques qui suggère : i) que les enfants manifestant aussi des comportements antisociaux et de l'IIH ont un pronostic plus négatif que ceux présentant l'un ou l'autre de ces problèmes et, ii) que certaines caractéristiques physiologiques et neuropsychologiques sont communes à ces enfants et aux psychopathes adultes (Lynam, 1996). Ces résultats permettent à l'auteur d'avancer l'idée que les enfants manifestant à la fois des troubles de comportement et des troubles d'attention-impulsivité- hyperactivité forment un sous-groupe dont la trajectoire développementale est distincte. Ces jeunes auraient une probabilité plus grande de rencontrer les critères de la psychopathie à l'âge adulte.

Lynam (1997) a tenté de vérifier partiellement cette hypothèse par l'évaluation de 411 garçons à l'âge de 10 ans et leur suivi trois ans plus tard. Ces jeunes proviennent de la « Pittsburgh Youth Study » (Loeber, Keenan & Zhang, 1997). Ils ont été recrutés à part égale dans la population générale et parmi des enfants à risque de devenir délinquants selon l'évaluation combinée du jeune, du parent et de l'enseignant. Les résultats obtenus suggèrent que la mesure de la psychopathie développée par Lynam (le CPS) permet de prédire les conduites antisociales stables trois ans plus tard plus efficacement que les indices comportementaux habituels (Lynam, 1997). L'étude signale, en outre, des corrélations allant dans le sens attendu entre le résultat au CPS et l'agitation motrice, l'impulsivité (évaluée par le jeune et l'enseignant) et une tâche de délai de gratification. Par contre, aucune association significative n'est relevée entre l'échelle de psychopathie et des mesures neuropsychologiques destinées à cerner les fonctions « exécutives » (« Stroop Color and Word Association Test », « Trail Making Test ») et la capacité d'inhibition comportementale (« Card Playing Task »). Si certains résultats permettent d'établir un lien entre le score à l'échelle de psychopathie et l'impulsivité, ils n'indiquent pas pour autant une association entre psychopathie et inattention, caractéristique essentielle du trouble d'attention avec hyperactivité. Au contraire, les corrélations entre le score à l'échelle des problèmes d'attention (selon le jeune et selon l'enseignant) et le score au CPS sont nulles, donc non significatives (Lynam, 1997).

Les rapports entre l'IIH et la psychopathie ont été examinés sous un nouvel angle auprès du même échantillon (Lynam, 1998). Dans cette publication, les 370 garçons participants sont classifiés sur la base d'un score élevé (84e percentile) à l'échelle des problèmes d'attention et aux échelles de comportements agressifs et délinquants (additionnés pour former l'échelle des troubles de comportement) du Achenbach, complétées par l'enseignant (Achenbach, 1991). Les scores dichotomiques (élevé/faible) sur ces échelles ont permis la formation de quatre groupes : celui des jeunes sans troubles de comportement et sans troubles d'attention (48,4 %), celui des jeunes avec uniquement des troubles d'attention (7,0 %), celui des jeunes avec seulement des troubles de comportement (21,6 %) et enfin, celui des jeunes ayant à la fois des troubles de comportement et des troubles d'attention (19,8 %). Ce texte illustre bien qu'une stratégie d'analyse typologique peut produire des résultats différents de ceux antérieurement obtenus à l'aide d'une autre approche (Lynam, 1997). En effet, l'auteur conclut que le groupe des jeunes manifestant des troubles d'attention et de comportement diffère des autres groupes sur la présence de traits psychopathiques (selon la mère), la délinquance auto-rapportée, une tâche d'inhibition comportementale, une tâche de délai de gratification, de même que sur deux mesures neuropsychologiques (Lynam, 1998). Ces résultats contrastent quelque peu avec ceux issus des analyses précédentes (Lynam, 1997) qui confirmaient l'association entre le score de psychopathie, de délinquance et d'impulsivité, mais non celle entre la psychopathie et les problèmes d'attention, de même qu'entre la psychopathie et les mesures neuropsychologiques. Certes, l'écart dans les conclusions s'explique par la stratégie d'analyse adoptée, mais aussi par l'interprétation des résultats. En effet, un élément clé du lien entre la psychopathie et l'IIH est la capacité de l'échelle de psychopathie de discriminer entre les jeunes ayant uniquement des troubles de comportement, de ceux, ayant en plus, des troubles d'attention. Or, à ce chapitre les résultats de Lynam (1998) suggèrent que la contribution de l'échelle de psychopathie est négligeable. Les jeunes du groupe ayant des problèmes de comportement et d'IIH présentent effectivement des conduites délinquantes diversifiées et une capacité d'inhibition comportementale moindre que les jeunes des groupes de comparaison. Toutefois, les analyses statistiques ne permettent pas de distinguer sur le score à l'échelle de psychopathie, selon le seuil statistique habituel, les jeunes issus du groupe présentant des troubles de comportement et d'inattention des jeunes appartenant aux deux groupes présentant l'un ou l'autre des troubles. Dès lors, on peut se demander en quoi la mesure de la psychopathie désigne un sous-groupe parmi les jeunes délinquants et les jeunes ayant un trouble d'attention.

Le petit nombre et la diversité des études ne permettent que peu de rapprochements entre les travaux des deux groupes de chercheurs. Tout d'abord, l'équivalence des mesures de la psychopathie utilisées par ces deux groupes de chercheurs et leur capacité à cerner le même construit que la PCL-R peuvent être questionnées. En effet, alors que Frick et al. (1994) distinguent deux facteurs dans leur mesure de la psychopathie, Lynam (1997) n'en cerne qu'un seul. De plus, la mesure de la psychopathie comme un score continu (approche linéaire) ou catégoriel (approche typologique ou taxonomique) varie d'une étude à l'autre. Frick et al. (1994) et Lynam (1997, 1998) mesurent la psychopathie comme une variable continue, tandis que Wootton et al. (1997), Loney et al. (soumis) et Christian et al. (1997) avec le PSD recourent à une approche taxonomique, bien qu'elle soit différente de celle utilisée dans les recherches auprès des adultes. En effet, dans ces études, la classification des jeunes n'est basée que sur le score obtenu à la dimension traits de personnalité et non sur le score obtenu à l'ensemble de l'échelle. Le même problème se retrouve d'ailleurs avec les diagnostics autres que celui de psychopathie. Lynam (1997) recourt aux échelles du Achenbach en utilisant un score continu, mais Lynam (1998) se sert des mêmes données de façon catégorielle. Frick et al. (1994) font de même avec les symptômes et diagnostics inspirés du DSM-III-R (American Psychiatric Association, 1987). Il y aurait sans doute lieu d'établir clairement les dimensions psychologiques étudiées et de se conformer à leur définition sur le plan des mesures utilisées.

La sélection des participants distingue également les études auprès des enfants psychopathes. Les travaux de Lynam (1997) portent sur un échantillon composé d'enfants à risque et d'enfants issus de la population générale. Ceux du groupe de Frick concernent des enfants manifestant des troubles sérieux recrutés dans un service d'évaluation psychologique. Enfin, les participants de l'étude de Wootton et al. (1997) incluent des enfants manifestant des troubles sérieux et des enfants issus de la population générale. De telles différences dans l'échantillonnage suggèrent clairement de recentrer la question de recherche sur la comparaison des jeunes psychopathes et des autres enfants ayant des conduites antisociales. L'inclusion d'un groupe d'enfants issus de la population générale déjà forts distincts sur plusieurs aspects de ceux manifestant des conduites antisociales peut brouiller l'interprétation des résultats spécifiques à la présence de traits psychopathiques au cours de l'enfance.

En effet, la question principale est de savoir si les jeunes psychopathes constituent un sous-groupe parmi ceux manifestant des conduites antisociales.

Pour conclure cette section, il est possible d'évoquer des stratégies de recherche à éviter. C'est ainsi qu'il est clair que le recrutement de jeunes de la population générale limite la probabilité statistique d'identifier un nombre suffisant de jeunes psychopathes. D'une part, nous savons qu'environ un jeune sur deux ayant manifesté des conduites antisociales au cours de l'enfance continuera à l'âge adulte (Robins, 1979). D'autre part, les études dans les milieux carcéraux indiquent qu'il est possible d'identifier seulement environ 20 % de psychopathes adultes (Côté, Hodgins & Toupin, 1999). Dans ce contexte, il y a lieu de s'interroger sur les fondements cliniques des mesures (par exemple, Lynam, 1998) qui permettent d'obtenir cette même prévalence parmi un échantillon de jeunes à risque issus de la population générale. De même, l'obtention de plus de 50 % des problèmes d'attention ou de comportement dans le même échantillon suggère de remettre en question le seuil clinique adopté pour parler de « problèmes ». Par ailleurs, l'hétérogénéité diagnostique des groupes à l'étude n'est pas toujours suffisamment mise en lumière. C'est ainsi que les publications de l'équipe de Paul Frick (Frick et al., 1994 ; Wootton et al., 1997) portent principalement sur les troubles de comportement (troubles oppositionnels et troubles des conduites), alors que Christian et al. (1997), à partir du même échantillon, révèlent que 89 % des participants rencontrent les critères de déficit d'attention avec hyperactivité. Cette situation est susceptible d'influencer la force des associations avec les facteurs cognitifs, compte-tenu des liens démontrés entre l'IIH et les résultats à certains tests cognitifs (Barkley, Grodzinsky & DuPaul, 1992). Il s'agit donc également d'une stratégie de recherche à déconseiller.

Études portant sur des adolescents

La thèse de doctorat de Laroche (1998) tente spécifiquement d'établir les variables familiales associées à la psychopathie à l'adolescence. Pour ce faire, 25 adolescents psychopathes (PCL-YV ≥ 30) sont comparés à 35 adolescents non-psychopathes (PCL-YV < 20) relativement aux pratiques éducatives parentales et aux troubles mentaux des parents. Les participants à la recherche sont tous de sexe masculin, âgés entre 14 et 17 ans et ils ont été reconnus coupables d'au moins un délit contre la personne. Les résultats révèlent que les jeunes qui ne rencontrent pas les critères de psychopathie sont supervisés plus étroitement par leurs parents et participent à plus d'activités familiales que les jeunes psychopathes. Par ailleurs, les pères des jeunes psychopathes ne présentent pas plus d'indices de psychopathie et de traits antisociaux que les pères des adolescents non-psychopathes. De même, le nombre de symptômes de troubles mentaux des mères des jeunes psychopathes n'est pas significativement différent de celui des mères des adolescents non psychopathes. Toutefois, ces résultats pourraient éventuellement s'expliquer par une faible puissance statistique ou un biais de sélection, puisque seulement 60 % des mères et 26,7 % des pères des adolescents ont participé à l'étude.

La thèse de doctorat de McBride (1998) s'appuie sur deux échantillons distincts et vise également à établir des relations entre la psychopathie et des caractéristiques familiales. Le premier échantillon comporte 259 adolescents de sexe masculin traités dans un programme pour délinquants sexuels entre 1985 et 1992. Le second est composé de 74 adolescents sous évaluation ou encore incarcérés pour des délits. Les analyses conduites en regard du premier groupe de participants révèlent des corrélations significatives entre le score total à la PCL-YV et l'abus physique et sexuel subis, de même qu'avec la déviance (criminalité, toxicomanie) du père et de la mère. En outre, une association significative est obtenue entre le score total à la PCL-YV et la sévérité des difficultés d'inattention-impulsivité-hyperactivité (IIH) mais non avec le QI. L'inclusion de ces indices de prédiction dans une régression linéaire suggère que l'IIH, l'abus physique et la déviance maternelle ont une association indépendante significative au score de la PCL-YV, expliquant 21 % de la variance.

Les analyses réalisées sur le second échantillon établissent une corrélation entre le score à la PCL-YV et l'abus physique subi, les pratiques éducatives déficitaires (faible engagement et supervision, punition corporelle) et le score de psychopathie de la mère. Contrairement aux résultats obtenus avec le premier échantillon, l'association entre le score d'impulsivité-hyperactivité et le score total à la PCL-YV n'est pas significative ; seule la corrélation avec le facteur 2 est significative. L'analyse de régression révèle que l'abus physique de la part du père et le score de psychopathie de la mère ont une contribution indépendante et significative au score total à la PCL-YV, ces deux variables permettant d'expliquer 19 % de la variance. En conclusion, McBride (1998) suggère que les résultats obtenus indiquent une association entre l'abus physique subi, les caractéristiques antisociales des parents, les stratégies éducatives déficitaires et la psychopathie chez l'adolescent. Il importe toutefois de souligner, comme nous l'avons fait pour l'évaluation de la psychopathie chez les enfants, que la stratégie d'analyse ici adoptée est discutable. McBride (1998) retient le PCL-YV permettant une classification typologique, tout en utilisant la régression linéaire qui se sert du score à la PCL-YV comme variable continue. Ceci ne permet donc pas d'affirmer que des caractéristiques familiales spécifiques sont associées au syndrome de la psychopathie à l'adolescence.

Burke et Forth (1996) ont étudié les relations entre plusieurs caractéristiques familiales et le score à la PCL-YV chez un premier échantillon de 106 jeunes contrevenants et un second de 50 adolescents en provenance de la communauté, tous de sexe masculin. Les caractéristiques familiales suivantes ont été regroupées en un indice de fonctionnement familial : abus physique, abus sexuel, conflits conjugaux, trouble antisocial des parents, alcoolisme, discipline inconsistante, supervision inadéquate, négligence, séparation précoce des parents, abus psychologique. Dans le cas de l'échantillon des jeunes contrevenants, l'indice de fonctionnement familial était corrélé au facteur 2 de la PCL-YV mais non au facteur 1. Pour l'échantillon tiré de la communauté, la corrélation était significative et élevée avec les deux facteurs de la PCL-YV. De plus, les analyses révèlent que les meilleurs indices de prédiction du score de psychopathie dans la communauté sont le trouble antisocial des parents, la discipline inconsistante et l'alcoolisme des parents. Cependant, aucune des variables spécifiques relatives au fonctionnement familial n'est associée significativement au score de la PCL-YV pour l'échantillon des jeunes contrevenants.

Trevethan et Walker (1989) comparent des adolescents non délinquants (n = 15), des jeunes délinquants (n = 15) et des jeunes psychopathes (n = 14). Les jeunes antisociaux sont tous incarcérés dans un centre de détention pour jeunes (15-18 ans) et sont qualifiés de psychopathes ou de délinquants sur la base du score obtenu à la PCL (≥ 29 vs < 27). Les groupes sont comparés sur leur niveau de jugement moral selon la conceptualisation de Kohlberg et ce selon deux types de situations morales (hypothétiques ou réelles). Les résultats obtenus suggèrent des différences entre délinquants et non-délinquants sur le niveau de jugement moral pour les deux types de situations. Cependant, le niveau moral des jeunes psychopathes n'est pas significativement différent de celui des jeunes délinquants. Tout au plus, les auteurs constatent qu'à un niveau de jugement moral égal, les jeunes psychopathes expriment plus souvent un jugement justifiant une perspective utilitaire égoïste que les jeunes délinquants.

Chandler et Moran (1990) procèdent à une comparaison entre 60 délinquants (14-17 ans) et 20 adolescents témoins sur des échelles associées au développement du jugement moral (échelles de Kohlberg : compréhension des conventions sociales, conscience interpersonnelle, socialisation, empathie et autonomie). De plus, au sein du groupe de contrevenants, ils examinent les associations entre le jugement moral et la psychopathie. Les auteurs observent des différences significatives sur pratiquement tous les indices de jugement moral entre délinquants et non-délinquants, ces derniers ayant un jugement moral plus développé. Toutefois, peu de différences sont signalées en fonction de la psychopathie. Seulement le niveau de socialisation et l'autonomie étaient associés au score de la PCL, tandis que les autres échelles ne l'étaient pas.

Dans une autre perspective, Roussy et Toupin (2000) se sont intéressés aux différences dans la performance des adolescents psychopathes et non-psychopathes à un certain nombre de tests neuropsychologiques. Des différences au plan cognitif ont été systématiquement observées entre les délinquants et les non-délinquants (Moffitt, 1990a). Toutefois, il n'est pas clair que les mêmes mesures distinguent les psychopathes et les non-psychopathes (Hare, 1984 ; Hare 1991 ; Hart, Forth & Hare, 1990 ; Lapierre, Braun & Hodgins, 1995). Les participants de l'étude étaient 25 adolescents délinquants, coupables d'au moins un acte violent, classifiés psychopathes selon la PCL-YV (score ≥ 30) et 29 non-psychopathes (score < 20). Les résultats révèlent des différences significatives entre les groupes à des tâches liées à la capacité d'inhibition comportementale. Les jeunes psychopathes commettent davantage d'erreurs sur les tâches de type « Go-No-Go ». Toutefois, d'autres mesures présumées sensibles à des déficits de la région orbitofrontale du lobe frontal, telles une tâche de discrimination olfactive et le score qualitatif aux labyrinthes de Porteus (1965) ne distinguent pas les groupes. De plus, les jeunes psychopathes ne diffèrent pas des autres délinquants sur des mesures associées à un déficit de la région dorsolatérale du lobe frontal. L'étude suggère donc que ce sont des différences plus spécifiques, comme celles relatives à la capacité réduite d'inhibition comportementale, qui pourraient être propres aux psychopathes.

En résumé, il est difficile de faire une synthèse cohérente des études sur les caractéristiques personnelles et familiales associées à la psychopathie à l'adolescence, tant les études sont disparates. Des résultats contradictoires sont rapportés quant au rôle des variables familiales et en particulier de la déviance des parents. McBride (1998) observe une telle relation, tandis que Burke et Forth (1996) et Laroche (1998) ne la constatent pas. Toutefois, des différences méthodologiques importantes distinguent ces travaux tant pour la mesure de la psychopathie que pour la stratégie d'analyse des données. De plus, Burke et Forth (1996) n'établissent pas de lien significatif entre la psychopathie à l'adolescence et l'abus physique subi, tandis que McBride (1998) note cette association et ce dans les deux échantillons étudiés. Il importe cependant de noter une des limites importante de ces deux études, soit le recours aux dossiers pour évaluer les caractéristiques familiales. Toute forme de cotation des informations issues des dossiers est soumise à des limites au plan de l'exhaustivité et de la validité des données disponibles. Il est plus que probable que ces qualités soient variables d'un dossier à l'autre, tout comme d'un établissement à l'autre. Par ailleurs, il n'y a pas de solution facile pour obtenir des données fiables sur la famille, étant donné que le rapport verbal de l'adolescent psychopathe peut être questionné au plan de la validité (Laroche, 1998 ;

McBride, 1998) et que la participation des parents de jeunes contrevenants est très difficile à obtenir (Laroche, 1998). Par ailleurs, les travaux relatifs au jugement moral ne permettent pas de distinguer les jeunes psychopathes des délinquants en général (Chandler & Moran, 1990 ; Trevethan & Walker, 1989). Il reste à déterminer si l'absence de relation est liée à un problème de mesure du jugement moral ou à une conceptualisation insuffisante des liens entre ce construit et la psychopathie.

La recension précédente des études portant sur les enfants et les adolescents permet de dresser un certain nombre de constats. Tout d'abord, les études convergent pour suggérer la présence d'un sous-groupe distinct de jeunes antisociaux dont le profil comportemental et les traits de personnalité sont particulièrement problématiques. Selon certains travaux, dont ceux de Lynam (1997), ces jeunes ont une probabilité plus élevée de poursuirvre leurs conduites antisociales trois ans plus tard. Bien que la preuve de l'équivalence de la mesure de la psychopathie chez l'enfant et chez l'adulte reste à faire, l'adoption d'une perspective typologique permettant de greffer à un profil de personnalité des conduites antisociales chez les jeunes est une voie de recherche prometteuse. Des pistes de recherche spécifiques sur les caractéristiques cognitives et familiales associées à la psychopathie juvénile peuvent également être évoquées.

L'association entre la capacité réduite d'inhibition comportementale et la psychopathie au cours de l'enfance (Loney et al., soumis) et de l'adolescence (Roussy & Toupin, 2000) demeure une voie à explorer en raison de certains résultats contradictoires (Lynam, 1997). En effet, ces résultats correspondent à ceux obtenus chez les psychopathes adultes (Newman et al., 1987) (voir à ce sujet les études auprès des adultes psychopathes au chapitre 5). De plus, ils sont cohérents avec l'hypothèse de fonctions exécutives déficientes. Par ailleurs, l'hypothèse de difficultés d'inattention-impulsivité-hyperactivité (IIH) chez les jeunes susceptibles de développer un trouble psychopathique doit être contre-vérifiée. Si une confirmation partielle de cette association est obtenue par McBride (1998) pour l'un des échantillons étudiés, Lynam (1997) n'obtient pas de lien entre l'IIH et la continuation des conduites antisociales, ni de corrélation entre l'IIH et la psychopathie. Par contre, il réaffirme cette dernière association avec une stratégie d'analyse différente (Lynam, 1998). En outre, les résultats des diverses études relativement aux relations entre l'IIH, le QI et la psychopathie sont possiblement contradictoires. D'une part, Loney et al. (soumis) n'observent pas de déficit du QI verbal chez les enfants manifestant des traits psychopathiques. Ces résultats sont cohérents avec ceux observés chez des psychopathes adultes (Hare, 1991). D'autre part, ils ne correspondent pas avec les recherches de Moffitt identifiant un déficit verbal chez les délinquants et particulièrement chez ceux manifestant des symptômes d'IIH (Moffitt, 1990b ; Moffitt & Henry, 1989 ; Moffitt & Silva, 1988). Ces résultats appuyent l'hypothèse de Lynam (1996) à l'effet d'une relation entre l'IIH, les déficits cognitifs et la psychopathie.

L'association entre l'antisocialité parentale et la psychopathie ne fait pas non plus l'unanimité. McBride (1998) et Christian et al. (1997) constatent une telle association, tandis que Burke et Forth (1996), et Laroche (1998) ne l'observent pas. En ce qui concerne les pratiques éducatives des parents, des données contradictoires sont également notées. Laroche (1998) constate des différences entre les adolescents psychopathes et non-psychopathes en regard d'une supervision parentale moins étroite et d'activités familiales moins fréquentes. De telles différences ne sont pas obtenues par Burke et Forth (1996) et Wootton et al. (1997). A cet égard, il paraît clair qu'au delà des différences dans les définitions et la mesure de la psychopathie déjà mentionnées, la définition et la mesure des relations parents-enfant sont également très variables. Il sera difficile d'aller beaucoup plus loin dans ce domaine si des construits et des mesures comparables ne sont pas utilisés. A cet égard, les travaux qui suivent pourraient constituer une source d'inspiration importante pour la continuation des efforts de recherche sur la psychopathie juvénile.

Recension des études longitudinales sur les conduites antisociales de l'enfance et de l'adolescence

Si le nombre de publications scientifiques dans un domaine est le reflet fidèle de l'importance des préoccupations sociales à ce sujet, il peut être avancé aisément que l'explication et la prédiction des conduites antisociales chez les jeunes en est l'objet de très importantes. Tout effort de synthèse dans ce domaine oscille donc entre le souhait de rendre compte de l'ensemble des écrits sur la thématique et la nécessité de limiter à la recension des proportions raisonnables. A cet égard, le nombre de publications issues des enquêtes populationnelles longitudinales est un obstacle. En effet, la quantité et la variété importantes des données qui y sont recueillies donnent lieu à de très nombreuses publications s'adressant à des publics distincts (par exemple, étude des facteurs biologiques, périnataux, familiaux ou cognitifs). Ces publications ne font pas forcément référence, tant au plan conceptuel qu'analytique, à l'ensemble des facteurs pertinents qui ont été recueillis lors de l'enquête. Elles peuvent également porter sur des sous-échantillons, compromettant ainsi, dans certains cas, la généralisation des résultats. Cette situation d'ensemble rend très difficile, voire impossible, de considérer toutes les publications relatives aux diverses enquêtes réalisées. Ceci nous a conduit à privilégier une sélection des textes dans le cadre de cette recension.

Premièrement, le but de ce chapitre étant de tenter d'établir des rapprochements entre les caractéristiques associées à la psychopathie juvénile et celles en lien avec les conduites antisociales et délinquantes, nous limitons la recension aux facteurs personnels (principalement cognitifs) et familiaux identifiés dans la première section du texte.

Deuxièmement, la psychopathie étant caractérisée par la stabilité des traits de personnalité et des conduites antisociales, il est possible d'anticiper qu'elle prend naissance relativement tôt au cours du développement. D'ailleurs, depuis plus de 20 ans, le diagnostic de trouble de personnalité antisociale est établi pour autant que les conduites antisociales aient débuté avant l'âge de 15 ans. Nous ne retiendrons donc que les études longitudinales ayant évalué au cours de l'enfance et de l'adolescence les facteurs familiaux et certains facteurs personnels, en assurant un suivi des participants au moins jusqu'à la fin de l'adolescence ou au début de l'âge adulte. Du coup nous ne considérerons pas dans cette recension les études transversales ou longitudinales à court terme.

Troisièmement, l'accent de cette recension porte sur l'identification des facteurs familiaux associés à une forme extrême d'antisocialité. Il s'agit, lorsque c'est possible, de comparer des délinquants chroniques et persistants, à d'autres délinquants, plutôt que de comparer ces derniers avec des non-délinquants. En effet, les études sur les psychopathes adultes les différencient avec d'autres criminels incarcérés non-psychopathes. Il est donc utile de rappeler ici que l'intérêt du construit de la psychopathie est qu'il caractérise un sous-groupe parmi les personnes ayant des conduites antisociales. Plusieurs études ont noté qu'un petit nombre de délinquants commettaient un nombre disproportionné de délits. Par exemple, en Suède, Stattin et Magnusson (1991) ont remarqué que 5 % des délinquants de leur échantillon commettaient 40 % de tous les délits du groupe. De même Farrington et West (1993) en Angleterre signalent que 6 % de l'échantillon ont commis la moitié des délits officiels jusqu'à l'âge de 32 ans. Enfin, Wolfgang, Thornberry et Figlio (1987) révèlent qu'au sein de la cohorte de Philadelphie, 6 % des délinquants commettent 52 % de tous les délits. En nous intéressant principalement aux comparaisons entre les délinquants chroniques et persistants et les autres délinquants, nous nous approchons du devis de recherche qui est couramment utilisé dans les études sur la psychopathie. Finalement, nous nous limiterons dans la plupart des études à celles portant sur des jeunes de sexe masculin, ceci puisqu'il nous faut reconnaître que très peu d'études ont été réalisées auprès des femmes psychopathes (Hare, 1991).

Précisons ici que les facteurs familiaux ne sont pas conceptualisés dans la perspective d'une transmission génétique du trouble, puisque seuls les devis permettant de départager la variance génétique et la variance environnementale auraient alors été retenus pour la recension (voir par exemple Silberg, Rutter, Meyer, Maes, Hewitt, Simonoff et al., 1997 ; Slutke, Heath, DinWiddie, Madden, Bucholz, Dunne et al., 1997). Notre sélection des études est justifiable dans la mesure où les caractéristiques personnelles et familiales recensées sont inspirées par des théories contemporaines sur le développement des conduites antisociales (Hirschi, 1969, 1983 ; Moffitt, 1993a). Enfin, nous reconnaissons que les conduites antisociales chez les jeunes peuvent être précurseurs de difficultés autres que la criminalité à l'âge adulte (Hodgins, Côté & Toupin, 1998). Néanmoins, vu l'importance des conduites antisociales dans la psychopathie, seule cette dimension des études longitudinales seront abordées.

Dans la recension des études longitudinales, il est également utile de distinguer, parmi les études recensées, celles qui ont permis le suivi des participants jusqu'à 30 ou 40 ans de celles comportant un suivi jusqu'au début de l'âge adulte ou la fin de l'adolescence. Cette distinction repose sur trois motifs principaux. Tout d'abord, en terme de catégorie d'âge, le premier groupe d'études se rapproche davantage de l'âge moyen des participants dans les études sur la psychopathie, soit la trentaine (étendue habituelle des âges de 16 à 45 ans, Hare 1991). Ensuite, compte tenu de la durée du suivi, il s'agit la plupart du temps de recherches amorcées durant les années '50 ou '60, période où les standards méthodologiques n'étaient pas les mêmes qu'actuellement. De plus, des changements sociaux significatifs influençant la prévalence des conduites antisociales ont pu s'opérer entre ces époques. Enfin, comme les activités criminelles décroissent entre le début de l'adolescence et la fin de l'adolescence (Blumstein, Cohen & Farrington, 1988 ; Wolfgang, Figlio & Sellin, 1972), il est possible que les deux catégories d'études ne ciblent pas tout à fait les mêmes personnes.

Les études de suivi des conduites antisociales à l'âge adulte

St-Louis Study

Lee Robins avait pour objectif l'étude du développement de la personnalité antisociale lorsqu'elle entreprit une étude de suivi de 524 personnes de race blanche ayant bénéficié de services dans un centre pour enfants (âge moyen 13 ans) entre 1924 et 1929. D'intelligence normale et provenant d'un milieu socioéconomique faible, ces enfants ont été suivis et interviewés dans une proportion de 80 % (n = 436) à l'âge moyen de 43 ans. A des fins de comparaisons, un groupe d'intelligence normale, équivalent pour l'âge, le sexe et le lieu de résidence a été recruté dans les écoles de St-Louis (États-Unis). Le taux de succès du suivi a alors été de 90 %.

Les travaux de Robins (Robins, 1966) ont établi que les condamnations criminelles à l'âge adulte étaient plus fréquentes chez les jeunes référés à la clinique pour conduites antisociales (43 %) que chez les jeunes référés à la clinique pour d'autres motifs (13 %), d'une part, et que chez ceux du groupe de comparaison (0 %), d'autre part. Cette étude révèle également que la variété des conduites antisociales, de même que leur fréquence et leur sévérité, étaient associées à une probabilité plus élevée d'un trouble de personnalité antisociale à l'âge adulte. En outre, le sous-groupe de jeunes le plus actif au plan criminel, qualifié par Robins de jeunes présentant une « personnalité sociopathique », avait une probabilité nettement accrue de rencontrer à l'âge adulte les caractéristiques de l'alcoolique et du sociopathe. L'étude de Robins indique aussi que d'avoir des parents antisociaux influence la probabilité d'être très antisocial à l'âge adulte, pour autant que les conduites antisociales au cours de l'adolescence ne soient pas très fréquentes. Dans le cas des jeunes ayant des conduites antisociales fréquentes, la présence de parents antisociaux n'ajoute pas à la prédiction. Une autre variable significative était l'exposition du jeune à une discipline adéquate. Les pratiques disciplinaires des parents réduisaient la probabilité d'être antisocial à l'âge adulte, et ce, que le jeune ait été hautement ou modérément antisocial au cours de l'enfance. Enfin, l'appartenance à une famille inhabituellement nombreuse ou peu nombreuse était également associée à une probabilité supérieure de sociopathie à l'âge adulte.

Il importe de mentionner que d'autres facteurs étaient liés à la sociopathie adulte. La provenance d'un foyer brisé, les conflits conjugaux, le niveaux socioéconomique des parents, le statut de bénéficiaire de la sécurité du revenu, le fait d'habiter un quartier insalubre, les déménagements fréquents, l'expulsion de l'école et le retard scolaire étaient tous associés à la sociopathie. Néanmoins, ces facteurs n'exerçaient aucun effet indépendant une fois considéré le niveau de conduites antisociales du jeune et du parent.

Dans une étude subséquente (Robins, Murphy, Woodruff & King, 1971), l'essentiel des résultats a été reproduit auprès d'un échantillon de jeunes de race noire, non-institutionnalisés. Les conduites antisociales avant l'âge de 18 ans et la présence d'un père manifestant lui-même des conduites antisociales étaient les deux indices de prédiction importants du trouble de personnalité antisociale à l'âge adulte. Les seules différences significatives entre les deux échantillons concernaient la toxicomanie, phénomène virtuellement absent du premier échantillon.

Les travaux subséquents de Robins ont eu pour but de mettre en relation les conduites antisociales au cours de l'enfance, les caractéristiques de la famille et les conduites antisociales à l'âge adulte grâce à plusieurs échantillons distincts, de manière à présenter des résultats les plus généralisables possibles (Robins, 1979 ; Robins & Ratcliff, 1979). Les principaux résultats suggèrent que les adultes antisociaux ont, dans la plupart des cas, présentés des conduites antisociales sévères lorsqu'enfants. Qu'environ un enfant sur deux ayant présenté des conduites antisociales au cours de l'enfance continuera à en manifester à l'âge adulte. Le nombre de conduites antisociales au cours de l'enfance est le meilleur indice de prédiction des conduites antisociales sévères à l'âge adulte. Enfin, les analyses réalisées par Robins & Ratcliff (1979) sur le seul sous-groupe de jeunes manifestant des conduites antisociales révèlent que ce sont ceux ayant vécu dans une pauvreté extrême, dans une famille où il n'y a pas deux figures parentales et, éventuellement, ayant été placés hors de la famille, qui sont le plus à risque de manifester des conduites antisociales à l'âge adulte.

Cambridge Study

Cette étude porte sur 411 garçons, la plupart nés en 1953, évalués périodiquement entre l'âge de 8 ans et de 32 ans. Les participants à l'étude ont été recrutés dans le sud de Londres au sein de quartiers populaires majoritairement composés de familles ouvrières. Cette recherche révèle que les meilleurs indices de prédiction indépendants des condamnations criminelles jusqu'à l'âge de 32 ans sont d'avoir été évalué comme un enfant téméraire par les parents, d'être considéré comme un enfant difficile à l'école, d'avoir atteint un faible niveau de scolarisation, de provenir d'une famille où il y a eu séparation des parents, d'habiter dans un logement inadéquat et d'avoir un parent condamné pour un délit criminel (Farrington, 1990). Parallèlement, les indices de prédiction démontrant l'association la plus forte avec la délinquance chronique à l'âge de 32 ans étaient d'avoir été un enfant difficile et téméraire (selon les parents), d'avoir un membre de la fratrie qui soit délinquant, de provenir d'une famille catholique et d'être d'un milieu ayant un faible statut socioéconomique (Farrington & West, 1993).

Des résultats similaires sont rapportés par Nagin, Farrington & Moffitt (1995) grâce à une stratégie méthodologique différente. Quatre groupes sont créés sur la base de la fréquence et de la stabilité des conduites criminelles entre l'âge de 8 et de 32 ans. Les non-délinquants (ND), les délinquants chroniques et fréquents (DCF), les délinquants chroniques (DC) et les délinquants adolescents (DA) présentent des trajectoires délinquantes distinctes. Au plan de l'emploi, les trois groupes de délinquants se distinguent des non-délinquants à l'âge de 18 ans et de 32 ans. Ils risquent davantage de détenir un emploi non spécialisé, d'être sans emploi ou d'être instable au plan de l'emploi. Au plan familial, les trois groupes de délinquants ont une probabilité plus élevée d'avoir vécu une séparation ou un divorce que les non-délinquants. Les délinquants de l'un ou l'autre de ces groupes étaient davantage susceptibles que les non-délinquants d'être impulsifs et de manquer de concentration à l'âge de 10 ans, d'avoir des parents ou une fratrie responsables de crimes, d'avoir grandi dans un milieu défavorisé, dans un climat de conflits parentaux et avec des parents ayant de faibles habiletés parentales. Toutefois, ces caractéristiques distinguent assez peu les groupes de délinquants entre eux. Seules certaines indications suggéraient que les délinquants chroniques et fréquents présentaient des difficultés plus sévères sur le plan de la capacité de concentration et provenaient plus souvent d'un milieu défavorisé.

Metropolitan Project

L'étude de départ porte sur une cohorte de 15,117 personnes nées à Stockholm en 1953 et y résidant toujours 10 ans plus tard. De ce nombre sont retenus les 7,235 participants de sexe masculin et les 6,975 de sexe féminin vivant toujours en Suède à l'âge de 30 ans (Hodgins, 1994). Les analyses concernent les garçons évalués comme ayant des troubles de comportement à l'école (n = 233) selon le professeur ou comme ayant des conduites antisociales selon les agences sociales (n = 209) ou comme ayant des troubles selon les deux sources (n = 41). Hodgins (1994) démontre clairement un risque accru de criminalité jusqu'à l'âge de 30 ans pour les jeunes identifiés précocement comme ayant des troubles de comportement. Alors que 27,6 % des personnes sans troubles de comportement précoces ont commis au moins un délit avant l'âge de 30 ans, les prévalences s'établissent à 70 %, 72,2 % et 92,7 % lorsque les troubles de l'enfance ont été identifiés par le professeur, les agences sociales ou les deux. Des analyses supplémentaires suggèrent des résultats dans le même sens pour le nombre de crimes commis. Les adultes identifiés lorsqu'enfant comme ayant des troubles de comportement sont systématiquement plus précoces et plus prolifiques dans le nombre ultérieur de délits commis, y compris pour les délits violents. Néanmoins, tel que souligné par Hodgins (1994), les troubles précoces ne permettaient d'identifier qu'environ 20 % des adultes ayant commis au moins trois délits officiels.

Quant aux facteurs associés à la criminalité adulte chez les garçons identifiés comme ayant des troubles de comportement à l'école, ils provenaient d'un milieu socio-économique moins favorisé et présentaient plus de problèmes psychologiques selon les agences sociales. Toutefois, il ne se distinguaient pas au niveau des problèmes familiaux (durée du placement de l'enfant hors de la famille), de la performance à des sous-tests de QI (Verbal, spatial et numérique) et les résultats scolaires. Pour l'ensemble, ces résultats sont reproduits lorsque sont comparés les garçons ayant des conduites antisociales dans la communauté avec ou sans criminalité officielle à l'âge de 30 ans. La seule différence concerne des éléments de performance cognitive ; les enfants n'ayant pas eu ultérieurement de délit officiel présentant de meilleurs résultats au sous-test d'arithmétique du QI et de meilleurs résultats scolaires en 6e et 9e année.

Une analyse plus récente de cette banque de données (Kratzer & Hodgins, 1999) exclut les personnes ayant manifesté un trouble mental et adopte une perspective typologique selon l'âge de survenue et la stabilité des troubles de comportements (au cours de l'enfance, de l'adolescence et de l'âge adulte). Les groupes comparés sont : (1) les délinquants persistants qui ont débuté leur activité criminelle avant l'âge de 15 ans et l'ont poursuivi d'au moins deux autres périodes (15-18 ans, 18-21 ans, 21-30 ans) ; (2) les adolescents antisociaux dont l'activité criminelle survient seulement avant l'âge de 18 ans ; (3) les adultes antisociaux dont l'activité criminelle n'a débuté qu'après l'âge de 18 ans ; (4) les délinquants instables qui ont commis au moins un délit au cours d'une période avant et après 18 ans et ; (5) les non-délinquants qui n'ont pas commis de délit officiel jusqu'à 30 ans. Les résultats confirment tout d'abord que les délinquants persistants étaient plus susceptibles (20,7 %) que les autres groupes de délinquants (de 2,8 % à 7,7 %) d'avoir été identifiés comme présentant des troubles de comportement jusqu'à l'âge de 12 ans (Kratzer & Hodgins, 1999). Parallèlement, les résultats d'une analyse discriminante suggèrent que la présence de troubles de comportement dans la communauté entre 13 et 18 ans, les problèmes psychologiques de l'enfance, les résultats à l'école et les troubles de comportement à l'école et dans la communauté à l'âge de 12 ans définissent la première fonction discriminante qui distingue les groupes comparés. Enfin, les analyses relatives aux variables cognitives recueillies suggèrent des différences dans le sens attendu entre délinquants et non-délinquants. Toutefois, cette caractéristique, si elle peut être retenue pour les délinquants persistants, ne signifie pas pour autant que ces derniers présentent tous un QI inférieur à la moyenne du groupe de non-délinquants. Kratzer et Hodgins (1999) rapportent qu'environ 8 % des délinquants persistants de leur groupe obtiennent un score supérieur ou à l'intérieur d'un demi-écart type du

QI du groupe n'ayant pas commis de délits à l'âge adulte. Enfin, notons que le niveau de perturbation du milieu familial ne distingue pas les groupes comparés.

Étude des Glueck

Sheldon et Eleanor Glueck ont débuté leurs travaux dans les années '40 en comparant des délinquants (n = 500) et des non-délinquants (n = 500) du Massachusetts (États-Unis). Inspirée d'un devis cas-témoin, cette étude compare deux groupes de jeunes similaires au plan de l'âge et du QI, théoriquement exposés aux mêmes facteurs de risque, essentiellement un milieu pauvre et désavantagé, mais dont les cheminements sont distincts à l'adolescence. L'essentiel des conclusions de la recherche a été publié il y a déjà plusieurs années (Glueck & Glueck, 1951). Par la suite, un suivi de ces adolescents devenus adultes a été réalisé (Glueck & Glueck, 1968). Ces banques de données ont été réanalysées à l'aide de traitements statistiques modernes (Sampson & Laub, 1993). C'est cette dernière source qui constituera la référence essentielle pour décrire les résultats de l'étude.

Sampson et Laub (1993) ont pris le modèle de Hirschi pour appui théorique principal. Dans cette perspective, ils se sont intéressés au rôle possible des variables familiales dans la survenue et la continuation de la délinquance. Les auteurs suggèrent que, bien que les tendances antisociales précoces soient associées à la délinquance future, les facteurs familiaux sont ceux qui expliquent la plus large part de la variance. Parmi ces facteurs, ceux directement liés aux relations parents-enfant, à la supervision, à l'attachement et aux pratiques disciplinaires sont les plus contributifs. Néanmoins, ces résultats ne peuvent être interprétés dans la perspective d'une contribution causale, puisqu'il s'agit ici de la portion transversale de leur étude.

La portion longitudinale de la recherche a permis d'établir la criminalité officielle selon trois périodes de la vie adulte (17-25 ans, 25-32 ans et 32-45 ans). L'association entre les variables familiales principales (supervision, attachement, discipline) et la criminalité adulte est significative, et ce, tant pour le groupe de délinquants que de non-délinquants (groupe témoin). Toutefois, il importe de s'assurer que les variables familiales ont une association directe avec la criminalité adulte. Pour y parvenir, il faut tenir compte des conduites délinquantes jusqu'à l'âge de 14 ans. Ceci permet d'estimer la contribution des variables familiales au-delà des conduites délinquantes déjà présentes au cours de l'adolescence. Les résultats de Sampson et Laub (1993) suggèrent qu'il n'y a pas d'effet indépendant des variables familiales en lien avec la criminalité adulte à divers âges et ce pour les deux groupes de participants. Ces données peuvent être comprises dans le sens d'une absence d'influence des variables familiales étudiées après l'âge de 14 ans, sur la poursuite d'une criminalité à l'âge adulte. Par ailleurs, ceci ne signifie pas que ces mêmes variables familiales n'exercent pas une influence avant l'âge de 14 ans et qu'elles ne contribuent pas à la probabilité accrue d'une criminalité adulte via leur association avec les conduites délinquantes à l'adolescence.

Newscastle Thousand Family Study

La recherche porte sur 812 participants des deux sexes nés à Newcastle (Angleterre) entre le 1er mai et le 30 juin 1947. Les données au sujet de l'enfant et de la famille furent recueillies au cours des premières années de vie et de scolarisation. Les condamnations officielles des sujets de l'étude ont été obtenues jusqu'à l'âge de 33 ans. Les chercheurs se sont particulièrement intéressés aux effets cumulatifs de divers indices d'adversité familiale : instabilité maritale, maladie des parents, soins inadéquats, dépendance sociale, surpopulation dans le logement et habiletés maternelles déficientes. Les résultats de l'étude suggèrent que chacun des indices d'adversité familiale est associé à une probabilité plus élevée d'une condamnation criminelle à l'âge adulte et que l'exposition à un plus grand nombre d'indices d'adversité conduit à une probabilité accrue de criminalité à l'âge adulte. Ces résultats se vérifient pour les hommes comme pour les femmes, en dépit du fait que la criminalité féminine est nettement moins prévalente. Enfin, l'exposition à de multiples facteurs d'adversité familiale paraît également associé à un nombre de délits plus élevé, ainsi qu'à une durée d'incarcération supérieure par rapport aux sujets modérément exposés à l'adversité familiale (Kolvin et al., 1988).

Étude sur la délinquance des adolescents de Montréal

L'échantillon de départ de cette recherche consiste en 1611 garçons âgés de 12 à 16 ans recrutés dans les écoles secondaires de Montréal (Canada). Un sous-échantillon aléatoire (n = 458) a été relancé deux ans plus tard, ce nombre assurant un taux de participation de 88 %. Les données sur la criminalité officielle de ce groupe ont été recueillies 14 ans plus tard. Elles couvrent tous les délits connus perpétrés de 18 à 32 ans. Un sous-groupe (n = 309) a été réinterviewé à nouveau à l'âge moyen de 32 ans, afin d'établir la participation autorapportée à des activités criminelles. Le chercheur (LeBlanc, 1992 ; LeBlanc, 1994) s'est largement inspiré de la théorie du contrôle social pour tenter d'expliquer la délinquance à l'adolescence et la criminalité à l'âge adulte.

L'analyse des données révèle que parmi les variables familiales (niveau socioéconomique, modèles parentaux, pratiques éducatives, attachement aux parents...) et scolaires (performance, engagement...) certaines sont de meilleurs indices de prédiction de la criminalité adulte. La performance scolaire, l'attachement aux parents et la délinquance à l'adolescence permettent d'expliquer 22 % de la criminalité officielle à l'âge adulte, tandis qu'elles expliquent 29 % de la variance de la criminalité autorapportée. Dans le cas de la prédiction de la délinquance à l'adolescence, la délinquance antérieure autorapportée, la performance scolaire et l'attachement aux parents prédisent 36 % de la délinquance. Des résultats obtenus, il est conclu que des conditions sociales difficiles (faible niveau socioéconomique, statut familial) nuisent à l'attachement du jeune à ses parents et à l'école. Ces mêmes conditions entraîneront une faible performance à l'école et des relations parentales plus négatives (conflits parentaux et abus d'alcool de la part des parents). De plus, des effets interactifs sont postulés entre ces variables. Ce réseau de relations influencera également les contraintes familiales et scolaires (supervision et pratiques éducatives des parents) imposées au jeune, lesquelles sont en lien direct avec la délinquance. L'application du modèle à l'âge adulte suggère des corrélations élevées entre un attachement faible aux parents et un attachement marital faible, de même qu'entre la performance scolaire et la stabilité occupationnelle à l'âge adulte. Dans cette perspective, la criminalité adulte est associée principalement à l'attachement marital, au niveau de délinquance à l'adolescence et à la stabilité occupationnelle (LeBlanc, 1994).

Philadelphia Birth Cohort Study

Cette étude concerne des garçons nés à Philadelphie en 1945. Les participants devaient avoir résidé dans cette même ville entre 10 ans et 18 ans. Au total 9 945 sujets ont été étudiés dans la publication originale portant sur l'analyse de cette cohorte (Wolfgang, Figlio & Sellin, 1972). La poursuite de cette recherche (Wolfgang et al., 1987) a permis d'assurer le suivi d'un échantillon stratifié équivalant à 10 % de la cohorte d'origine (n = 975). La collecte des données a été réalisée à deux moments, c'est-à-dire lorsque les participants avaient atteint l'âge de 26 ans et de 30 ans. Les données relatives à la criminalité officielle ont été recueillies à ces deux moments, tandis que des données d'entrevues ont été colligées uniquement lorsque les sujets étaient âgés de 26 ans (n = 567). L'étude met en évidence l'association significative entre la fréquence et la gravité des délits juvéniles et la criminalité adulte. Cette association se maintient malgré le contrôle statistique des variables liées au niveau socioéconomique et à la race. Les résultats indiquent clairement la continuité des conduites délinquantes jusqu'à l'âge adulte. Cette étude présente des données intéressantes sur la description des conduites délinquantes et leur évolution temporelle. Toutefois, elle n'inclut pas de facteurs familiaux et personnels susceptibles d'être associés à la continuation de la criminalité à l'âge adulte.

Individual Development and Adjustment Project

Cette recherche a recruté 710 garçons âgés en moyenne de 10 ans entre 1965 et 1971, tous en troisième année du cours élémentaire. Les sujets ont été réévalués au cours de l'adolescence puis la criminalité officielle a été obtenue jusqu'à leur 30e anniversaire. La criminalité officielle a été croisée avec le QI et le niveau d'éducation des parents évalués alors que l'enfant avait 10 ans. Les chercheurs (Stattin & Magnusson, 1991) fondent leurs analyses sur les épisodes criminels plutôt que sur le nombre de délits, qui réfèrent à un moment précis dans le temps au cours duquel un ou plusieurs délits ont été commis. Sur le plan de la sévérité et de la chronicité de la criminalité, ils identifient un sous-groupe de garçons responsables de 59 % de tous les épisodes criminels au cours de l'enfance et de respectivement 63 % et 62 % des épisodes au cours de l'adolescence et de l'âge adulte. Ce groupe se distingue d'une part, par un QI moins élevé que les sujets n'ayant pas d'épisode criminel à leur actif et d'autre part, de ceux ayant eu de telles conduites uniquement au cours de l'adolescence. Quant au niveau d'éducation des parents, il est supérieur pour les parents des sujets n'ayant pas d'épisode criminel à leur actif. Toutefois, il n'y a pas de différences sur cette variable entre les groupes ayant eu des épisodes criminels plus ou moins chroniques de l'enfance à l'âge adulte.

Un sous-échantillon de garçons ont été évalués à l'âge de 13 ans (n = 540) par les enseignants afin d'établir leur agitation psychomotrice et leurs difficultés de concentration (AF Klinteberg, Andersson, Magnusson & Stattin, 1993). Ces indices, combinés pour établir le comportement hyperactif, ont été analysés en relation avec les problèmes d'alcool et les délits violents de 15 à 26 ans. Les résultats suggèrent que les jeunes classifiés hyperactifs avaient une probabilité huit fois plus élevée de commettre un délit violent au cours de la période étudiée. De fait, des 35 participants ayant commis un délit violent, 22 avaient été classifiés hyperactifs à l'âge de 13 ans. Néanmoins, il importe de mentionner que seulement 16 % de tous les jeunes classifiés hyperactifs ont commis un délit violent. De plus, il est difficile d'identifier le recoupement entre ces jeunes et ceux classifiés avec un QI faible (Stattin, Magnusson, 1991) car ces données ne sont pas rapportées.

Jyväkylä Longitudinal Study on Social Development

Cette étude porte sur 369 participants des deux sexes nés à la fin des années '50 dans la ville de Jyväskylä (Finlande). Des données furent recueillies auprès de cette cohorte alors que les participants étaient âgés de 8, 14, 20 et 27 ans. La criminalité officielle à l'âge adulte fut documentée jusqu'à 27 ans. Au sein de l'échantillon étudié, une très faible proportion des criminels adultes (moins de 5 %) est responsable de plus de la moitié des délits. Pulkkinen (1988) suggère que l'agression telle qu'évaluée par les pairs et les inquiétudes de l'enseignant alors que le jeune a 8 ans sont les meilleurs indices permettant de prédire les condamnations à l'âge adulte chez les hommes.

De plus, ces indices prédisent les arrestations pour abus d'alcool, une consommation d'alcool problématique et l'agression autorapportée à l'âge de 26 ans (Pulkkinen & Pitkänen, 1993). Des analyses plus fines ont été réalisées par Pulkkinen (1996) afin de tenir compte de l'agression réactive et de l'agression proactive. En effet, sur la base de l'évaluation de l'agression par les pairs et par les enseignants les jeunes qualifiés d'agressifs à l'âge de 14 ans ont été classés en deux groupes : ceux agressifs dans un contexte d'autodéfense, les réactifs (n = 78) et ceux agressifs sans motif apparent, les proactifs (n = 91). Les comparaisons effectuées sur les mesures aux âges de 8, 14 et 27 ans révèlent un meilleur contrôle de soi et une adaptation sociale supérieure à l'âge adulte chez les agressifs réactifs. Parallèlement, les agressifs proactifs de sexe masculin étaient plus susceptibles de présenter des troubles extériorisés au cours de l'enfance, des troubles adaptatifs au cours de l'adolescence (opposition, troubles de comportement, inattention, faible réussite scolaire) et de l'âge adulte (criminalité et abus d'alcool).

The Cambridge – Somerville Youth Study

L'étude inclut 201 garçons âgés de 5 à 13 ans, éduqués par leur mère biologique, participant à un programme de traitement destiné à prévenir la délinquance à Boston (États-Unis). Sur une période moyenne de cinq ans, des contacts bimensuels avec l'enfant et sa famille furent réalisés par un professionnel. Une cotation indépendante des dossiers de chacun des participants a permis d'établir le degré d'affection de la mère, la supervision, les conflits parentaux, l'agressivité du père et de la mère, la déviance et l'absence du père. De plus, le statut occupationnel des pères et un indice d'adversité du voisinage furent évalués. Les condamnations officielles jusqu'à l'âge de 40 ans purent être obtenues pour 153 des sujets. Les analyses révèlent que toutes les variables parentales mesurées sont associées à la criminalité adulte, à l'exception de l'absence du père. Ces mêmes variables, introduites dans des analyses discriminantes, suggèrent qu'elles permettent de classifier correctement de 73 % à 80 % des sujets qui sont devenus ou non criminels à l'âge adulte. Enfin, des analyses de régression établissent que, même en contrôlant le statut social et les caractéristiques parentales, les pratiques éducatives des parents (affection de la mère, supervision et conflit parentaux) expliquent 32 % de la variance liée au nombre de délits contre la propriété et 30 % de la variance liée au nombre de délits contre les personnes (McCord, 1979).

The Kauai Longitudinal Study

Cette recherche concerne le suivi de 505 des 614 enfants nés sur l'île de Kauai (États-Unis) en 1955. Les familles ont été évaluées alors que l'enfant avait 2, 10 et 18 ans. Un suivi de la cohorte de naissance a été de nouveau réalisé alors que les sujets étaient âgés de 31-32 ans, afin d'obtenir les dossiers criminels de tous ceux qui résidaient dans l'état d'Hawaï. Les analyses réalisées permettent de caractériser d'une part les délinquants persistants (en moyenne 4 arrestations au cours de l'adolescence) comparativement aux autres sujets, et d'autre part, les délinquants ayant poursuivi à l'âge adulte leurs activités criminelles par rapport à ceux les ayant cessées.

Les délinquants chroniques étaient plus susceptibles d'avoir vécu dans une pauvreté constante. La moitié des familles étaient non intactes et un père sur trois possédait un dossier criminel. Deux jeunes sur trois avaient un QI inférieur à 90, tandis que 80 % de ces délinquants avaient été jugés, dès l'âge de 10 ans, comme nécessitant des services éducatifs spécialisés.

Les délinquants ayant poursuivi des activités criminelles à l'âge adulte, comparativement à ceux les ayant cessées, étaient évalués comme ayant un fonctionnement intellectuel moindre à l'âge de 2 ans. De plus, ils étaient décrits par l'enseignant à l'âge de 10 ans comme colériques, instables et comme ayant souvent recours à l'intimidation et au mensonge. Ils étaient également plus fréquemment décrits comme menteurs par leurs parents. Une proportion plus élevée de ce groupe avait vécu des événements de vie stressants liés à l'absence du père et de la mère. Enfin, des services de santé mentale étaient jugés requis plus souvent pour ces jeunes dès l'âge de 10 ans (Werner & Smith, 1992).

Synthèse des études de suivi des conduites antisociales à l'âge adulte

Des éléments importants peuvent être signalés en lien avec la continuation des activités délinquantes de l'enfance à l'âge adulte. Le premier élément qui mérite d'être mentionné est sans doute le potentiel de prédiction de la présence des conduites antisociales précoces. Ce résultat a été obtenu il y a de nombreuses années (Robins, 1966), lors d'une étude qui n'était pas exempte de biais méthodologiques (étude rétrospective, cueillette de données dans les dossiers). Depuis, il a été confirmé à maintes reprises par des études plus sophistiquées au plan méthodologique (Sampson & Laub, 1993 ; Wolfgang et al., 1987). En effet, les jeunes qui poursuivent des conduites criminelles à l'âge adulte sont susceptibles de manifester précocement (8-10 ans) des difficultés, notamment en milieu scolaire (Pulkkinen, 1988 ; Werner & Smith, 1992). D'ailleurs, le besoin de services spécialisés semble les distinguer des autres jeunes (Robins & Ratcliff, 1979 ; Werner & Smith, 1992). De plus, certains résultats indiquent qu'ils présentent des traits de tempérament difficiles, tels la témérité (Farrington, 1990), une faible performance à l'école (Kratzer & Hodgins, sous presse ; LeBlanc, 1992 et un fonctionnement intellectuel moindre que les pairs, Kratzer & Hodgins, sous presse) ; Stattin & Magnusson, 1991 ; Werner & Smith, 1992). Ces difficultés s'expriment dans un contexte familial caractérisé par l'instabilité parentale (Farrington, 1990 ; Kolvin et al., 1988 ; Robins et Ratcliff, 1979 ; Werner & Smith, 1992), la pauvreté et la dépendance sociale (Farrington & West, 1993 ; Kolvin et al., 1988 ; Robins, 1979). Ce même contexte familial est caractérisé par une déviance plus fréquente de la part de la fratrie (Farrington & West, 1993) ou du père (Farrington, 1990 ; McCord, 1979 ; Robins, 1966). A cet égard, il n'est peut être pas surprenant que les relations parents-enfants soient décrites comme pauvres au plan relationnel (peu d'affection, peu d'attachement, ruptures) (LeBlanc, 1994 ; McCord, 1979 ; Sampson & Laub, 1993) et inadéquates au plan des pratiques éducatives (McCord, 1979 ; Robins, 1966). En somme, il apparaît qu'un enfant qui présente des difficultés d'adaptation précoces (dont une partie se manifeste par un tempérament plus difficile et un niveau intellectuel moindre), qui est peu soutenu par le milieu familial et qui est par ailleurs exposé à des modèles déviants, a une probabilité nettement plus élevée d'adopter des conduites criminelles à l'adolescence et à l'âge adulte. L'adoption d'un modèle multifactoriel de ce type permettrait peut-être d'aller au-delà du 20 % ou 30 % de variance expliquée (LeBlanc, 1994 ; McCord, 1979).

Un tel modèle doit toutefois demeurer hypothétique, en regard de la psychopathie, puisque peu d'études ont tenté d'isoler les délinquants chroniques et persistants comme sous-groupe afin de les comparer aux autres délinquants (Farrington & West, 1993 ; Robins & Ratcliff, 1979). En effet, souvent les études comparent simplement les caractéristiques des jeunes de l'échantillon en distinguant les délinquants des non-délinquants à l'âge adulte, sans examiner le sous-groupe des délinquants chroniques (Kolvin et al., 1988 ; LeBlanc, 1994 ; McCord, 1979 ; Pulkkinen, 1988 ; Sampson & Laub, 1993). Puisque la plupart des échantillons populationnels comportent principalement des non-délinquants, l'emphase est placée sur les différences entre ces derniers et les délinquants, et ceci au détriment de la spécificité des délinquants chroniques et persistants qui commettent pourtant une proportion très importante des actes criminels.

Un autre élément qui rend difficile l'intégration de ces résultats de recherche et leur transposition à la psychopathie est la présence de différences méthodologiques marquées entre les études. Les devis de recherche sont variables : cohortes de naissance, échantillons d'enfants à risque exposés ou non à un programme préventif et échantillons populationnels. Certains recourent à des informateurs multiples (Farrington & West, 1993 ; Werner & Smith, 1992) tandis que d'autres ne le font pas (LeBlanc, 1994 ; Robins, 1966). De même, des chercheurs se préoccupent de la poursuite de la criminalité à l'âge adulte tout en contrôlant statistiquement les conduites antisociales antérieures (LeBlanc, 1994 ; Sampson & Laub, 1993), ce que d'autres chercheurs ne font pas (Kolvin et al., 1988 ; McCord, 1979). Evidemment, de telles différences méthodologiques reflètent des préoccupations théoriques qui insistent sur l'une ou l'autre des périodes de développement du jeune dans la genèse des conduites antisociales. Malgré la sélection des études recensées, il est clair que les facteurs à l'étude sont très variables d'une recherche à l'autre. Certaines recherches évaluent des caractéristiques personnelles des jeunes telles les traits de personnalité et le QI (Farrington & West, 1993 ; Hodgins, 1994 ; Stattin & Magnusson, 1991 ; Werner & Smith, 1992). D'autres travaux portent essentiellement sur des aspects relatifs aux relations parents-enfant (McCord, 1979 ; Sampson & Laub, 1993). D'autres encore ajoutent à ces derniers facteurs des indicateurs d'adversité sociale et de difficultés des parents (Kolvin et al., 1988 ; Robins, 1966 ; Werner & Smith, 1992).

Les études de suivi des conduites antisociales à la fin de l'adolescence

Christchurch Health and Development Study

Cette recherche porte sur une cohorte de naissance de 1977 incluant à l'origine 1265 enfants nés dans la région urbaine de Christchurch (Nouvelle-Zélande). Les enfants ont été évalués à la naissance, à l'âge de quatre mois, puis annuellement jusqu'à 16 ans (n = 901). Les chercheurs (Fergusson, Lynskey & Horwood, 1996) ont distingué des sous-groupes à partir de la précocité et de la stabilité des problèmes de comportement (troubles oppositionnels, troubles des conduites, délinquance) entre 7 ans et 16 ans, en recourant à de multiples mesures et à de multiples informateurs. Ils ont ainsi créé quatre groupes : (A) ceux sans problème de comportement (81,4 %), (B) ceux ayant eu des problèmes de comportement en bas âge, problèmes qui se sont résorbés au cours de l'adolescence (4,9 %), (C) ceux ayant eu des problèmes de comportement uniquement au cours de l'adolescence (7,0 %) et (D) ceux ayant eu des problèmes de comportement persistants (6,8 %).

Les quatre groupes ainsi constitués furent comparés sur une variété de mesures sociales, familiales et scolaires avant l'âge de 11 ans. Il se dégage des différences significatives entre les groupes quant au fonctionnement familial, à la classe sociale, au déficit d'attention, au QI, aux indices de performance scolaire, à l'affiliation à des pairs déviants et à l'estime de soi. Il est à noter que les trois sous-groupes de jeunes ayant manifesté à un moment ou à un autre des troubles de comportement sont dans une proportion plus élevée des garçons (de 52,2 % à 82,9 %) comparativement au sous-groupe sans problème de comportements (46,9 %). En outre, les jeunes ayant manifesté des troubles de comportement à un moment ou à un autre présentent des indices plus négatifs au plan familial (niveau socioéconomique, fonctionnement familial) et personnel (déficit d'attention, QI, vocabulaire, estime de soi) que les jeunes n'ayant jamais eu de troubles de comportement. Un examen des tableaux rapportés (Fergusson et al., 1996) suggère également des différences entre les trois groupes de jeunes avec troubles de comportement en défaveur du sous-groupe de jeunes ayant des troubles persistants en ce qui a trait au QI moyen (à l'âge de 8 ans), à la reconnaissance et à la compréhension des mots (à l'âge de 8 ans et 10 ans) et à l'estime de soi (à l'âge de 10 ans). Toutefois, les chercheurs ne font pas de comparaisons statistiques spécifiques entre les trois sous-groupes présentant des troubles de comportement. De plus, la variance partagée par ces mesures n'est pas établie, puisqu'aucune analyse multivariée n'est présentée.

Des analyses subséquentes (Fergusson, Lynskey & Horwood, 1997) portant sur les déficits d'attention suggèrent que c'est en raison de leur association avec les troubles de comportement que les déficits d'attention prédisent les conduites antisociales adultes. Selon ces nouvelles analyses, les jeunes éprouvant des troubles d'attention, en l'absence de troubles de comportement, ne risquent pas davantage de présenter des conduites antisociales à l'âge adulte.

Étude longitudinale de Montréal sur les enfants à risque

Cette recherche porte sur 1 037 garçons recrutés en 1984 alors qu'ils fréquentaient une classe de niveau maternel de l'une des 53 écoles d'un milieu défavorisé de la région de Montréal. Les enfants ont été évalués par les enseignants tous les ans, entre les âges de 6 ans à 15 ans afin d'établir la sévérité des troubles externalisés (agression, opposition, hyperactivité). De même, la délinquance autorapportée a été établie à 15, 16 et 17 ans. Enfin, la délinquance officielle a été obtenue grâce aux dossiers de la cour juvénile. L'étude (Nagin & Tremblay, sous presse) distingue des trajectoires développementales selon le type et la fréquence des problèmes externalisés. On y distingue notamment une trajectoire d'opposition chronique qui conduit à une délinquance de type caché (vol). De même, une trajectoire d'agression physique chronique conduit à une délinquance de type ouvert (violence physique) et à la délinquance la plus sérieuse. Par ailleurs, les auteurs suggèrent que les jeunes manifestant des niveaux élevés et constants d'hyperactivité sont moins à risque de présenter des comportements délinquants à l'adolescence. C'est ainsi qu'une forte proportion d'adolescents chroniquement antisociaux ne sont pas hyperactifs, tandis qu'une proportion importante des chroniquement hyperactifs ne sont pas antisociaux. A ce jour, les caractéristiques sociales, familiales et cognitives caractérisant les sous-groupes de cet échantillon n'ont été publiées que lors du suivi de ces jeunes jusqu'au début de l'adolescence (Haapasalo & Tremblay, 1994 ; Séguin, Pihl, Harden, Tremblay et Boulerice, 1995).

Étude de Pakiz, Reinherz et Giaconia (1997)

L'étude concerne 375 participants résidant aux États-Unis, des deux sexes, évalués à 5, 6, 9, 15, 18 et 21 ans. Les chercheurs ont tout d'abord identifié les facteurs de risque personnels et familiaux lors de chacun des moments de mesure en rapport avec les conduites antisociales à l'âge de 21 ans. Ces facteurs de risque ont été ensuite intégrés simultanément dans une analyse de régression afin d'identifier les variables les plus discriminantes pour toute la période de suivi des jeunes. Les résultats obtenus signalent que pour les garçons un faible niveau socioéconomique, la présence de troubles de comportement à 5-6 ans (selon le professeur), de conduites agressives à l'école à l'âge de 15 ans et, à l'âge de 18 ans (selon l'adolescent), les résultats scolaires, les conduites externalisées et l'abus/dépendance au cannabis (selon l'adolescent) sont associés aux conduites antisociales ultérieures. De plus, l'abus physique subi et la détention en milieu carcéral des parents évalués, lors d'une entrevue structurée avec le jeune, sont significativement associés aux conduites antisociales à l'âge de 21 ans. L'ensemble de ces facteurs expliquent 54 % de la variance des conduites antisociales rapportées par le jeune. Toutefois, cette recherche ne rapporte pas de résultats spécifiques pour les facteurs associés aux jeunes manifestant des conduites antisociales fréquentes et chroniques.

The Dunedin Multidisciplinary Health and Development Study

A l'origine, cette recherche porte sur 1139 enfants nés entre 1972 et 1973 à Dunedin (Nouvelle Zélande). De ceux-ci, 1037 enfants habitaient toujours cette province à l'âge de trois ans et furent inclus dans l'étude. Les sujets de l'échantillon ont été réévalués tous les deux ans et ce jusqu'à l'âge de 18 ans ; l'évaluation portait sur les caractéristiques psychologiques, médicales et sociologiques. La plupart des publications relatives à la criminalité de ces jeunes concernent le sous-groupe des garçons (Henry, Caspi, Moffitt & Silva, 1996 ; Moffitt, Caspi, Dickson, Silva & Stanton, 1996 ; Moffitt, Lynam & Silva, 1994). Les résultats portent alors approximativement sur 450 participants, suivant les variables et les moments de mesures considérés. Les chercheurs ont défini 5 groupes sur la base de l'origine temporelle et de la durée des conduites antisociales. Les persistants ont débuté tôt leurs conduites antisociales et les ont poursuivies au-delà de la moyenne du groupe jusqu'à l'âge de 18 ans. Les adolescents antisociaux n'ont manifesté leurs conduites déviantes qu'à compter de l'adolescence. Les adolescents moyens ont les conduites antisociales ne différant jamais de l'ensemble de l'échantillon. Les abstinents sont ceux qui manifestent moins de conduites antisociales à tous les âges. Enfin, les jeunes qui ont cessé leurs activités antisociales sont ceux qui ont présenté des conduites antisociales précocement mais ne les ont pas maintenues au cours de l'adolescence.

Les analyses statistiques ont révélé des différences significatives entre les 5 groupes dans le sens attendu, en ce qui concerne la sévérité des conduites antisociales à tous les âges (5, 7, 9, 11, 13, 15, 18 ans) selon le rapport des parents, les cinq évaluations des enseignants (11,

13, 15 et 18 ans) et les deux observations en bas âge (3 et 5 ans). Il est également à noter que les groupes diffèrent quant au nombre de contacts et d'arrestations par la police, de même que pour le nombre total de condamnations pour délits violents. Ces résultats suggèrent une grande stabilité temporelle des conduites antisociales chez plusieurs jeunes, et ce en ayant recours à des informateurs multiples. Ils indiquent également une criminalité plus versatile chez les adolescents persistants (Moffitt et al., 1996).

Évalués grâce à une mesure de personnalité auto-complétée à l'âge de 18 ans, les persistants se distinguent des adolescents antisociaux sur l'échelle d'aliénation. Ils se décrivent comme maltraités, victimes, persécutés et suspicieux. En outre, les adolescents persistants se décrivent comme plus insensibles et distants dans leurs relations sociales que les adolescents qui ont été délinquants uniquement au cours de l'adolescence. Enfin, les groupes diffèrent sur l'échelle leadership social qui décrit les personnes se percevant comme décidées, énergiques et capables d'influencer autrui. Ici encore, les adolescents persistants se dépeignent comme significativement moins efficaces socialement que les adolescents ayant eu des conduites antisociales uniquement au cours de l'adolescence.

Les résultats obtenus par ce groupe de recherche signalent également des différences significatives au plan cognitif. Moffitt (1993b) rapporte un écart de 8 points de QI entre les délinquants et les non-délinquants. Toutefois, en limitant l'étude des différences aux jeunes ayant présenté des conduites antisociales précoces et persistantes, l'écart de QI entre les groupes s'accroît à 17 points. Dans la même veine, Moffitt et al. (1994) ont démontré qu'un petit nombre de garçons caractérisés à l'âge de 13 ans par de nombreuses conduites délinquantes et un fonctionnement neuropsychologique inférieur à la moyenne du groupe étaient responsables d'un nombre disproportionné de délits jusqu'à l'âge de 18 ans. L'indice neuropsychologique utilisé ici était un score composite incluant des dimensions verbales, visuo-spatiales, relatives à la mémoire verbale, à l'intégration visuo-motrice et à la flexibilité mentale. L'association entre les mesures neuropsychologiques, en particulier les habiletés verbales et plusieurs sources de données sur la délinquance se maintient et ce, en dépit du contrôle statistique du niveau socioéconomique. Bien que ces jeunes ne représentaient que 12 % de l'échantillon, ils avaient commis 46 % des délits officiels ; ils étaient responsables de 59 % des condamnations au tribunal de la jeunesse ou à la cour adulte.

Pittsburgh Youth Study

Cette étude a pour participants des garçons recrutés au hasard dans des classes de première, quatrième et septième année du système d'écoles publiques de Pittsburgh (États-Unis). Sur la base de questionnaires autorapportés, les 30 % manifestant le plus de troubles de comportement furent sélectionnés dans chaque groupe d'âge ; ils furent comparés à un nombre équivalent de jeunes du même âge tirés au hasard. La recherche ici décrite (Loeber, Keenan & Zhang, 1997) porte sur la cohorte des participants plus âgés (n = 506) et sur ceux de 4e année (n = 508). Au total la cueillette de données fut réalisée à six reprises (évaluations annuelles). De plus, les condamnations juvéniles furent obtenues.

Les chercheurs décrivent trois cheminements comportementaux associés à la délinquance grave au cours de l'adolescence. Le premier cheminement (A) est caractérisé par des conflits avec l'autorité avant l'âge de 12 ans. Celui-ci débute par de l'obstination, puis de la défiance et se termine par l'évitement de l'autorité. Le second cheminement (B) est caractérisé par des conduites cachées. Il commence par des actes mineurs cachés, évolue vers le vandalisme et conduit à une délinquance modérée ou sérieuse à la troisième étape. Le troisième cheminement (C) inclut des conduites manifestes. Il débute par des agressions mineures, se poursuit par l'agression physique (batailles) et évolue vers la violence (viol, vol avec violence). Le but de l'étude est de vérifier si l'un ou l'autre de ces cheminements est plus susceptible de conduire à des conduites antisociales persistantes, si d'autres facteurs, tel un diagnostic de déficit d'attention avec hyperactivité (DAH), y sont reliés et, enfin, si ces cheminements permettent de rendre compte de la majorité des délinquants qui présentent une criminalité soutenue.

Les résultats suggèrent que les jeunes ayant des troubles de comportement persistants sont plus susceptibles de progresser à travers les trois étapes de chacun des cheminements (conflit avec l'autorité, caché, manifeste) que les jeunes ayant des troubles de comportement temporaires. De même, ce dernier groupe comprend proportionnellement moins de jeunes avec DAH que celui des jeunes ayant des troubles persistants. Toutefois, le diagnostic de DAH est associé aux trois cheminements sans distinction substantielle. Enfin, les analyses révèlent que parmi les 25 % de jeunes commettant le plus de délits (autorapportés et officiels) se retrouvent majoritairement parmi ceux qui progressent jusqu'à l'étape 2 ou 3 d'un ou plusieurs cheminements. Ces résultats permettent d'affirmer que ces cheminements comportementaux des jeunes antisociaux permettent d'identifier la majorité des adolescents ayant des conduites antisociales les plus fréquentes.

Synthèse des études de suivi des conduites antisociales à la fin de l'adolescence

Les recherches portant sur le suivi jusqu'à la fin de l'adolescence des jeunes manifestant des conduites antisociales, tout comme celles sur les adultes, ne permet pas d'établir un lien direct entre les facteurs associés aux conduites antisociales et ceux associés à la psychopathie. Ici encore, il est rare que soit isolé un sous-groupe de jeunes dont les conduites antisociales sont fréquentes et persistantes, afin de les comparer à d'autres jeunes dont l'activité antisociale est plus modeste et moins constante. Cette partie de la recension des écrits présente aussi une autre limite qui lui est spécifique. Il s'agit sans exception d'enquêtes récentes pour lesquelles l'exploitation des données n'est pas entièrement complétée. C'est ainsi que, par exemple, la cohorte de Dunedin a été étudiée sous l'angle du fonctionnement neuropsychologique (Moffitt et al., 1994) et des traits de personnalité (Moffitt et al., 1996) jusqu'à l'âge de 18 ans, mais seulement jusqu'à âge de 15 ans pour les variables familiales (Henry, Moffitt, Robins, Earls & Silva, 1993) et pas encore, à ce jour, sur l'ensemble de ces indices de prédiction. Des constatations similaires peuvent être faites pour d'autres enquêtes, comme celle de Montréal et de Pittsburg.

En dépit de cette situation des pistes de recherche se dégagent. Tout d'abord certaines recherches indiquent l'intérêt de débuter l'évaluation des enfants et des familles avant la période de scolarisation (Moffitt & al., 1996), puisque les comportements difficiles sont observables avant l'âge de 5-6 ans et qu'ils sont cohérents avec les troubles de comportement et la délinquance au cours de l'enfance et de l'adolescence (Moffitt et al., 1996). De plus, certains travaux suggèrent l'examen des séquences de comportements antisociaux au cours de l'enfance comme indice de la continuation ou de l'extinction des difficultés (Loeber et al., 1997 ; Nagin & Tremblay, sous presse). Selon cette perspective, ce n'est pas tant le nombre de conduites antisociales qui importe, mais leur type et leur évolution en fonction du développement du jeune. Cette veine de recherche n'est pas inintéressante mais, somme toute, s'avère quelque peu opposée à l'orientation des travaux sur la psychopathie. En effet, ceux-ci, plutôt que d'étudier les conduites antisociales sous l'angle exclusif de la spécificité des conduites, situent celles-ci dans le contexte d'un profil de personnalité particulier. Par ailleurs, il est peut-être utile d'attirer l'attention du lecteur sur la vive controverse que suscite la considération de l'inattention/hyperactivité comme indice de prédiction de la continuation des conduites antisociales. Fergusson et al. (1996) suggèrent une telle association, mais estiment qu'elle s'explique par la corrélation entre l'inattention-hyperactivité et les troubles de comportement (Fergusson et al., 1997). Pour leur part, Nagin et Tremblay (sous presse) observent une relation négative entre l'hyperactivité et la délinquance juvénile. Ces résultats sont en contradiction avec ceux de Loeber et al. (1997) ; les observations de ces derniers indiquent que la continuation de cheminements antisociaux est plus fréquente pour les garçons ayant un diagnostic de déficit d'attention avec hyperactivité. Enfin, des caractéristiques familiales (Fergusson et al., 1996) et personnelles, telles le QI et le succès scolaire (Fergusson et al., 1996 ; Moffitt et al., 1994), sont associées à la continuation des conduites antisociales de l'enfance jusqu'à l'adolescence. Un effort pour intégrer ces résultats avec ceux qui précèdent sera fait dans la conclusion.

CONCLUSION

L'ensemble de la recension qui précède nous permet de dégager trois recommandations au sujet de la recherche sur la psychopathie juvénile. La première est de réaliser en priorité des recherches sur les facteurs personnels et familiaux associés à la psychopathie à l'adolescence. Cette recommandation est fondée d'abord sur l'existence d'une mesure de la psychopathie à l'adolescence qui est prometteuse au plan de la validité (PCL-YV). Elle est également justifiée par l'existence de connaissances suffisamment solides sur certains facteurs personnels et familiaux associés à la psychopathie au cours de l'adolescence sur ceux qui se sont avérés discriminants pour la continuation des conduites antisociales au cours de l'enfance, de l'adolescence et à l'âge adulte. A cet égard, les facteurs suivants devraient faire l'objet d'une attention particulière.

Parmi les facteurs familiaux, trois catégories ressortent comme associés à l'expression persistante de conduites antisociales de l'enfance à l'âge adulte, que ces études comportent un suivi à court terme ou à long terme. Tout d'abord, les jeunes antisociaux tendent à provenir de familles soumises à des conditions adverses : pauvreté, dépendance sociale et niveau d'éducation moindre des parents (Fergusson et al., 1996 ; Kolvin et al., 1988 ; Pakiz et al., 1997 ; Stattin & Magnusson, 1991 ; Werner & Smith, 1992). Ensuite, les relations parents-enfant sont plus déficitaires, tant en ce qui concerne les soins et l'affection (Kolvin et al, 1988 ; McCord, 1979) que les pratiques éducatives (McCord, 1979 ; Pakiz et al., 1997). Enfin, il y a un nombre important d'études qui suggèrent davantage de criminalité dans la famille d'origine de ces jeunes, en particulier chez le père ou la fratrie (Farrington, 1990 ; Farrington & West, 1993 ; Fergusson et al., 1996 ;

McCord, 1979 ; Pakiz, 1997 ; Robins, 1979). De tels facteurs n'ont pas été évalués de façon systématique dans une perspective multivariée auprès d'adolescents psychopathes. Un tel courant de recherche permettrait de faciliter le lien entre les résultats des études sur les conduites antisociales et ceux sur la psychopathie. En outre, elle permettrait de vérifier la cohérence des résultats obtenus avec ceux portant sur des enfants psychopathes (Christian et al., 1997 ; Wootton et al., 1997) grâce à une mesure différente.

Parmi les caractéristiques personnelles distinguant les jeunes qui poursuivent leurs conduites antisociales jusqu'à l'âge adulte, la présence de conduites déviantes précoces occupe un rôle important. En effet, cette caractéristique compte parmi les meilleurs facteurs de prédiction de la criminalité à l'âge adulte (Pakiz et al., 1997 ; Pulkkinen, 1988 ; Robins, 1979). Toutefois, elle ne peut bien évidemment prétendre à un statut d'explication. De même, le placement du jeune à l'extérieur de la famille (Robins & Ratcliff, 1979) et le fait de nécessiter des services spécialisés à l'école (Werner & Smith, 1992) sont utiles pour comprendre que certains de ces jeunes avaient déjà retenu l'attention des agences sociales plutôt que comme indices explicatifs des troubles ultérieurs. En outre, les études ont signalé d'autres facteurs personnels associés à la continuation des conduites antisociales. Des différences sont observables au plan de l'attention à la tâche (Fergusson et al., 1996, 1997 ; Loeber et al., 1997), du quotient intellectuel et du profil lié aux fonctions « exécutives » neuropsychologiques (Kratzer & Hodgins, 1999) ; Moffitt et al., 1994 ; Stattin & Magnusson, 1991 ; Werner & Smith, 1992), de la performance scolaire (Fergusson et al., 1996 ; (Kratzer & Hodgins, 1999) ; Werner & Smith, 1992). Une controverse subsiste, par ailleurs, sur l'inattention et l'hyperactivité comme indices de prédiction efficaces des conduites antisociales ultérieures (Nagin & Tremblay, sous presse). A cet égard, il y aurait probablement lieu de distinguer, à l'instar de White et al. (1994), l'impulsivité cognitive et l'impulsivité comportementale. Cette distinction pourrait éventuellement permettre une réinterprétation des données relatives à l'association entre la psychopathie, le déficit d'attention avec hyperactivité et les déficits neuropsychologiques liés aux fonctions exécutives. Finalement, les recherches conduites jusqu'à ce jour signalent des caractéristiques spécifiques des jeunes antisociaux au plan des traits de personnalité. C'est ainsi qu'ils sont précocement décrits comme difficiles et téméraires (Farrington & West, 1993) et se décrivent eux-mêmes comme distants, peu engagés au plan social, de même que persécutés (Moffitt et al., 1996). L'évaluation de traits de personnalité similaires auprès d'adolescents psychopathes pourraient affiner la mesure de leurs traits de personnalité.

La deuxième recommandation concerne le recours à des études longitudinales pour contribuer à l'avancement des connaissances sur la psychopathie. La recension des études paraît avoir clairement démontré l'attention insuffisante accordée dans les études longitudinales aux personnes responsables de la majeure partie des délits. Il est possible qu'une approche analytique centrée sur la personne plutôt que sur les résultats moyens du groupe soit l'un des choix qui s'impose (Bergman & Magnusson, 1997). Néanmoins, comme nous l'avons souligné précédemment, un problème additionnel dans le cas des études longitudinales populationnelles est la très faible prévalence de la psychopathie qui peut être anticipée. Malgré des échantillons de taille respectable, il serait douteux que l'une ou l'autre des études recensées dans le cadre de ce chapitre puisse permettre l'analyse statistique de personnes formellement diagnostiquées psychopathes autrement que sous la forme de groupes très restreints. Prenons pour exemple l'étude de Montréal sur les enfants à risque (Nagin & Tremblay, sous presse). Au terme d'un suivi jusqu'à l'âge de 17 ans, 14 % des adolescents avaient commis au moins un délit officiel, alors que moins de 5 % de l'échantillon étudié est responsable d'au moins un délit contre la propriété et encore moins d'un délit violent. De telles prévalences contrastent singulièrement avec le profil criminel juvénile des psychopathes adultes, car les psychopathes débutent leurs conduites criminelles tôt (Hart & Hare, 1998). Il y a donc, somme toute, peu de chances que la délinquance peu fréquente et passagère identifiée dans ces études soit associée aux mêmes facteurs que la psychopathie. Toutefois, l'évolution des connaissances dans ce domaine devrait éventuellement permettre de sélectionner des échantillons populationnels à risque selon la présence de plusieurs facteurs potentiellement associés à la psychopathie.

La troisième recommandation est d'effectuer le suivi à l'adolescence ou à l'âge adulte d'échantillons cliniques présentant des conduites antisociales chroniques et persistantes, dont les caractéristiques personnelles et familiales sont très bien documentées. Bien évidemment cette stratégie est susceptible d'introduire un biais de sélection puisque ne seront recrutés que les jeunes identifiés par les agents sociaux et dirigés vers des services. Toutefois, la fréquence et la persistance des conduites antisociales qui caractérisent les psychopathes rend très probable que la majorité d'entre eux seront repérés par la société. Ce biais potentiel est par ailleurs compensé par la possibilité de recourir à des évaluations exhaustives des jeunes et des familles, opérations qui sont réalisées à un coût prohibitif dans les enquêtes populationnelles. Dans cette perspective, on peut se demander s'il est vraiment possible d'évaluer des aspects tels que l'inattention ou l'hyperactivité par une réponse à deux ou trois items. C'est pourtant le compromis auquel en arrivent certaines enquêtes populationnelles. Enfin, un autre avantage de cette stratégie est de permettre plus facilement le recrutement d'un nombre suffisant de psychopathes. Ceci ouvre la voie à l'examen de combinaisons de caractéristiques et d'interactions entre divers types de variables pour expliquer la psychopathie. Nul doute que les éléments à la base du développement de ce trouble sont plus complexes que ce qui a été étudié jusqu'à ce jour.

Références

ACHENBACH T.M. (1991), *Manual for the Child Behavior Cheklist and 1991 profile.* Burlington, VT : University of Vermont, Department of psychiatry.

American Psychiatric Association (1987), *Diagnostic and statistical manual of mental disorders* (4th ed.). Washington, DC : APA.

BARKLEY R.A., GRODZINSKY G., & DUPAUL G.J. (1992), Frontal lobe functions in attention deficit disorder with and without hyperactivity : a review and research report. *Journal of Abnormal Child Psychology, 20*, 163-188.

BERGMAN L.R., & MAGNUSSON D. (1997), A person-oriented approach in research on developmental psychopathology. *Development and Psychopathology, 9*, 291-319.

BLOCK J. & BLOCK J.H. (1980), *The California Child Q-set.* Palo Alto, CA : Consulting Psychologists Press.

BLUMSTEIN A., COHEN J., & FARRINGTON D.P. (1988), Criminal career research : Its value in criminology. *Criminology, 26*, 1-35.

BRANDT J.R., KENNEDY W.A., PATRICK C.J., & CURTIN J.J. (1997), Assessment of psychopathy in a population of incarcerated adolescent offenders. *Psychological Assessment, 9*, 429-435.

BURKE H.C. & FORTH A.E. (1996), *Psychopathy and familial experiences as antecedents to violence : a cross-sectional study of young offenders and nonoffending youth.* Unpublished manuscript : Carleton University Ottawa, Ottawa, Ontario.

CHANDLER M. & MORAN T. (1990), Psychopathy and moral development : A comparative study of delinquent and nondelinquent youth. *Development and Psychopathology, 2*, 227-246.

CHRISTIAN R.E., FRICK P.J., HILL N.L., TYLER L. & FRAZER D.R. (1997), Psychopathy and conduct problems in children : II. Implications for subtyping children with conduct problems. *Journal of the American Academy of Child and Adolescent Psychiatry, 36*, 233-241.

CÔTÉ G., HODGINS S., ROSS D. & TOUPIN J. (1994), L'échelle de psychopathie de Hare : un instrument et la validation de sa version française. In J-M. Léger (Ed). *Congrès de psychiatrie et de neurologie de langue française* (pp. 511-526). Paris : Masson.

DEVITA E., FORTH A.E. & HARE R.D. (1990), Family background of male criminal psychopaths [Abstract]. *Canadian Psychology, 31*, 346.

FARRINGTON D.P. (1990), Implications of criminal career research for the prevention of offending. *Journal of Adolescence, 13*, 93-113.

– (1992), Criminal career research in the United Kingdom. *British Journal of Criminology, 32*, 521-536.

– (1994), Interactions between individual and contextual factors in the development of offending. In R.K. Silbereisen & E. Todt (Eds), *Adolescence in context* (pp. 366-389). New York : Springer-Verlag.

FARRINGTON D.P., LOEBER R. & VAN KAMMEN W.B. (1990), Long-term criminal outcomes of hyperactivity-impulsivity-attention deficit and conduct problems in childhood. In L.N. Robins & M. Rutter (Eds), *Straight and devious pathways from childhood to adulthood* (pp. 62-81). Cambridge : Cambridge University Press.

FARRINGTON D.P. & WEST D.J. (1993), Criminal, penal and life histories of chronic offenders : risk and protective factors and early identification. *Criminal Behaviour and Mental Health, 3*, 492-523.

FERGUSSON D.M., LYNSKEY M.T. & HORWOOD L.J. (1996), Factors associated with continuity and changes in disruptive behavior patterns between childhood and adolescence. *Journal of Abnormal Child Psychology, 24*, 533-553.

– (1997), Attentional difficulties in middle childhood and psychosocial outcomes in young adulthood. *Journal of Child Psychology and Psychiatry, 38*, 633-644.

FORTH A.E. (1995a), *Psychopathy and young offenders : Prevalence, family background, and violence.* Program Branch Users Report. Ottawa, Ontario, Canada : Minister of the Solicitor General of Canada.

– (1995b), *Psychopathy in adolescent offenders : Assessment, family background, and violence.* Lecture presented at the NATO ASI on Psychopathy : Theory, research, and implications for society, Alvor, Portugal.

FORTH A. & BURKE H.C. (1998), Psychopathy in adolescence : Assessment, Violence, and developmental precursors. In D.J. Cooke, A.E. Forth & R.D. Hare (Eds). *Psychopathy : Theory, Research and Implications for Society* (pp. 205-229) Dortrecht, The Netherlands : Kluwer.

FORTH A.E., HART S.D. & HARE R.D. (1990), Assessment of psychopathy in male young offenders, *Psychological Assessment : A Journal of Consulting and Clinical Psychology, 2*, 342-344.

FRICK P.J. (1998), Callous-unemotional traits and conduct problems : applying the two-factor model of psychopathy to children. *Psychopathy : Theory, research and implications for society, 88*, 161-187.

FRICK P., O'BRIEN B., WOOTTON J. & MCBURNETT K. (1994), Psychopathy and conduct problems in children. *Journal of Abnormal Psychology, 103*, 700-707.

GLUECK S. & GLUECK E. (1951), *Unraveling juvenile delinquency.* Cambridge, Mass. : Harvard University Press.

– (1968), *Delinquents and nondelinquents in perspective* : Cambridge, Massachusetts : Harvard University Press.

HAAPASALO J. & TREMBLAY R.E. (1994), Physically aggressive boys from ages 6 to 12 : Family background, parenting behavior, and prediction of delinquency. *Journal of Consulting and Clinical Psychology, 61*, 1044-1052.

HARE R.D. (1984), Performance of psychopaths on cognitive tasks related to frontal lobe function. *Journal of Abnormal Psychology, 93*, 133-140.

– (1991), *The Hare psychopathy checklist – Revised.* Toronto, Ontario : Multi-Health Systems.

HARE R.D., MCPHERSON L.M. & FORTH A.E. (1984), *Early criminal behavior as a function of family background.* Manuscrit non publié, Université de Colombie britanique, Vancouver, Canada.

HARE R.D., MCPHERSON L.M., & FORTH A.E. (1988), Male psychopaths and their criminal careers. *Journal of Consulting and Clinical Psychology, 56*, 710-714.

HART S.D., FORTH A.E., & HARE R.D. (1990), Performance of criminal psychopaths on selected neuropsychological tests. *Journal of Abnormal Psychology, 99*, 374-379.

HART S.D. & HARE R.D., (1998), Psychopathy : Assessment and association with criminal conduct. In D.M. Stoff, J. Brieling, & J. Maser (Eds.). *Handbook of antisocial behavior*, New York : Wiley.

HENRY B., CASPI A., MOFFITT T.E., & SILVA P.A. (1996), Temperamental and familial predictors of violent and nonviolent criminal convictions : Age 3 to age 18. *Developmental Psychology, 32*, 614-623.

HENRY B., MOFFITT T.E., CASPI A., LANGLEY J. & SILVA P.A. (1994), On the « remembrance of things past » : A longitudinal evaluation of the retrospective method. *Psychological Assessment, 6*, 92-101.

HENRY B., MOFFITT T.E., ROBINS L., EARLS F., & SILVA P.A. (1993), Early family predictors of child and adolescent antisocial behavior : Who are the mothers of delinquents ? *Criminal Behaviour and Mental Health, 3*, 97-118.

HIRSCHI T. (1969), *Causes of delinquency.* Berkeley : University of California Press.

HIRSCHI T. (1983), Crime and the family. *In* J. Wilson (Ed.), *Crime and public policy* (pp. 53-68). San Francisco : Institute for Contemporary Studies.

HODGINS S. (1994), Status of age 30 of children with conduct problems. *Studies on Crime and Crime Prevention. 3*, 41-62.

HODGINS S., CÔTÉ G., & TOUPIN J. (1998), Major mental disorders and crime : An etiological hypothesis. In D.J. Cooke, A.E. Forth & R.D. Hare (Eds). *Psychopathy : Theory, Research and Implications for Society* (pp. 231-256) Dortrecht, The Netherlands : Kluwer.

AF KLINTEBERG B., ANDERSSON T., MAGNUSSON D., & SATTIN (1993), Hyperactive behavior in childhood as related to subsequent alcohol problems and violent offending : A longitudinal study of male subjects. *Personality and Individual Difference, 15*, 381-388.

KOLVIN L., MILLER J.W., FLEETING M., & KOLVIN P.A. (1988), Social and parenting factors affecting criminal-offence rates : Findings from the newcastle thousand family study (1947-1980). *British Journal of Psychiatry, 152*, 80-90.

KRATZER L., & HODGINS S. (1999). A typology of offenders : A test of Moffitt's theory among males and females from childhood to age 30. *Criminal Behavior and Mental Health, 9*, 57-73.

LAPIERRE D., BRAUN C.M.J., & HODGINS S. (1995), Ventral frontal deficits in psychopathy : Neuropsychological test findings. *Neuropsychologia, 33*, 139-151.

LAROCHE I. (1998), *Les composantes psychologiques et comportementales parentales associées à la psychopathie du contrevenant juvénile.* Thèse de doctorat non publiée. Université de Montréal, Montréal, Québec.

LEBLANC M. (1992), Family dynamics, adolescent delinquency, and adult criminality. *Psychiatry, 55*, 336-353.

LEBLANC M. (1994), Family, school, delinquency and criminality, The predictive power of an elaborated social control theory for males. *Criminal Behaviour and Mental Health, 4*, 101-117.

LOEBER R., KEENAN K., & ZHANG Q. (1997), Boys'experimentation and persistence in developmental pathways toward serious delinquency. *Journal of Child and Family Studies, 6*, 321-357.

LONEY B.R., FRICK P.J., ELLIS M., & MCCOY M.G. (soumis), *Intelligence, psychopathy, and antisocial behavior*. Manuscrit non publié.

LYNAM D.R. (1996), Early identification of chronic offenders : Who is the fledgling psychopath ? *Psychological Bulletin, 20*, 209-234.

– (1997), Pursuing the psychopath : capturing the fledgling psychopath in a nomological net. *Journal of Abnormal Psychology, 106*, 425-438.

– (1998), Early identification of the fledgling psychopath : Locating the psychopathic child in the current nomenclature. *Journal of Abnormal Psychology, 107*, 566-575.

MCBRIDE M.L. (1998), *Individual and fameilial risk factors for adolescent psychopathy*. Thèse de doctorat non publiée. University of British Columbia, Vancouver, Canada.

MCCORD J. (1979), Some child-rearing antecedents of criminal behavior in adult men. *Journal of Personality and Social Psychology, 37*, 1477-1486.

MOFFITT T.E. (1990a), The neuropsychology of juvenile delinquency : A critical review of research and theory. In N. Morris & M. Tony (Eds). *Crime and justice : An annual review of research.12* (pp. 99-169). Chicago : University of Chicago Press.

– (1990b), Juvenile delinquency and attention deficit disorder : boys'development trajectories from age 3 to age 15. *Child Development, 61*, 893-910.

– (1993a), Adolescence-Limited and Life-course-persistent antisocial behavior : A developmental taxonomy. *Psychological Review, 100*, 674-701.

– (1993b), The neuropsychology of conduct disorder. *Development and Psychopathology. 5*, 135-151.

MOFFITT T.E., CASPI A., DICKSON N., SILVA P.A., & STANTON W. (1996), Childhood-onset versus adolescent-onset antisocial conduct problems in males : Natural history from ages 3 to 18 years. *Development and Psychopathology, 8*, 399-424.

MOFFITT T.E., & HENRY B. (1989), Neuropsychological assessment of executive functions in self-reported delinquents. *Development and Psychopathology, 1*, 105-118.

MOFFITT T.E., LYNAM D.R. & SILVA P.A. (1994), Neuropsychological tests predicting persistent male delinquency. *Criminology, 32*, 277-300.

MOFFITT T.E. & SILVA P.A. (1988), Self-reported delinquency, neuropsychological deficit, and history of attention deficit disorder. *Journal of Abnormal Child Psychology, 16*, 553-569.

NEWMAN J.P., PATTERSON C.M., & KOSSON D.S. (1987), Response perseveration in psychopaths. *Journal of Abnormal Psychology, 96*, 145-148.

NAGIN D.S., FARRINGTON D.P., & MOFFITT T.E. (1995), Life-course trajectories of different types of offenders. *Criminology, 33*, 111-139.

NAGIN D., & TREMBLAY R.E. (sous presse), Trajectories of boys'physical aggression, opposition, and hyperactivity on the path to physically violent and non violent juvenile delinquency. *Child Development*.

O'BRIEN B.S., & FRICK P.J. (1996), Reward dominance : Associations with anxiety, conduct problems, and psychopathy in children. *Journal Abnormal Child Psychology, 24*, 223-240.

PAKIZ B., REINHERZ H., & GIACONIA R.M. (1997), Early risk factors for serious antisocial behavior at age 21 : A longitudinal community study. *American Journal of Orthopsychiatry, 67*, 92-100.

PORTEUS S.D. (1965), *Porteus Maze Test : Fifty Year's Application*. Palo Alto : Pacific Books.

PULKKINEN L. (1988), Delinquent development : Theoretical and empirical considerations. *In* M. Rutter (Ed.) *Studies of psychosocial risk* (pp. 184-199). Cambridge, Cambridge University Press.

PULKKINEN L. (1996), Proactive and reactive aggression in early adolescence as precursors to anti-and prosocial behavior in young adults. *Aggressive Behavior, 22*, 241-257.

ROBINS L.N. (1966), *Deviant children grown up : A sociological and psychiatric study of sociopathic personality*. Baltimore : Williams & Wilkins.

– (1979), Sturdy childhood predictors of adult outcomes : Replications from longitudinal studies. In J.E. Barrett, R.M. Rose & G.L. Klerman (Eds). *Stress and mental disorder*. New-York : Raven Press.

– (1991), Antisocial personality. In L.N. Robins et D. Regier (Eds). *Psychiatric disorders in America*. New-York : Free Press.

– (1993), Childhood conduct problems, adult psychopathology and crime. In S. Hodgins (Eds). *Crime and mental disorder* (pp. 173-193), Newbury Park : Sage.

ROBINS L.N., MURPHY G.E., WOODRUFF R.A. & KING L.J. (1971), Adult psychiatric status of black schoolboys. *Archives of General Psychiatry, 24*, 338-345.

ROUSSY S., & TOUPIN J. (2000), *Orbitofrontal/ventromedial deficits in juvenile psychopaths. Agressive Behavior, 26.*

SAMPSON R.J., & LAUB J.H. (1993), *Crime in the making : pathways and turning points through life*. Cambridge, Massachusetts : Harvard University Press.

SÉGUIN J.R., PIHL R.O., HARDEN P.W., TREMBLAY R.E. & BOULERICE B. (1995), Cognitive and neuropsychological characteristics of physically aggressive boys. *Journal of Abnormal Psychology, 104*, 614-624.

SILBERG J., RUTTER M., MEYER J., MAES H., HEWITT J., SIMONOFF E., PICKLES A., LOEBER R., & EAVES L. (1997), Genetic and environmental influences on the covariation between hyperactivity and conduct disturbance in juvenile twins. *Journal of Child Psychology and Psychiatry, 37*, 803-816.

SLUTKE W.S., HEATH A.C., DINWIDDIE S.H., MADDEN P.A.F., BUCHOLZ K.K., DUNNE M.P., STATHAM D.J., & MARTIN N.G. (1997), Modeling genetic and environmental influences in the etiology of conduct disorder : A study of 2,682 adult twin pairs. *Journal of Abnormal Psychology, 106*, 266-279.

STATTIN H., & MAGNUSSON D. (1989), The role of early aggressive behavior in the frequency, seriousness, and types of later crime. *Journal of Consulting and Clinical Psychology, 57*, 710-718.

– (1991), Stability and change in criminal behaviour up to age 30. *British Journal of Criminology, 31*, 327-346.

TOUPIN J., MERCIER H., DÉRY M., CÔTÉ G., & HODGINS S. (1996), Validity of the PCL-R for adolescents. In D.J. Cooke, A.E., Forth, J.P. Newman & R.D. Hare (Eds.), *Issues in criminological and legal psychology : No 24, International perspectives on psychopathy* (pp. 143-145). Leicester, UK : British psychological society.

TOUPIN J., MERCIER H., DÉRY M., CÔTÉ G., & OHAYON M. (1995), Validité convergente de l'échelle de psychopathie auprès d'adolescents. In J-M. Léger (Ed.) *Congrès de psychiatrie et de neurologie de langue française*. Tome IV B (pp. 83-94). Paris : Masson.

TREVETHAN S.D., & WALKER L.J. (1989), Hypothetical versus real-life moral reasoning among psychopathic and delinquent youth. *Development and Psychopathology, 1*, 91-103.

WIDOM C.S., & SHEPARD R.L. (1996), Accuracy of adult recollections of childhood victimization : Part 1. Childhood physical abuse. *Psychological Assessment, 8*, 412-421.

WHITE J.L., MOFFITT T.E., CASPI A., BARTUSCH D.J., NEEDLES D.J., & STOUTHAMER-LOEBER M. (1994), Measuring impulsivity and examining its relationship to delinquency. *Journal of Abnormal Psychology, 103*, 192-205.

WOLFGANG M.C., FIGLIO R.M. & SELLIN T. (1972), *Delinquency in a birth cohort.* Chicago : University Chicago Press.

WOLFGANG M.E., THORNBERRY T.P. & FIGLIO R.M. (1987), *From boy to man, from delinquency to crime.* Chicago : University of Chicago Press.

WOOTTON J.M., FRICK P.J., SHELTON K.K., & SILVERTHORN P. (1997), Ineffective parenting and childhood conduct problems : The moderating role of callous unemotional traits. *Journal of Consulting and Clinical Psychology, 65*, 301-308.

Chapitre 5

Revue critique des études expérimentales auprès de détenus adultes :

Précision du syndrome de la psychopathie et hypothèses développementales

Paul Hallé, Sheilagh Hodgins & Sylvain Roussy

Introduction

Ce chapitre vise à présenter les caractéristiques biologiques, émotionnelles et cognitives associées à la psychopathie, à partir d'une revue sélective de la littérature. Sauf exceptions, toutes les études pertinentes ont été réalisées auprès de détenus masculins adultes ayant été diagnostiqués à l'aide de la première version du Psychopathy Checklist (Hare, 1980), de sa version révisée (Hare, 1991) ou de sa traduction française (Côté & Hodgins, 1996). Ces travaux peuvent être considérés comme des appuis expérimentaux aux données et aux observations cliniques. D'autres études tentent de mettre en évidence des déficits de performance sur les tests neuropsychologiques ainsi que des dysfonctions émotionnelles ou cognitives à partir de tâches expérimentales dans le but d'expliquer les symptômes de la psychopathie, ainsi que les bases neurobiologiques. Ce courant de recherche peut avoir un certain pouvoir explicatif. Toutefois, les déficits de performance et les dysfonctions émotionnelles et cognitives qui ont été identifiés ne peuvent à l'heure actuelle être vus comme des facteurs étiologiques. Il est important de noter que les différents facteurs à l'origine de ce trouble de personnalité demeurent encore nébuleux. Une explication satisfaisante et cohérente reste donc à construire.

Notre point de départ et de référence consistera à décrire l'une des caractéristiques centrales de la psychopathie, à savoir la difficulté à apprendre des punitions et des événements négatifs. La première section du chapitre est consacrée aux particularités émotionnelles des psychopathes pouvant rendre compte de ce déficit. La question des fonctions cognitives, particulièrement l'attention, est également abordée.Par la suite, certains travaux récents sur l'affectivité, faisant le lien entre les approches cognitives et émotionnelles seront présentés. Les psychopathes se distinguent également dans le traitement qu'ils font des stimuli émotionnels verbaux. Cet aspect sera analysé de pair avec une description des fonctions linguistiques générales et de l'organisation cérébrale du langage, avant de clore avec une discussion des possibles bases neurobiologiques de ce syndrome.

Apprentissage par évitement passif

Un élément central de la psychopathie est la difficulté à profiter de la punition. Les individus psychopathes ont une conduite désinhibée menant souvent à des conséquences néfastes qu'ils n'avaient pas prévues, telles que des incarcérations à répétitions, une aliénation sociale ou des blessures physiques. La capacité à inhiber, à ne pas émettre un comportement pouvant entraîner une punition est considérée comme un processus important dans la socialisation de la personne. Au cours du développement, l'individu apprend que certaines situations sont associées à une punition. Or, selon Mowrer (1960, cité dans Hare, 1998), par conditionnement classique, les indices de punitions engendrent une réaction de peur anticipée. Lorsque la personne évite de produire le comportement puni, il s'ensuit une réduction de l'anxiété, laquelle renforce le comportement d'inhibition. Chez les psychopathes, ce processus nécessaire à la socialisation serait déficitaire, puisque ceux-ci ont des problèmes dans les tâches d'apprentissage par évitement passif, tel que démontrés en situation expérimentale (Lykken, 1957 ; Schachter & Latane, 1964 ; Schmauk, 1970). Par exemple, Lykken a demandé à ses sujets d'apprendre une séquence complexe consistant à presser différents leviers afin de traverser un labyrinthe de 20 étapes. A chaque étape, quatre réponses étaient possibles. La sélection du bon levier activait une lumière verte permettant d'atteindre la prochaine étape, alors que deux autres leviers activaient une lumière rouge indiquant aux sujets de continuer leur recherche de la bonne réponse. Le choix du quatrième levier était associé à l'administration d'un choc électrique. Les sujets ne savaient pas qu'ils devaient éviter les chocs et que ceux-ci étaient évitables. Les résultats ont montré que les psychopathes produisaient un plus grand nombre de réponses punies par un choc. Mais pourquoi en est-il ainsi ? Est-il possible que les individus psychopathes aient un fonctionnement intellectuel moins élevé que les non psychopathes, ce qui pourrait expliquer leurs pauvres performances dans ce type de tâches ? Il convient d'éliminer l'hypothèse d'un QI réduit ou d'un déficit cognitif majeur, car aucune différence n'a pu être observée dans les performances des psychopathes et des non psychopathes, qui se situent dans les limites normales aux épreuves d'intelligence (Pham, 1995 ; Roussy, 1999 ; Vanderstukken, 1998) et lors de l'administration de batteries de tests neuropsychologiques (Hart, Forth, & Hare, 1990).

Emotions, système nerveux autonome et Conditionnement

Une expérience réduite de la peur

Une autre explication possible est que les psychopathes auraient une faible expérience de la peur ou de l'anxiété. L'émotion ne serait pas suffisamment intense lors de l'anticipation ou lors de l'imagination de la punition associée à la réalisation du comportement pour permettre l'apprentissage par évitement. Cette hypothèse d'un déficit de peur/anxiété chez les psychopathes est appuyée par un certain nombre de travaux ayant utilisé des indicateurs physiologiques des émotions, principalement l'activité électrodermale. Celle-ci indexerait la réponse émotionnelle par le biais du système nerveux autonome, qui innerve les glandes sudoripares de la peau. Cette activation des glandes a pour effet de modifier la conductance ou le potentiel électrique de la peau. Les stimuli émotionnels, positifs et négatifs, modifient ces phénomènes électriques, ainsi que les stimuli nouveaux, soudains, intenses ou inhabituels (Buck, 1988). Bien que certaines particularités semblent caractériser les psychopathes au plan de l'activité électrodermale tonique (Hare, 1978), les observations les plus éloquentes concernent l'activité électrodermale et cardio-vasculaire lors de l'anticipation d'une stimulation déplaisante. Ces études emploient un modèle expérimental de conditionnement (un signal sonore annonce l'arrivée d'un choc électrique ou d'un son bref mais très intense) ou de quasi-conditionnement (le sujet est averti qu'il sera exposé au stimulus déplaisant après une période de temps définie). Celles-ci ont relevé, chez les psychopathes, une activité électrodermale significativement inférieure aux non psychopathes (Hare & Craigen, 1974 ; Hare, Frazelle, & Cox, 1978 ; Hare & Quinn, 1971). Bien que ces résultats aient été obtenus chez des criminels psychopathes et non psychopathes sélectionnés à partir d'une échelle en 7 points basée sur les critères de la psychopathie développés par Cleckley, des résultats tout à fait similaires ont été observés avec la PCL (Ogloff & Wong, 1990). Cette faible activité électrodermale durant l'anticipation d'une stimulation aversive pourrait résulter d'une moindre anxiété, typiquement associée à la psychopathie. Toutefois, d'autres observations nuancent quelque peu cette explication. En effet, cette hypoactivité électrodermale est par contraste souvent combinée à une activité cardio-vasculaire similaire ou supérieure aux non psychopathes (Hare & Craigen, 1974 ; Hare, Frazelle, & Cox, 1978 ; Hare & Quinn, 1971 ; Ogloff & Wong, 1990).

Un mécanisme d'adaptation et de protection

Cette hausse de fréquence cardiaque pourrait être le reflet d'une réaction de peur. Cependant, une autre interprétation est possible, laquelle repose sur l'hypothèse que l'activité cardio-vasculaire joue un rôle dans la modulation des entrées sensorielles. Lacey (1967 cité dans Hare, 1986) suggère qu'une accélération cardiaque et une hausse de la pression sanguine dans les carotides sont associées à un rejet des informations provenant de l'environnement et à une baisse d'activation corticale. Dans le même sens, l'augmentation de l'activité cardio-vasculaire fait partie d'une réponse défensive associée à une réceptivité moindre face à l'environnement. Donc, il se pourrait qu'un accroissement de la fréquence cardiaque constitue un mécanisme d'adaptation qui aiderait l'individu à réduire l'impact d'une menace prochaine.

Hare (1978, 1986) propose que le profil de réactions autonomiques observé chez les psychopathes durant l'anticipation d'un événement déplaisant témoigne de l'action d'un mécanisme d'adaptation actif (hausse de la fréquence cardiaque) qui entraîne une diminution de la peur (faible activité électrodermale). Un tel mécanisme d'adaptation réflexe servirait à écarter ou à ne pas tenir compte de la stimulation aversive. Il n'y aurait donc pas une incapacité à ressentir la peur/anxiété, mais plutôt une diminution de l'impact émotionnel des indices annonçant l'apparition prochaine d'une punition ou d'un événement désagréable.

Ainsi, Ogloff et Wong (1990) ont observé le schéma de réaction typique des psychopathes consistant en une hausse d'activité cardiaque accompagnée d'une conductance dermale stable durant l'attente passive d'un son intense. Mais ils ont constaté que ce profil disparaissait lorsque les psychopathes pouvaient empêcher activement l'apparition du stimulus, en pressant un bouton. Larbig, Veit, Rau, Schlottke et Birbaumer (1992 cité dans Hare, 1998) ont également obtenu des données compatibles avec cette explication par l'enregistrement des ondes cérébrales associées à l'attention durant l'anticipation d'un bruit nocif. Toutefois, il convient de noter que cette notion de mécanisme d'adaptation ou de protection, proposée par Hare, demeure encore controversée.

Perspectives cognitives

L'hypothèse de l'attention sélective excessive

Un tel mécanisme de protection destiné à écarter les stimulations aversives implique que l'attention sélective, c'est-à-dire la capacité d'ignorer, de ne pas tenir compte des informations non pertinentes par rapport à une situation ou à une tâche donnée, serait excessivement efficace chez les psychopathes. En effet, ceux-ci ignoreraient tellement les stimulations secondaires mais néanmoins pertinentes, au point de réduire non seulement l'expérience de la peur et de l'anxiété, mais aussi de nuire considérablement au traitement cognitif favorisant l'apprentissage par évitement. Cette focalisation excessive de l'attention sélective permettrait d'expliquer de façon simple, directe et économique plusieurs des éléments du syndrome, notamment l'impulsivité, le manque de planification, les problèmes d'apprentissage par évitement et d'auto-régulation des conduites, l'insensibilité aux conséquences de leurs actes sur autrui et leurs relations instables. Diverses études employant des mesures de performance sur des tâches perceptives et motrices et des enregistrements électroencéphalographiques ont été réalisées à ce sujet ; elles appuient cette explication.

Par exemple, Jutai et Hare (1983) ont enregistré les potentiels évoqués de détenus psychopathes et non psychopathes sous deux conditions d'écoute de tonalités : écoute passive et participation simultanée à un jeu vidéo. Cette dernière condition imposait une concentration de l'attention sur le jeu alors que les tonalités n'avaient aucun rapport avec l'épreuve. L'hypothèse prédisait que les psychopathes porteraient une attention moindre aux tonalités, ce qui diminuerait l'amplitude des ondes cérébrales N100 associées à la réponse attentionnelle. Les analyses ont permis de mettre en évidence cette réduction de l'amplitude de la N100 chez les psychopathes lors des premiers essais en condition simultanée, tandis qu'en écoute passive aucune différence n'a été relevée. Ceci va dans le sens de l'hypothèse voulant que les psychopathes se concentrent très efficacement sur les stimuli d'intérêt immédiat et ignorent les informations non pertinentes. Deux autres études ont employé une stratégie quelque peu différente, en tentant de mettre en évidence un traitement accentué des informations pertinentes. Forth et

Hare (1989) ont utilisé une tâche de rapidité d'exécution, dans laquelle un premier son annonçait l'apparition prochaine d'un deuxième son, qui exigeait une réponse motrice immédiate. Les résultats ont montré chez les psychopathes une amplitude plus grande des ondes négatives lentes apparaissant entre les deux signaux. Ceci suggère que les psychopathes accorderaient une part considérable de leur ressources attentionnelles au traitement du signal annonciateur. Raine et Venables (1988) ont également obtenus des résultats semblables avec l'analyse des ondes P300, qui sont un indice de l'identification et de la catégorisation du stimulus pertinent. Ces résultats témoigneraient de la bonne capacité des psychopathes à diriger leur attention à court terme sur des choses intéressantes.

Ces interprétations posent par contre certains problèmes, car aucune évidence comportementale n'a pu être obtenue en faveur de l'hypothèse de l'attention sélective excessive. Si les psychopathes focalisent à outrance leurs ressources attentionnelles sur la tâche primaire, ils devraient offrir une performance supérieure sur cette tâche. De plus, les potentiels évoqués peuvent être influencés par plusieurs facteurs et, à eux seuls, ils ne peuvent être interprétés comme une focalisation excessive de l'attention (Harpur & Hare, 1990). Une telle performance supérieure à l'épreuve primaire n'a pu être relevée lors d'une double tâche visuelle et auditive (Kosson, 1996). Kosson et Harpur (1997) ont résumé ce domaine de recherche et concluent que les psychopathes présentent des difficultés dans le transfert de l'attention lorsque les ressources de l'hémisphère gauche sont engagées. De plus, les individus psychopathes semblent se distinguer par une attention excessivement étroite (« reduced breadth of attention ») dans les situations exigeant des contingences multiples ou des stimuli possédant plusieurs dimensions. Par exemple, les psychopathes feraient plus d'erreurs lorsqu'un aspect secondaire du stimulus indique aux sujets qu'ils ne doivent pas répondre. Ces caractéristiques secondaires peuvent être la couleur d'une lettre ou l'orientation verticale/horizontale du cadre entourant le stimulus (pour plus de détails voir Kosson, 1996, 1998 ; Kosson & Harpur, 1997).

Modulation des réponses et traitement automatique des informations contextuelles

Cette hypothèse d'une étendue attentionnelle réduite peut s'apparenter au modèle cognitif développé par Joseph Newman et son équipe. Cette perspective axée sur le traitement de l'information a pour objectif d'examiner les processus cognitifs responsables du manque de perspective des psychopathes. En effet, leurs actions sont orientées vers l'atteinte de buts et de gratifications immédiates, mais celles-ci deviennent souvent désavantageuses, comparativement aux non psychopathes. Ainsi, Newman, Patterson et Kosson (1987) ont démontré que les individus psychopathes, relativement aux non psychopathes, persévèrent dans la même stratégie lors d'un jeu de cartes informatisé dont les chances de gains diminuent progressivement avec le temps : les psychopathes jouent plus de cartes et perdent plus d'argent.

À partir d'autres résultats expérimentaux ayant examiné dans quelles conditions les psychopathes ont des difficultés d'apprentissage par évitement (Newman & Kosson, 1986 ; Newman, Patterson, Howland, & Nichols, 1990) et de travaux théoriques (Gorenstein & Newman, 1980 ; Patterson & Newman, 1993 ; Newman & Wallace, 1993, Newman, 1998), Newman et ses collaborateurs proposent un déficit de modulation des réponses dominantes chez les psychopathes. La notion de modulation des réponses réfère à la capacité de suspendre les actions en cours, les réponses qui prédominent, afin d'incorporer les indices de l'environnement qui fournissent une rétroaction sur l'adéquation du comportement.

Voulant préciser davantage les processus cognitifs sous-jacents, Newman a suggéré par la suite, que ce déficit est causé par une limitation dans le traitement automatique des informations contextuelles, c'est-à-dire inattendues ou périphériques, lorsque les psychopathes sont engagés dans l'organisation ou l'accomplissement d'un comportement orienté vers un but exigeant des efforts et de la concentration. Même si l'individu non psychopathe est concentré et travaille sur une tâche, il serait en mesure de vérifier constamment et automatiquement l'environnement afin de détecter les informations contextuelles et d'en extraire la signification. Ce processus interromprait alors la conduite et la personne pourrait immédiatement rediriger son attention vers les nouveaux indices de rétroaction, pour mieux ajuster ses actions aux conséquences. C'est ce traitement automatique de la signification des indices contextuels qui serait atteint chez les psychopathes. Cette explication se veut générale puisqu'elle englobe autant les informations ayant une signification émotionnelle que les stimuli neutres sur le plan affectif. Elle permettrait d'expliquer la faible utilisation que font les psychopathes des indices de punition, des expériences passées, des sentiments d'autrui et d'autres associations automatiques dans la poursuite de leurs actions.

Newman, Schmitt et Voss (1997) ont testé la généralité de leur hypothèse à l'aide d'une tâche d'interférence avec des stimuli neutres. Cette tâche permet de voir jusqu'à quel point la signification de mots et d'images apparaissant en périphérie et devant être ignorés interfèrent avec la réponse principale en cours. Tel que prédit, les psychopathes faiblement anxieux n'ont pas été affecté par cet effet d'interférence contrairement aux non psychopathes. Cela suggère un déficit dans le traitement automatique des informations contextuelles, qui sont secondaires ou imprévues, par rapport au comportement en cours de réalisation. Par contre, la consommation de stupéfiants n'ayant pas été contrôlée et le petit nombre de sujets par rapport au nombre élevé de variables étudiées limitent la validité de ce résultat, par ailleurs fort intéressant.

Emotions et systèmes motivationnels

Ce modèle offre des similitudes intéressantes avec d'autres approches orientées sur la motivation et les émotions. Selon ces théories, les émotions sont structurées selon deux dimensions essentielles qui reflètent les opérations de deux systèmes primaires de motivation dans le cerveau : un système aversif qui dirige les réactions de défense et un système appétitif qui gouverne les réactions d'approche et de consommation (Gray, 1987a ; Lang, Bradley, Cuthbert, & Patrick, 1993). Ces systèmes motivationnels sont primitifs et reposent sur les régions sous-corticales du cerveau. La théorie motivationnelle de Gray (1982, 1987a) est particulièrement pertinente par rapport au modèle cognitif de Newman. Cette théorie fournit un cadre utile pour préciser les mécanismes qui interviennent dans la vérification automatique des comportements orientés vers un but et le transfert de l'attention en mode contrôlé (Newman, Wallace, Schmitt, & Arnett, 1997). Gray (1982, 1987b ; Gray & McNaughton, 1996) a décrit un système hypothétique appelé Behavioral Inhibition System (BIS), lequel entre en action lorsque des indices de punitions ou de non récompenses ou des stimuli nouveaux sont détectés. La principale fonction du BIS serait de contrôler le comportement en cours et de vérifier constamment si les résultats coïncident avec les attentes, agissant comme une sorte de comparateur entre les attentes et ce qui se produit dans l'environnement. Pour ce faire, le BIS évalue les entrées sensorielles en fonction d'événements nouveaux ou menaçants, et si de tels événements ont lieu, il arrête la conduite en cours, augmente l'activation générale de l'organisme et dirige l'attention vers le nouvel événement afin d'évaluer la nature de la menace. Dans cette optique, le BIS représente un mécanisme permettant à l'organisme de rediriger automatiquement son attention et ses efforts et d'initier ainsi l'auto-régulation (Newman, Wallace et al., 1997).

Une interprétation plus large du rôle du BIS dans la psychopathie a été formulée par Fowles (1980, 1988, 1993), qui suggère l'existence d'une hypoactivité du BIS. Le BIS étant engagé dans l'évitement passif et l'expérience émotionnelle négative associée à l'anxiété, le traitement des stimuli aversifs serait négligé ou relégué au Behavioral Activation System (BAS) chez le psychopathe. Le BAS active, mobilise le comportement en présence d'indices de récompenses ou de non punitions. Selon Fowles, l'activité électrodermale relèverait principalement du BIS tandis que l'activité cardio-vasculaire serait davantage sous le contrôle du BAS. L'hypoactivité du BIS chez les psychopathes expliquerait leur faible réactivité électrodermale en présence d'événements négatifs et aversifs. Gray a construit son modèle principalement à partir de recherches animales. À cet égard, ses travaux ont surtout porté sur les bases motivationnelles primitives des émotions et l'extrapolation au comportement humain n'est pas évidente. Bien que les structures cérébrales limbiques humaines et animales associées aux émotions soient de toute évidence liées dans l'évolution des espèces et avant tout destinées à nourrir et protéger l'organisme, les émotions et les conduites humaines ont une organisation certainement plus complexe et sont davantage modulées par la cognition que chez les autres espèces. Cette conceptualisation semble néanmoins pertinente, car elle intègre tant les caractéristiques de désinhibition comportementale que d'absence d'anxiété typiquement rencontrées chez les psychopathes, favorisant, chez ces derniers, l'exacerbation peu intégrée des émotions positives et un comportement plutôt euphorique et détaché.

D'après certains auteurs (Davidson, 1993), il semble que le contrôle de ces mécanismes sous-corticaux associés à l'expérience des émotions est caractérisé, chez la plupart des individus, par une dominance de l'hémisphère droit pour les stimuli négatifs et une dominance hémisphérique gauche pour les stimuli positifs. Selon cette conception, s'il y avait une atteinte du BIS chez les psychopathes, une hypoactivité hémisphérique droite devrait être observée chez ces derniers à l'égard du traitement de l'expérience émotionnelle négative.

Afin de vérifier cette hypothèse, Roussy (1999) a comparé, chez des criminels psychopathes et non psychopathes, les indices électrodermaux enregistrés lors d'une tâche consistant simplement à regarder des images présentées très rapidement. Pour chacun des 40 essais, un stimulus positif ou négatif apparaissant durant 27 millisecondes dans l'un ou l'autre des champs visuels était aléatoirement jumelé à un stimulus neutre présenté durant 180 millisecondes dans le champs opposé. L'exposition aux stimuli émotionnels était trop rapide pour atteindre la conscience et la cognition linguistique. Des écarts significatifs ont été observés entre les profils de latéralisation présentés par chaque groupe. Toutefois, plutôt que l'hypoactivité hémisphérique droite prévue, les psychopathes démontraient une conductance électrodermale anormalement élevée pour les images négatives présentées à l'hémisphère gauche. Le détachement émotionnel des psychopathes ne peut donc être conçu comme une simple insensibilité aux agents de conditionnement négatifs, tel que présumé par une hypoactivité du BIS. Bien que l'interprétation de ce résultat ne soit pas évidente, il est possible que cette dominance hémisphérique gauche des psychopathes lors du traitement des stimuli négatifs soit associée à une attribution motivationnelle erronée envers la charge affective des stimuli. Comme une préférence hémisphérique gauche a pu être notée chez les gens sans troubles mentaux lors du traitement des stimuli positifs associés au système d'approche et d'activation comportementale (BAS), les psychopathes semblent privilégier l'enclenchement des mécanismes d'approche et d'activation, et ce, tant pour les agents de conditionnement positifs que négatifs. Les psychopathes n'hésitent généralement pas à prendre des risques et semblent plutôt excités par le danger (Cleckley, 1976 ; Hare, 1993). En fait, ils sont fondamentalement hédonistes et adoptent des conduites surtout motivées par la recherche de sensations.

Certaines observations obtenues par Patrick, Bradley et Lang (1993) convergent d'ailleurs en ce sens. Ces auteurs ont comparé chez des criminels psychopathes, mixtes [1] et non psychopathes la réponse défensive oculaire (startle reflex) observée lors de la présentation spontanée de diapositives positives, négatives et neutres. Tel que noté dans la population générale (Vrana, Spence, & Lang, 1988), la force du réflexe de clignement des yeux des groupes mixte et non-psychopathe était diminuée durant le visionnement des images à connotation positive et augmentée lors de la présentation des images à connotation négative. Une intensité mitoyenne était observée avec les stimuli neutres. Par contraste, les psychopathes présentaient une force de clignement réduite tant pour les stimuli positifs que négatifs, tout en manifestant un profil similaire aux non psychopathes pour les stimuli neutres. Les psychopathes semblent ainsi adopter un comportement d'approche tant pour les stimuli positifs que pour les stimuli négatifs, et ce malgré qu'ils aient correctement identifié la valence affective des diapositives. Ces résultats ont été reproduits lors de l'anticipation d'un son intense et désagréable (Patrick, 1994). Il convient de souligner que les résultats rapportés avec ce réflexe reposent sur une standardisation des données et sur une analyse de tendance linéaire (linear trend) qui incorpore les stimuli positifs, neutres et négatifs pour chaque groupe. Donc, la force du réflexe d'un groupe en présence de stimuli négatifs n'est pas indépendante de la réaction associée aux stimuli positifs et neutres. Ceci fait en sorte que la mise en évidence d'une différence entre les groupes peut être fort complexe.

Un résultat similaire a été rapporté par un autre groupe de chercheurs (Christianson et al., 1996). Ils n'ont pu observer chez un groupe

1. – Lors des expériences, les chercheurs gardent souvent les détenus qui obtiennent une cote entre 20 et 29 au PCL-R et les étiquettent « mixtes ».

de psychopathes la restriction de l'attention normalement induite par une émotion négative qui favorise un meilleur rappel de mémoire des détails centraux d'un événement, comparativement aux éléments plus périphériques. De plus, Patrick, Cuthbert et Lang (1994) ont observé des réactions autonomiques réduites chez les psychopathes lors de l'imagination de situations émotionnelles inductrices de peur à partir de descriptions verbales, même si les groupes ne différaient pas quant aux habiletés d'imagerie mentale.

Toutes ces données appuient l'hypothèse d'un désordre émotionnel. Cleckley (1976) affirme que les symptômes de la psychopathie dérivent d'un déficit émotionnel général. Dans cette optique, le psychopathe est incapable de ressentir véritablement et pleinement les émotions, qu'elles soient positives ou négatives. Un second courant, initié par Lykken (1957) postule que cette anomalie est limitée à la réaction de peur ou d'anxiété. Pham (1995) considère que ces points de vue sont trop pathologisants et suggère une vision plus nuancée des émotions dans la psychopathie, à partir des résultats découlant d'une série d'études [2] ayant examiné plusieurs composantes des émotions. Ces travaux ont porté sur la production libre de mots exprimant des émotions, la reconnaissance des mots émotionnels, l'usage du lexique émotionnel au plan interpersonnel, la réévocation d'un souvenir émotionnel et les réactions physiologiques associées à des extraits vidéo visant à induire cinq états affectifs (joie, colère, peur, tristesse et dégoût). Pham a constaté que les psychopathes sont en mesure de distinguer les situations émotionnelles les unes des autres et qu'ils possèdent un vocabulaire suffisant pour nommer les émotions. Par contre, ils saisissent mal les nuances entre les émotions, rapportent moins de sensations corporelles lors de l'imagination d'un souvenir chargé affectivement ou lors d'une expérience induite par vidéo et semblent avoir une imagerie mentale moins vive.

Langage et émotions

L'une des caractéristiques les plus fascinantes des individus psychopathes est leur usage des mots. Depuis longtemps, les cliniciens ont noté que les psychopathes semblent connaître le sens littéral des mots, tandis qu'ils ont des difficultés à comprendre ou à apprécier leur signification émotionnelle. Ces deux aspects du lexique réfèrent au sens premier, à la définition tirée d'un dictionnaire, comparativement à la connotation affective rattachée à certain mots. Par exemple, « mètre »,

2. – Il faut mentionner que ces études menées en Belgique définissent la psychopathie à partir d'un score critère plus bas, soit 20 ou plus à la PCL-R, alors que la majorité des travaux ont été effectués en Amérique du Nord et ont employé un score égal ou supérieur à 30. Cette différence est attribuée à une prévalence plus faible de la psychopathie en Belgique.

« cercle » ou « tapis » ne possèdent pas de véritable connotation affective par rapport à « cadavre », « blessure » ou « harmonie ». L'aspect affectif serait comme une langue secondaire, mal maîtrisée par le psychopathe, selon Hare (1998). Johns et Quay (1962) ont exprimé cette idée d'une façon plus poétique, en disant que les psychopathes « connaissent les paroles de la chanson mais pas la musique ». Depuis, ces impressions cliniques ont été appuyées par des études expérimentales, qui tendent à démontrer de telles difficultés à traiter ou à utiliser la composante émotionnelle du langage.

Ainsi, Williamson, Harpur et Hare (1990) ont observé chez les psychopathes un plus grand nombre d'erreurs comparativement aux non psychopathes, lorsqu'ils devaient associer des mots et des descriptions verbales de certaines situations d'après leur similarité émotionnelle. Un exemple d'erreur serait la phrase « A man thrown overboard from a sinking ship » appariée avec « A man surfing on a big wave ». Il est intéressant de constater que la même tâche réalisée avec des images n'a pas donné lieu à cette confusion. Par contre, ce résultat pourrait être dû au fait que la tâche était très facile pour la majorité des sujets. Williamson, Harpur et Hare (1991) ont demandé à des sujets psychopathes et non psychopathes de décider le plus rapidement possible si les suites de lettres présentées sur un écran durant 176 millisecondes constituaient ou non un véritable mot. Il pouvait s'agir de mots neutres, de mots émotionnels, soient positifs ou négatifs, et de pseudomots prononçables, par exemple « baloi ». Les résultats ont révélé un temps de décision plus rapide chez les non psychopathes pour les mots émotionnels, tandis que les psychopathes répondaient avec la même vitesse indépendamment du type de mots, comme s'ils ne voyaient pas de différence entre eux. De plus, chez les psychopathes, l'amplitude des ondes cérébrales associées à la prise de décision ne différaient pas entre les mots neutres et affectifs, contrairement aux non psychopathes. Paradoxalement, ces données n'ont pu être répliquées par Pham (1995) car le seul effet noté chez les psychopathes fut une lenteur générale pour tous les mots, pouvant résulter d'un problème d'attention soutenue.

Intrator et al. (1997) ont à nouveau exploité cette tâche de décision lexicale avec mots neutres et affectifs, tout en enregistrant l'activité de plusieurs régions du cerveau, à partir des variations de débit sanguin mesurées à l'aide d'un appareil à positrons (SPECT : Single Photon Emission Computerized Tomography), chez un groupe de résidents d'un centre de traitement pour toxicomanes. Parmi les psychopathes, une activation accrue des zones fronto-temporales, frontales médianes et des régions sous-corticales avoisinantes a été observée lors de la présentation des mots émotionnels. Ce résultat suggère que les processus cérébraux engagés dans le traitement sémantique et émotionnel diffèrent chez les psychopathes. Ce processus serait moins automatisé, exigerait un plus grand effort, lequel se refléterait dans une activation cérébrale plus intense.

Il est important de souligner que plusieurs limitations viennent modérer ces résultats. Premièrement, ces études sont peu nombreuses et utilisent de petits échantillons de sujets. La tâche de décision lexicale avec mots neutres et affectifs pose certains problèmes méthodologiques : détermination de la fréquence d'usage, du degré d'émotionnalité, du potentiel d'imagerie des mots, effet de facilitation du contexte exclusif à chaque individu. De plus, ces travaux ne permettent pas de savoir si les psychopathes sont limités dans leur capacité cognitive ou s'ils sont peu désireux de traiter ce genre d'informations, ou encore s'ils utilisent des stratégies cognitives particulières lorsqu'ils abordent ces tests. Les résultats de la seule étude effectuée à ce jour auprès de psychopathes à l'aide d'une technique d'imagerie cérébrale fonctionnelle pourraient être trompeurs. Tel que noté auparavant, elle a été réalisée auprès de sujets ayant une longue histoire d'abus de stupéfiants. Or, ces substances pourraient induire de subtils changements micro-vasculaires cérébraux. Bien que les auteurs aient contrôlé le nombre d'années de consommation et les anomalies vasculaires évidentes, il est toujours possible que les différences observées entre les psychopathes et les non psychopathes soient attribuables aux effets des drogues et n'aient pas de liens avec la psychopathie. Il s'agit d'une étude préliminaire qui devra éventuellement être reproduite.

Autres anomalies du langage

Sur le plan clinique, les individus psychopathes sont reconnus pour leur loquacité, leur tendance marquée à mentir et à manipuler autrui. Toutefois, leur utilisation des mots semble inhabituelle et il existe parfois des divergences remarquables entre leurs paroles et leurs actions. Leur discours contiendrait donc beaucoup de négations, d'affirmations contradictoires et de jugements de valeur (Eichler, 1965 cité dans Hare, Williamson, & Harpur, 1988). Bien que l'intention de mentir et de manipuler puisse expliquer une partie de ces incohérences, il est également possible que celles-ci reflètent des anomalies ou des limitations plus fondamentales au niveau des processus linguistiques. Il se peut que les mots n'aient pas tout à fait la même profondeur et la même richesse de signification pour les psychopathes. Cette observation clinique est appuyée par Williamson (1991, cité dans Hare, 1998), laquelle a coté les enregistrements audio de récits de détenus en fonction de la cohérence et de la cohésion du discours. Il est apparu que les narrations des psychopathes contenaient plus qu'une quantité normale d'inconsistances logiques, de contradictions et de néologismes et qu'ils avaient tendance à perdre le fil de leur récit. Ceci pourrait refléter une mauvaise intégration des concepts, une pauvreté dans le degré d'association des pensées. Les psychopathes auraient une capacité réduite ou seraient peu désireux de traiter ou d'utiliser la signification profonde du langage. Leurs processus linguistiques seraient relativement superficiels, et les aspects plus subtils, le sens plus abstrait et les multiples nuances du langage leur échapperaient.

S'appuyant sur l'idée que les gestes qui accompagnent le discours peuvent fournir des indices sur les processus linguistiques, Gillstrom et Hare (1988) ont examiné les extraits d'entrevues réalisées auprès de sujets psychopathes et non psychopathes. Deux types de gestes étaient analysés : les gestes iconiques et les « beats ». Les iconiques reflètent la signification du discours et servent à compléter les paroles, comme pointer un objet ou utiliser ses mains pour illustrer des relations dans l'espace. Les « beats » sont des gestes brefs et subtils non reliés au contenu narratif. Les « beats » refléteraient des segmentations du discours en unités fonctionnelles. Il s'agirait de points majeurs de démarcations, d'étapes dans la production du discours et ils indiqueraient une difficulté d'encodage verbal. Aucune différence entre les groupes n'a pu être relevée concernant les gestes iconiques. Par contre, les psychopathes se distinguaient par la production d'un plus grand nombre de « beats ». Ce résultat est compatible avec une difficulté de conceptualisation et d'encodage d'un matériel verbal. Une autre étude (Hare & Gillstrom, 1997, cité dans Hare, 1998), employant un plus grand nombre de participants, a aussi noté une augmentation des « beats » lors d'un discours portant sur la vie familiale, mais non lors de la narration d'actes criminels. Ceci suggère une difficulté plus importante d'encodage verbal, particulièrement avec des informations affectives ou abstraites, pour lesquelles les psychopathes semblent posséder une connaissance superficielle. Enfin, Jutai, Hare et Connoly (1987) ont enregistré les ondes cérébrales de sujets psychopathes et non psychopathes lors d'une tâche simple de discrimination auditive consistant à détecter un phonème cible. Dans un second temps, les sujets devaient répéter cette tâche tout en participant simultanément à un jeu vidéo. Une onde lente positive plus marquée à gauche fut observée chez les psychopathes lors de l'exécution simultanée. Cette amplitude accrue refléterait un plus grand effort pour traiter efficacement les stimuli. Ce résultat indiquerait, selon les auteurs, une limitation ou une fragilité dans le traitement des stimuli verbaux en situation d'attention divisée.

Organisation cérébrale des fonctions verbales

Il se pourrait que les psychopathes possèdent une organisation cérébrale du langage particulière. Chez la grande majorité des droitiers, l'hémisphère gauche joue un rôle crucial dans les fonctions linguistiques. Par contre, cette spécialisation hémisphérique gauche pourrait être moins marquée chez les psychopathes. Hare et McPherson (1984) ont présenté simultanément à chaque oreille une série de mots simples à 146 détenus divisés en trois groupes : psychopathes, mixtes et non psychopathes, ainsi qu'à 159 sujets contrôles masculins non criminels. La tâche consistait à rapporter le plus de mots possible. Il faut savoir que les stimuli présentés à une oreille seront préférentiellement traités par l'hémisphère opposé, par exemple, les sons présentés à l'oreille droite sont analysés d'abord par l'hémisphère gauche, étant donné qu'en écoute compétitive, les voies nerveuses auditives non-croisées sont inhibées par les voies croisées dominantes (Kimura, 1967). Il faut donc s'attendre à un meilleur rappel des mots ayant été présentés à l'oreille droite, car ceux-ci sont traités par l'hémisphère gauche. Les résultats ont démontré un avantage réduit de l'oreille droite chez les psychopathes, relativement aux non psychopathes et aux sujets contrôles. Le même phénomène a pu être noté chez des adolescents psychopathes âgés de 13 à 18 ans (Raine, O'Brien, Smiley, Scerbo, & Chan, 1990).

Hare et Jutai (1988) ont voulu vérifier si l'organisation cérébrale du langage était distincte chez les psychopathes, mais cette fois en se servant des champs visuels. La présentation très brève d'une stimulation dans un champ visuel donné permet de l'acheminer à l'hémisphère opposé. Généralement, on attend une efficacité accrue lorsqu'un traitement sémantique est effectué sur des mots présentés à l'hémisphère gauche, puisque ce dernier est davantage spécialisé pour les tâches verbales. Encore une fois, les psychopathes se démarquaient par une performance moindre pour les mots présentés à l'hémisphère gauche, lorsqu'ils devaient faire un jugement sémantique abstrait qui consistait à déterminer si le mot cible appartenait à la catégorie des choses vivantes. Par contre, leur performance ne différait pas de celle des non psychopathes quand la consigne exigeait une catégorisation plus concrète, comme décider si le mot faisait partie de la catégorie des oiseaux ou des véhicules. Cela suggère encore une fois une organisation du langage plus diffuse entre les hémisphères dans la psychopathie.

Afin d'expliquer ces résultats, d'autres interprétations ont toutefois été avancées. En premier lieu, une activation réduite ou une dysfonction de l'hémisphère gauche paraît peu plausible, car aucune différence n'a pu être décelée entre les psychopathes et les non psychopathes sur les potentiels évoqués N100, qui sont un indice de l'activation centrale.

Il est toujours possible que les psychopathes n'utilisent pas la même stratégie que les non psychopathes lorsqu'ils sont confrontés à ce type de tâche de laboratoire, sans que leur organisation cérébrale diffère nécessairement. Peut-être que les psychopathes font moins appel à leur fonctions verbales pour exécuter la tâche, étant donné les possibles limitations linguistiques déjà évoquées. Sans toutefois exclure cette possibilité, une organisation moins latéralisée du langage semble à l'heure actuelle l'explication la plus favorisée. Par ailleurs, Mills (1995), dans le cadre d'une thèse de doctorat, a étudié en profondeur cette notion de latéralisation atypique. Dans ce but, elle a administré une série de tâches verbales et non-verbales à des psychopathes et à des non psychopathes tout en mesurant les performances et l'activité électro-corticale. Les profils obtenus suggèrent que les psychopathes utilisent des stratégies cognitives atypiques ou des régions cérébrales inhabituelles dans le traitement des informations, sans que leur performance s'en trouve diminuée. Leur cerveau serait organisé de façon diffuse pour une variété de fonctions cognitives, réduisant ainsi leur habileté à intégrer les informations émotionnelles et verbales.

Bases neurobiologiques de la psychopathie

Dysfonctions frontales

En plus de cette possible latéralisation atypique pour diverses fonctions psychologiques, les chercheurs ont soupçonné une autre anomalie dans les structures cérébrales des psychopathes depuis de nombreuses années. Il s'agit des lobes frontaux dont le fonctionnement a fait l'objet de diverses études. Cet intérêt s'explique surtout par les similitudes observées entre les critères descriptifs de la psychopathie et les symptômes cliniques présentés par les patients ayant subi des lésions frontales. Ces affinités symptomatiques concernent le manque de préoccupations morales et éthiques, le faible investissement dans les relations interpersonnelles et la désinhibition comportementale (Blumer & Benson, 1975 ; Boone et al., 1988 ; Cleckley, 1976 ; Cummings, 1985 ; Damasio & Van Hoesen, 1983 ; Elliot, 1978 ; Grant, 1977 ; Link, Scherer, & Byrne, 1977 ; McCord, 1982 ; Peters, 1983 ; Stuss et al., 1983).

Il est clairement établi que le cortex frontal est engagé dans le contrôle des fonctions exécutives (Fuster, 1980 ; Milner & Petrides, 1984). Les fonctions exécutives réfèrent globalement à l'ensemble des fonctions requises pour contrôler et accomplir les comportements orientés vers un but. Plus précisément, il s'agit de la capacité à définir des objectifs et à élaborer un plan, l'habileté à modifier le plan avec flexibilité selon les changements dans l'environnement, l'inhibition des réponses non pertinentes liées à des distracteurs ou des interférences, et le maintien du plan jusqu'à sa réalisation (Vanderstukken, 1998). Le test le plus utilisé pour évaluer les fonctions exécutives est le Wisconsin Card Sorting Test (WCST). Dans ce test, une série de cartes-cibles contenant différentes formes, par exemple des cercles ou des carrés, variant en nombre (de une à quatre) et imprimées dans l'une de quatre couleurs primaires sont disposées devant les sujets. Par la suite, une série de cartes-réponses sont fournies au sujet une à la fois, qui doit l'apparier à l'une ou l'autre des cartes-cibles, en fonction d'un critère qu'il doit découvrir d'après les réponses verbales positives ou négatives de l'examinateur. Au départ, la tâche nécessite un classement en fonction de la couleur, ensuite selon la forme et, finalement, d'après le nombre. Après 10 essais réussis d'un même critère, l'examinateur passe au critère suivant sans le dire au sujet. Ce dernier doit alors faire preuve de flexibilité en modifiant ses réponses, selon les renseignements (si la réponse est correcte ou non) fournis par l'examinateur. La mesure d'intérêt est le nombre d'erreurs de persévération, c'est-à-dire lorsque le sujet continue à classer selon l'ancien critère et ne peut s'ajuster aux nouvelles informations indiquant que le critère a changé.

Se servant du WCST, Gorenstein (1982) a observé un plus grand nombre d'erreurs de persévération chez un groupe de psychopathes, comparativement aux non psychopathes, ainsi qu'une performance inférieure au Cube de Necker et au Sequential Memory Matching Task, des tâches supposément reliées au fonctions exécutives. Ce qui supporte l'hypothèse d'une atteinte frontale dans la psychopathie. Toutefois, certaines faiblesses méthodologiques, notamment au niveau de la sélection des sujets et de l'évaluation de la psychopathie, limitent considérablement la validité de ces résultats (Hare, 1984). Effectivement, les sujets de Gorenstein provenaient d'un milieu psychiatrique et ont été sélectionnés à l'aide de l'échelle de socialisation de Gough (1969) et d'une version auto-rapportée de l'échelle de personnalité antisociale du Research Diagnostic Criteria (RDC, Spitzer, Endicott, & Robins, 1975). D'ailleurs, lors d'une étude plus rigoureuse, Hare (1984) n'a pu mettre en évidence un écart de performance significatif entre les groupes évalués à partir de la PCL, à l'égard des mêmes tâches. Plusieurs autres études ont tenté d'évaluer l'intégrité des lobes frontaux sans parvenir à reproduire les résultats de Gorenstein (Devonshire, Howard, & Sellars, 1988 ; Fedora & Fedora, 1983 ; Smith, Arnett, & Newman, 1992). Une faible performance aux tests neuropsychologiques sensibles aux fonctions exécutives semble, en fait, davantage associée à l'antisocialité qu'à la psychopathie. Plusieurs études ayant comparé des individus antisociaux à des sujets ne présentant pas une histoire stable de comportements antisociaux ont effectivement rapportées des distinctions notables au plan des fonctions exécutives (Berman & Siegal, 1976 ; Pontius & Ruttiger, 1976 ; Voorhees, 1981 ; Yeudall, Fromm-Auch, & Davies, 1982).

L'absence de résultats éloquents en faveur d'une dysfonction frontale chez les psychopathes pourrait s'expliquer par le choix des mesures utilisées. Ces études ont évalué les fonctions exécutives selon une conceptualisation des lobes frontaux fonctionnellement et morphologiquement uniforme. Or, des fonctions distinctes semblent être associées tant à la portion orbitale qu'à la région dorsolatérale du lobe frontal et des tableaux cliniques fort différents sont observés suivant l'atteinte sélective de l'une ou l'autre de ces régions (Blumer & Benson, 1975 ; Fuster, 1989 ; Stuss & Benson, 1986). Les ressemblances symptomatiques rencontrées entre les psychopathes et les patients ayant subi des lésions frontales sont évidentes surtout lors d'atteintes à la portion orbitale du lobe frontal (Yeudall, 1977 ; Yeudall, Fedora, & Fromm, 1987), et les instruments psychométriques généralement employés afin d'évaluer les fonctions exécutives sont constitués surtout de mesures frontales diffuses ou à tendance dorsolatérale.

D'une part, la portion dorsolatérale du lobe frontal est principalement associée à l'intégration des séquences temporelles prospectives et rétrospectives, opérationnalisée par la planification et la mémoire de travail (Fuster, 1989). Les symptômes cliniques observés suivant des lésions spécifiques à la région dorsolatérale du lobe frontal sont généralement associés à une personnalité « pseudodépressive » caractérisée par un comportement plutôt apathique, akinétique et affectivement indifférent (Botez, 1987 ; Blumer & Benson, 1975 ; Luria, 1980 ; Stuss & Benson, 1986). D'autre part, la portion orbitale du lobe frontal est principalement associée à l'inhibition d'interférences instinctuelles et émotionnelles d'origines limbiques (Cummings, 1985 ; Damasio & Van Hoesen, 1983 ; Fuster, 1989). L'inhibition orbitofrontale est nécessaire à l'exécution comportementale afin de supprimer les éléments contextuels nuisibles (Fuster, 1989). Les symptômes cliniques relevés suivant des lésions spécifiques à la région orbitale frontale sont habituellement associés à une personnalité « euphorique » (Fuster, 1989) ou « pseudopsychopathique » (Blumer & Benson, 1975 ; Boone et al., 1988 ; Bowen, Verma, Bajma, & Kusmirek, 1990 ; Peters, 1983 ; Stuss & Benson, 1984, 1986) caractérisée par un comportement moriatique, puéril, égocentrique et impulsif (Botez, 1987).

Ainsi, Lapierre, Braun et Hodgins (1995) ont vérifié l'hypothèse d'une atteinte orbitofrontale chez les psychopathes. Divers instruments psychométriques spécifiquement sensibles à la portion orbitale et dorsolatérale du lobe frontal ont été administrés à des criminels psychopathes et non psychopathes volontaires sélectionnés à l'aide de la PCL-R. Les mesures orbitofrontales étaient constituées d'une épreuve visuelle de type Go/No-go consistant à réagir rapidement lors de l'apparition d'un stimulus cible et à inhiber la réponse antérieurement apprise pour répondre à une nouvelle cible, du score qualitatif des labyrinthes de Porteus (nombre de murs traversés et de levées de crayon) et d'une tâche de discrimination olfactive. Des déficits de discrimination olfactive sont en effet souvent observés chez les patients cérébrolésés orbitofrontaux (Jones-Gotman & Zatorre, 1988 ; Potter & Butters, 1980 ; Varney, 1988) en raison des connections entre les bulbes olfactifs et le cortex orbitofrontal via les noyaux thalamiques médians (Potter & Nauta, 1979 ; Tanabe, Yarita, Lino, Ooshima, & Tagaki, 1975). Aucune différence significative ne distinguait les groupes au niveau des mesures dorsolatérales. Par contre, les psychopathes présentaient une performance significativement inférieure à celle des non psychopathes sur chacune des épreuves sensibles à la région orbitale.

Roussy et Toupin (2000) ont tenté de reproduire ces résultats auprès de psychopathes et de non psychopathes âgés de 14 à 18 ans. Comme chez les psychopathes adultes, aucun écart significatif n'a été relevé entre les groupes d'adolescents sur les mesures frontales diffuses ou à tendance dorsolatérale, comme c'est le cas chez les psychopathes adultes. Les psychopathes adolescents montraient également une performance inférieure aux non psychopathes lors d'une épreuve de type Go/No-Go et du Stopping Task, deux tâches d'inhibition comportementale jugées sensibles au fonctionnement du cortex orbitofrontal. Toutefois, aucune différence n'a été constatée concernant la discrimination olfactive. L'absence de déficit olfactif ne réfute pas nécessairement l'hypothèse d'une contribution orbitofrontale dans la psychopathie. Bien que les mécanismes engagés dans l'inhibition comportementale et la discrimination olfactive partagent une certaine contiguïté anatomique, aucune évidence théorique ne suppose qu'ils soient fonctionnellement reliés. De plus, l'étude de Roussy et Toupin (2000) comparait la performance de délinquants juvéniles psychopathes et non psychopathes. Puisque la maturation des lobes frontaux s'effectue de manière irrégulière jusqu'à l'âge adulte (Hudspeth, 1990 ; Tatcher, 1991 ; Tatcher, Walker, & Giudice, 1987), les déficits de discrimination olfactive relevés par Lapierre et al. (1995) pourraient être associés à un retard de maturation visible seulement lorsque les membres du groupe de comparaison ont atteint leur pleine maturité frontale. Étant donné que les résultats de Roussy et Toupin (2000) confirment un déficit d'inhibition comportementale chez les psychopathes, une atteinte fonctionnelle des mécanismes orbitofrontaux ou sous-corticaux associés demeure vraisemblable.

Il convient de mentionner que le Stopping Task, inspiré du paradigme expérimental de signal d'arrêt de Logan (1994), s'avère particulièrement efficace à déceler ces difficultés d'inhibition. Il s'agit d'une tâche de discrimination visuelle où le sujet doit appuyer rapidement sur une touche correspondant à la nature du stimulus présenté (chiffre ou lettre). Un signal auditif, ayant une occurrence de 20 % et précédant de 150, 250 ou 350 millisecondes le temps de réaction individuel moyen, commande l'inhibition de la réponse. Lors d'une étude comparant la performance obtenue au Stopping Task chez des psychopathes et des non psychopathes adultes, Roussy (1999) a observé des écarts significatifs à l'égard du nombre d'erreurs de commission présenté par chacun des groupes, démontrant une désinhibition comportementale évidente chez les psychopathes. Ce résultat peut être vu comme un indice d'une dysfonction orbito-frontale, d'une hypoactivité du BIS ou encore comme une validation expérimentale des données cliniques relatives à l'impulsivité des psychopathes, qui ont tendance à agir sur le coup de l'impulsion ou d'une occasion, sans prendre le temps de réfléchir et d'évaluer les avantages et les inconvénients ainsi que les conséquences éventuelles pour eux ou pour autrui.

Autres approches

Vanderstukken (1998) adopte cette dernière perspective dans son mémoire portant sur les diverses composantes des fonctions exécutives. En effet, il ne met pas l'accent sur les bases cérébrales et inscrit son analyse dans une optique cognitive et clinique. Cette perspective s'apparente à la démarche « descendante » de la neuropsychologie cognitive, laquelle tente de décrire le fonctionnement mental et comportemental sans porter une attention à priori aux contraintes biologiques, contrairement à la démarche « ascendante » de la neurobiologie qui s'intéresse particulièrement à la localisation des structures cérébrales qui soutiennent les fonctions cognitives (Seron, 1993). En plus d'une version modifiée du WCST, du Trail Making Test et des labyrinthes de Porteus, deux tâches particulièrement intéressantes ont été utilisées, soit le Stroop et la Tour de Londres. Le Stroop consiste à nommer le plus vite possible la couleur de l'encre avec laquelle des noms de couleurs sont imprimés. Par exemple, le mot « bleu » est écrit à l'encre rouge. Évidemment, il y a un effet d'interférence causé par la réponse automatique de lecture du mot, que le sujet doit éliminer. Les psychopathes semblent éprouver des difficultés avec ce processus car ils font davantage d'erreurs que les non psychopathes. La Tour de Londres est composée d'un support contenant trois tiges de différentes longueurs pouvant recevoir une, deux ou trois boules de couleurs variées. L'examinateur présente au sujet un support-modèle avec une configuration que le sujet doit s'efforcer de reproduire en déplaçant les boules sur les tiges avec le moins de mouvements possibles, tout en respectant certaines règles. Cette tâche permet d'évaluer la capacité de planification. Les résultats ont montré que comparativement aux non psychopathes, les psychopathes obtiennent un score qualitatif[3] plus faible aux labyrinthes, une performance moindre à la Tour de Londres quand les sujets doivent s'empêcher, dès le départ, de placer directement la boule à l'endroit désiré puisque cela bloque la suite des mouvements (Pham, Vanderstukken, Philippot, & Vanderlinden, 1999 ; Vanderstukken, 1998). Ces résultats font dire à Vanderstukken que ce n'est pas la capacité à élaborer un plan qui serait altérée, mais bien la qualité et le maintien de la planification ainsi que l'inhibition des interférences. Ces résultats ne sont pas interprétés dans une optique de substrat biologique mais simplement comme un trouble cognitif très spécifique ; ils rejoignent les observations cliniques voulant que les psychopathes persistent dans des conduites désavantageuses, s'exposent à des situations négatives et recherchent des gratifications immédiates.

Une autre hypothèse neuropsychologique à souligner est celle des marqueurs somatiques (Damasio, 1994). Damasio a appliqué cette idée des marqueurs somatiques à la psychopathie après avoir constaté une absence de réaction électrodermale à l'égard de stimuli ayant une charge émotionnelle et sociale, tels que des scènes de désastre, de mutilation ou de nudité, chez des sujets atteints de lésions frontales ventromédianes bilatérales et souffrant de graves limitations sociales (Damasio, Tranel, & Damasio, 1990). Les marqueurs somatiques réfèrent aux réactions physiologiques qui sont associées à certaines situations ayant des conséquences positives ou négatives. Les réactions physiologiques « marqueraient » les stimuli ou les conséquences des comportements. Lorsque la personne rencontre à nouveau la situation, les marqueurs somatiques permettraient de réactiver rapidement en mémoire les résultats attendus, facilitant ainsi la prise de décision et la régulation des conduites.

Une structure potentiellement intéressante est l'amygdale, étant donné que Ledoux (1989, 1992) la positionne au centre des mécanismes motivationnels d'approche ou d'évitement. Une étude de Bechara et al., (1995) démontre ce rôle à l'aide d'une procédure de conditionnement classique auprès de patients cérébrolésés. Le protocole consistait à présenter une série de diapositives de couleurs vert, bleu, jaune et rouge et à faire suivre la diapositive bleu d'un son bref, mais retentissant, qui induisait une réponse électrodermale. Évidemment, la répétition de cette association en vient à provoquer chez le sujet la réaction électrodermale en regardant la diapositive bleue, avant

3. – Le score qualitatif est obtenu par le pointage de la fréquence d'apparition de certaines erreurs secondaires, telles que traverser une ligne, partir dans une mauvaise direction et revenir ensuite, couper un coin rond, lever le crayon, faire un tracé sinueux, etc.

même l'émission du son. Un deuxième protocole similaire employait quatre tonalités comme stimuli, l'une d'elles étant pairée avec le son intense. Ce groupe de chercheurs a pu mettre en évidence une incapacité totale, chez un sujet atteint de lésions bilatérales des amygdales, à acquérir le conditionnement électrodermal, tout en étant apte à rapporter verbalement quel stimulus est associé au son intense. Inversement, un autre patient ayant des dommages bilatéraux aux hippocampes (sans atteinte des amygdales) manifestait une réponse conditionnée sans être en mesure d'apprendre le lien unissant le bruit aversif au stimulus présenté. Cette absence de conditionnement s'apparente aux faibles réactions électrodermales des psychopathes lors de l'anticipation de stimuli déplaisants. De plus, ceci semble démontrer que l'apprentissage de l'association entre une stimulation provenant de l'environnement et une information interne concernant les émotions et l'affect repose sur le bon fonctionnement des amygdales. Les hippocampes sont engagés dans l'apprentissage des relations entre différentes stimulations de l'environnement externe. Donc, il semble plausible de penser que les processus affectifs et cognitifs puissent être sélectivement atteints et reposent sur des structures cérébrales distinctes.

Toutefois, la prudence s'impose face à ce genre d'analogie entre des données recueillies auprès de patients ayant subi des dommages cérébraux et le comportement de détenus psychopathes. Il est tout à fait possible que le rapprochement repose sur une similitude de surface entre les déficits. La même prudence s'impose lors de l'élaboration de liens possibles entre les performances sur les tests et les diverses régions du cerveau. Il est possible que la psychopathie soit associée à des anomalies touchant certaines structures corticales/sous-corticales ou des circuits fonctionnels engagés dans l'intégration de la cognition, de l'émotion et du comportement. Hare (1998) mentionne que ces anomalies ne sont pas nécessairement le produit de dommages cérébraux, d'altérations dans le développement neuronal et biochimique ou encore d'anormalités dans les structures ou le fonctionnement cérébral. Il est toujours possible que la psychopathie et ses mécanismes neurobiologiques représentent une variation de la norme. En effet, les psychopathes peuvent utiliser des stratégies cognitives ou comportementales qui paraissent étranges et bizarres, sans qu'elles soient le résultat d'un désordre ou d'une dysfonction neurobiologique. Toujours selon Hare, les progrès récents dans les sciences cognitives et l'imagerie cérébrale pourront certainement contribuer à éclaircir ces questions. Les cortex frontaux ventromédians-orbitaux, temporaux et cingulaires antérieurs ainsi que les amygdales devraient être particulièrement ciblés, étant donné la richesse de leurs connections réciproques et leurs liens avec d'autres régions importantes pour le traitement et l'intégration des informations sémantiques et affectives, la planification, l'impulsivité et l'auto-régulation des comportements.

CONCLUSIONS

Les recherches récentes ont permis d'identifier plusieurs phénomènes au plan biologique, émotionnel, linguistique et attentionnel qui distinguent les psychopathes. Par contre, les liens entres ces phénomènes continuent à nous échapper. Cependant, les travaux révisés contribuent à mieux décrire le syndrome, d'une façon plus exacte et davantage nuancée. À titre d'illustration, les résultats de Pham et al. (1999) et de Vanderstukken (1998) précisent l'incapacité de planification et l'impulsivité des psychopathes, en isolant un problème au niveau du maintien du plan et de la résistance aux interférences. Ainsi, les psychopathes ne sont plus considérés comme incapables d'élaborer un plan valable, mais désavantagés dans la constance de la planification. Les études de Pham (1995) montrant certaines habiletés émotionnelles vont à l'encontre de la vision traditionnelle voulant que les psychopathes souffrent d'un déficit massif dans l'expérience affective. Donc, alors que les résultats des travaux révisés ont précisé les modes de fonctionnement qui distinguent les psychopathes, une description exacte et complète des personnes atteintes reste à faire.

Quant aux déficits sous-jacents pouvant rendre compte des symptômes, encore une fois l'incertitude règne. Plusieurs théories affirment que l'ensemble du tableau clinique peut s'expliquer par une seule dysfonction. Par exemple, Cleckley (1976) postule que les symptômes sont causés par une incapacité à ressentir toutes les émotions. Ce point de vue semble relativement peu probable. Bien que cette approche soit économique et simple, rien ne permet d'écarter l'existence de plusieurs anomalies combinées. Ainsi, dans l'éventualité d'un problème de modulation des réponses dominantes, Newman et Wallace (1993) mentionnent que ce trouble ne serait pas suffisant pour produire tout les symptômes définissant le syndrome, et certaines distorsions cognitives seraient nécessaires. En effet, les psychopathes se distinguent par leur faible engagement envers les normes sociales. Les psychopathes ont tendance, selon Millon (1981), à percevoir le monde comme un endroit hostile et imprévisible. Cette perception servirait à rationaliser leurs actions égocentriques et irrespectueuses des sentiments, des droits et des besoins d'autrui. Ces facteurs liés aux conceptions du monde et des individus auraient un impact considérable sur leur conduite, puisque le déficit cognitif postulé ne permettrait pas de vérifier ces croyances et de prévenir le passage à l'acte.

Il est important de noter que de tels déficits ou dysfonctions sont spécifiques et ne touchent que des processus cognitifs et émotionnels bien limités. Ainsi, une attention sélective excessive a des effets particuliers, comme ignorer les informations secondaires mais importantes pour l'adaptation de l'action à la situation, sans toucher l'attention soutenue, la personne étant alors apte à maintenir avec l'effort un niveau d'attention adéquat dans une tâche de longue durée. Évidemment, cette spécificité implique que des difficultés apparaîtront uniquement dans certaines circonstances. L'analyse des situations qui différencient les psychopathes des non psychopathes favorise la confrontation des hypothèses. De plus, la connaissance des conditions d'apparition peut en elle-même fournir de précieuses informations quant aux limitations cognitives ou émotionnelles. Il est parfois difficile de mettre en place ou de réunir les conditions qui vont permettre aux dysfonctions de se manifester. Ainsi, Newman (1998) mentionne que les psychopathes n'ont pas de problèmes de jugement et d'évaluation sur des questions éthiques ou émotionnelles, en autant qu'elles soient sous formes verbales et abstraites. Leurs difficultés deviennent évidentes quand ils participent directement, lorsqu'ils sont confrontés à de telles situations dans la vie réelle. Il faut souvent faire preuve d'ingéniosité pour réussir à mettre au point des tâches ou des tests qui seront assez sensibles et spécifiques pour isoler une différence.

Longtemps les procédures diagnostiques variables ont grandement limitées l'avancement des connaissances dans la psychopathie. Avec la PCL-R, un instrument possédant de bonnes qualités psychométriques, il devient possible pour les scientifiques d'identifier des participants qui présentent véritablement ce trouble de personnalité. Cependant, la notion même de psychopathie demeure encore aujourd'hui controversée. Certains rejettent ce concept sur la base des difficultés d'évaluation et d'un aspect moral trop marqué pour un construit scientifique (Blackburn, 1988 ; Gunn, 1998). Aussi, l'absence de recherches auprès de sujets non criminels est une lacune importante qui devra être comblée rapidement. Ceci limite grandement la portée et la généralisation des conclusions.

L'avenir

Alors que les recherches expérimentales révisées dans ce chapitre permettent de mieux préciser le syndrome de la psychopathie, leur utilité pour le traitement et même la prévention apparaît limitée. Les travaux qui se démarquent sur ce point sont ceux de Newman.

L'originalité de sa perspective est de considérer le problème central de la psychopathie comme une dysfonction cognitive, avec l'idée que les psychopathes puissent profiter d'interventions précoces visant à compenser ou à limiter ce déficit et ses complications (Newman & Wallace, 1993). Cependant, l'utilité et la pertinence des autres travaux qui visent à préciser davantage la nature du syndrome, de même qu'à identifier les structures cérébrales et les processus cognitifs et émotionnels sous-jacents ne sont pas évidentes. Ces travaux ont été réalisés lors des 25 dernières années, depuis que la procédure pour identifier les psychopathes est fidèle et valide. Mais il faut admettre que les connaissances qui en ont émergées ont peu d'importance pour la pratique. Même si nous poursuivons ce type d'étude, que nous réussissons à mieux préciser les déficits qui caractérisent les psychopathes, voir que nous identifions les anomalies de structures ou de fonctionnement cérébral chez les psychopathes adultes, il est fort possible que ces connaissances ne soient pas pertinentes pour l'élaboration de programmes de traitement. La psychopathie est un syndrome rare qui, selon les connaissances actuelles, est caractérisé par une combinaison de plusieurs déficits subtils. De mieux les documenter et de mettre en évidence le fonctionnement cérébral qui les sous-tend ne nous permettraient pas, chez les adultes ayant déjà une longue histoire de délinquance, d'intervenir d'une façon à corriger les déficits ou à modifier le fonctionnement cérébral pour que les traits de personnalité et l'ensemble des comportements antisociaux qui y sont associés soient changés. Ces limites et ces interrogations mettent en évidence la nécessité, dans une optique d'intervention, d'accéder à une connaissance plus approfondie et complète des facteurs étiologiques dans la psychopathie.

Afin de mieux cerner l'étiologie, il convient de solutionner quelques problèmes conceptuels. Premièrement, la question de l'homogénéité se pose. Bien que la PCL-R ait considérablement contribué au raffinement du diagnostic, il se peut que l'uniformité postulée par cet instrument devienne progressivement une contrainte. En effet, il pourrait exister différents types de psychopathes ou des variations importantes dans les processus responsables de certains symptômes. Une étude intéressante à cet égard est celle de Roussy (1999) qui a identifié un sous-groupe de psychopathes qui ne semblent pas avoir de troubles de comportements lors de l'enfance. Or, ces individus avaient un QI verbal et un niveau d'éducation supérieurs aux psychopathes ayant présenté des troubles de conduites. Il faudra adopter des stratégies d'analyses statistiques qui permettent à de tels sous-groupes distincts parmi les psychopathes d'émerger, en s'inspirant notamment des analyses proposées par Bergman et Magnusson (1997).

Deuxièmement, les relations unissant les différentes caractéristiques ou dysfonctions présentes chez les psychopathes restent obscures.

Actuellement, cette question relève plutôt de la spéculation. Il est possible que la psychopathie constitue une entité clinique qui émerge lorsqu'un certain nombre de déficits se trouvent réunis chez le même individu. Le même rationnel s'applique en termes de traits de personnalités ou de comportements variés qui existent chez plusieurs personnes ou conditions cliniques, mais qui forment une organisation pathologique en combinaison, tel que proposé par Hare (1998). Il n'est pas possible actuellement de dire si les dysfonctions cognitives ou émotionnelles sont indépendantes les unes des autres et que seul le hasard détermine leur présence simultanée. Peut-être existe-t-il des interactions entre les déficits. Une limitation dans le traitement automatique des informations contextuelles lorsqu'ils sont engagés dans une tâche pourrait amener les psychopathes à limiter leurs expériences émotionnelles, tel qu'évoqué par Newman et Wallace (1993). En effet, puisqu'ils doivent compenser par l'effort une limitation d'un processus automatique, les réactions émotionnelles seraient alors un élément perturbateur réduisant l'efficacité des processus contrôlés qui exigent des ressources. Certaines anomalies rencontrées dans la psychopathie pourraient être des stratégies cognitives compensatoires ou d'adaptation. Les psychopathes pourraient développer divers moyens afin de limiter l'impact d'une anomalie apparaissant tôt dans la vie, pour fonctionner le plus efficacement possible. Par exemple, une personne atteinte de troubles de langage, et qui parvient difficilement à trouver les mots exacts qu'elle désire formuler, peut utiliser des synonymes ou décrire l'idée ou l'objet référant au mot recherché. Des stratégies semblables, mais encore hypothétiques, pourraient exister chez les psychopathes. La proposition de Newman mentionnée précédemment voulant que les limites émotionnelles des psychopathes soient la conséquence d'un moyen de compensation constitue un exemple intéressant d'une possible stratégie de compensation. Ce phénomène prend toute son importance dans une optique de développement. Ces stratégies risquent de s'installer progressivement suite à une atteinte précoce. Le même phénomène peut se produire au niveau des mécanismes neurobiologiques. Le cerveau étant relativement plastique, des réorganisations considérables s'installeraient en réponse à certaines anomalies structurales ou fonctionnelles. Il est bien connu qu'une lésion circonscrite a souvent un impact sur des régions cérébrales distantes, par le biais des connections. Ces capacités d'adaptation et de compensation caractérisant le cerveau humain impliquent un jeu complexe d'interactions et d'effets possibles. À l'âge adulte, il est donc extrêmement difficile, si ce n'est impossible, d'identifier le ou les déficit (s) originaux et de décrire les processus d'adaptation et de compensation qui se sont échelonnés sur plusieurs années.

Le troisième problème conceptuel porte sur le lien entre la psychopathie, qui se caractérise par un ensemble de traits de personnalité et par un profil stable de comportements antisociaux débutant dès un jeune âge se maintenant à travers la vie adulte d'une part, et le syndrome caractérisé seulement par le profil stable de comportements antisociaux d'autre part. Tel que présenté au chapitre 4, de nombreux travaux réalisés dans divers pays ont décrit le développement des garçons présentant ce dernier syndrome. Les psychopathes forment peut être un sous-groupe restreint, une catégorie distincte, parmi l'ensemble des mâles ayant une conduite antisociale précoce et stable. Il est aussi possible que les psychopathes se situent à l'extrême d'une dimension antisociale, sans toutefois posséder des caractéristiques différentes. Par exemple, l'étude de Roussy (1999) décrite précédemment a démontré que la difficulté d'inhibition des psychopathes, évaluée à l'aide du Stopping Task, est plus sévère que celle qui caractérise les détenus ayant comme les psychopathes un profil stable de conduites antisociales dès leur jeunesse, mais n'ayant pas les traits de personnalité. La PCL-R contient deux facteurs, le facteur 1 lié au détachement émotionnel/insensibilité et le facteur 2 représentant un style de vie antisociale. Est-il vraiment nécessaire qu'un individu manifeste des comportements antisociaux pour être vu comme un psychopathe ? La présence du facteur 1, souvent considéré comme l'aspect essentiel de la psychopathie, est-elle suffisante ? Une personne ayant ces traits sans poser d'actes antisociaux ou criminels est-elle véritablement un psychopathe ? Il est important de s'interroger sur la place qu'occupe les comportements antisociaux stables dans la psychopathie et d'essayer de clarifier cette question.

En dépit du fait que les nombreuses études longitudinales et prospectives décrites au chapitre 4 aient employé des définitions différentes, elles ont toutes confirmé qu'entre 4 % à 5 % des garçons montrant dès un jeune âge des comportements antisociaux présentent un profil stable au cours de leur vie. Alors que l'antisocialité caractérise ces sujets tout le long de leur vie, leur évolution sur d'autres plans n'est pas uniforme ; ce groupe inclut des sous-groupes de sujets, qui développent en plus de leur comportement criminel une dépendance à l'alcool ou des troubles mentaux graves (Hodgins, Côté, & Toupin, 1998). Nombre de ces études ont démontré que à part le profil stable de comportements antisociaux, deux caractéristiques distinguent ces garçons : un QI verbal faible et des troubles d'attention (Moffit, 1990a, 1990b, 1993 ; Hodgins, 1994). Ces problèmes d'attention se caractérisent par des difficultés de concentration. Ces enfants sont distraits et possèdent une faible capacité générale d'attention sélective. Ils ont des difficultés à sélectionner et à traiter l'information pertinente et à ne pas tenir compte des éléments non pertinents. Tout indique que ces deux caractéristiques n'évoluent pas mais demeurent stables à travers la vie. Par contre, elles ne sont pas retrouvées chez les psychopathes adultes. Bien que ces derniers présentent certaines particularités au niveau de l'attention (attention sélective excessive, étendue attentionnelle réduite), leur capacité globale de concentration reste préservée. Il se peut que les résultats des cohortes soient peu exactes, étant donné les analyses statistiques utilisées. Ces études ont comparé les caractéristiques des garçons antisociaux à celles des garçons non-antisociaux. Cette stratégie suppose que les groupes constitués de garçons antisociaux et de garçons non-antisociaux, sont homogènes ; elle cache ainsi les différences existant parmi les garçons antisociaux. Lorsque l'on adopte une stratégie d'analyse statistique différente, les résultats suggèrent que, parmi les garçons qui présentent un profil stable de comportements antisociaux, se trouve un sous-groupe qui ressemble plus aux psychopathes adultes. Par exemple, dans une étude prospective d'une cohorte née en Suède en 1953 et suivie jusqu'à l'âge de 30 ans, Kratzer et Hodgins (1999) ont trouvé qu'un sous-groupe des garçons, qui manifestent un profil stable de comportements antisociaux très tôt dans l'enfance jusqu'à la fin de la trentaine et qui sont devenus les criminels les plus actifs, ne présentent pas de difficultés sur le plan de l'intelligence verbale. Cette observation suggère que les résultats des études longitudinales de cohortes de garçons présentant ce profil stable à travers la vie méritent d'être réanalysés, afin de vérifier l'existence d'un sous-groupe de sujets qui ne montre pas de déficits d'intelligence verbale et d'attention. Ce sous-groupe pourrait comprendre ceux qui rencontrent à l'âge adulte les critères de la psychopathie.

Seule une des caractéristiques ayant été identifiée comme distinctive des garçons ayant un profil stable de conduites antisociales à travers la vie s'applique aussi aux psychopathes adultes : une anomalie au niveau de l'activité cardio-vasculaire. Mezzacappa et al. (1997) ont mis en évidence une perturbation du contrôle autonomique parasympathique sur le rythme cardiaque chez des adolescents antisociaux. Or, il semble que cette régulation autonomique soit associée à l'intégrité des processus attentionnels et émotionnels (Porges, Doussard-Roosevelt, & Maiti, 1994 ; Richards, 1987 ; Seuss, Porges, & Plude, 1994 ; Stitfer, Fox, & Porges, 1989, cités dans Mezzacappa et al., 1997). Ce phénomène, qui s'apparente au profil cardio-vasculaire observé chez les psychopathes adultes, pourrait être un mécanisme de modulation face aux stimulations déplaisantes de l'environnement ou de régulation des émotions négatives. Un niveau bas et stable du métabolite 5-HIAA de la sérotonine a aussi été identifié chez un groupe de garçons décrits comme ayant un profil très sévère de comportements antisociaux (Kruesi et al., 1992). Les analyses du liquide céphalo-rachidien à un intervalle de deux ans suggèrent que le niveau de sérotonine dans le cerveau est bas et stable. Ceci constitue, au moins en partie, la base biologique de l'impulsivité aux plans cognitif, comportemental et émotionnel que manifestent ces sujets. Les variations individuelles dans le taux de sérotonine, associées à l'impulsivité, pourraient être contrôlées par des gènes régulateurs spécifiques (voir par exemple, Siever, 1998).

Pour faire progresser nos connaissances relatives à l'étiologie de la psychopathie et en adoptant une perspective développementale qui nécessite l'examen des interactions continues entre les facteurs biologiques, psychologiques et sociaux, il faut d'abord tenir compte des vulnérabilités et des prédispositions conférées par les gènes. Plusieurs études menées à ce sujet ont confirmé l'existence de facteurs héréditaires qui contribuent au développement des caractéristiques et problèmes associées à la psychopathie, tels le profil de comportements antisociaux (Cadoret, Yates, Troughton, Woodworth, & Stewart, 1995 ; Lyons et al., 1995), l'alcoolisme (Beirut et al., 1998 ; Lappalainen et al., 1998), la toxicomanie (Merikangas et al., 1998), les comportements d'agression (Coccaro, Silverman, Klar, Horvath, & Siever, 1994) et l'impulsivité (Gottesman & Goldsmith, 1994). De plus, les événements survenant lors de la grossesse ou l'accouchement sont eux aussi associés à un profil stable de comportements antisociaux, à l'impulsivité, à l'agression et à la violence criminelle (Ferguson, Woodward, & Horwood, 1998 ; Hunt, Streissguth, Kerr, & Olson, 1995 ; Lagerström et al., 1990 ; Milberger, Biederman, Faraone, Chen, & Jones, 1996 ; Räsänen, Helinä, Isohanni, Hodgins, & Tiihonen, soumis ; Wakschlag et al., 1997). Il y aurait aussi des effets d'interactions entre une vulnérabilité héréditaire pour les conduites antisociales et d'autres facteurs environnementaux, tels que l'abus d'alcool par la mère durant la grossesse (Cadoret, Yates, Troughton, Woodworth, & Stewart, 1995). L'enfant vient au monde avec des vulnérabilités et des prédispositions qui sont par la suite renforcées ou supprimées par ses expériences. Considérons comment l'une des vulnérabilités pouvant caractériser un nouveau-né aurait un effet de boule de neige lors de ses premières années. Si les résultats de l'étude de Kruesi et al., (1995) déjà citée, concernant les niveaux bas de 5-HIAA sont valides, cela signifie que, dès leur naissance, ces enfants auraient tendance à être impulsifs. Cette impulsivité aurait une influence néfaste sur leurs capacités d'apprentissage et aussi sur la qualité des pratiques parentales, car les réactions des parents auront peu d'effet sur les comportements de l'enfant. Face à ce manque d'impact, les parents pourront réagir en imposant de plus en plus de punitions, dans une tentative de contrôle et de supervision. Avec le temps, les relations pourraient se détériorer, au point de voir s'installer un détachement affectif chez les parents. Cette escalade dans les comportements opposants et confrontants, ainsi que dans les attitudes négatives, de part et d'autre, pourrait être l'un des nombreux parcours développementaux menant à la psychopathie. Seules, les études prospectives longitudinales permettraient d'isoler les nombreux facteurs, ainsi que leurs interactions complexes dans le temps, qui contribuent au syndrome de la psychopathie tel qu'observé chez les hommes incarcérés.

Références

BECHARA, A., TRANEL, D., DAMASIO, H., ADOLPHS, R., ROCKLAND, C., & DAMASIO, A. R. (1995). Double dissociation of conditioning and declarative knowledge relative to the amygdala and hippocampus in humans. *Science, 269,* 1115-1118.

BERGMAN, L. R., & MAGNUSSON, D. (1997). A person-oriented approach in research on developmental psychopathology. *Development and Psychopathology, 9,* 291-319.

BERMAN, A., & SIEGAL, A. W. (1976). Adaptative and learning skills in juvenile delinquents : A neuropsychological analysis. *Journal of Learning Disabilities, 9,* 51-58.

BIERUT, L. J., DINWIDDIE, S. H., BEGLEITER, H., CROWE, R. R., HESSELBROCK, V., NURNBERGER, J. I., PORJESZ, B., SCHUCKIT, M. A., & REICH, T. (1998). Familial transmission of substance dependence : Alcohol, marijuana, cocaïne, and habitual smoking. *Archives of General Psychiatry, 55,* 982-988.

BLACKBURN, R. (1988). On moral judgments and personality disorders. The myth of psychopathic personality revisited. *British Journal of Psychiatry, 153,* 505-512.

BLUMER, D., & BENSONS, D. F. (1975). Personality changes with frontal and temporal lobe lesions. In D. F. Benson & D. Blumer (Eds.), *Psychiatric aspects of neurological diseases* (pp. 151-169). New York : Grune & Stratton.

BOONE, K. B., MILLER, B. L., ROSENBERG, L., DURAZO, A., MCINTYRE, H., & WEIL, M. (1988). Neuropsychological and behavioral abnormalities in an adolescent with frontal lobe seizures. *Neurology, 38,* 583-586.

BOTEZ, M. I. (1987). *Neuropsychologie clinique et neurologie du comportement.* Montréal : Les Presses de l'Université de Montréal.

BOWEN, M., VERMA, A., BAJMA, S., & KUSMIREK, L. (1990). Pseudopsychopathic syndrome in hydrocephalus : A case report and review. *Neurosurgery, 26,* 661-663.

BUCK, R. (1988). *Human motivation and emotion.* New York : Wiley.

CADORET, R. J., YATES, W. J., TROUGHTON, E., WOODWORTH, M. A., & STEWART, M. A. (1995). Genetic-environmental interaction in the genesis of aggressivity and conduct disorders. *Archives of General Psychiatry, 52,* 916-924.

CHRISTIANSON, S. A., FORTH, A. E., HARE, R. D., STRACHAN, C. E., LIDBERG, L., & THORELL, L. H. (1996). Remembering details of emotional events : A comparison between psychopathic and nonpsychopathic offenders. *Personality and Individual Differences, 20,* 437-446.

CLECKLEY, H. (1976). *The mask of sanity.* St-Louis, MO : Mosby.

COCCARO, E. F., SILVERMAN, J. M., KLAR, H. M., HORVATH, T. B., & SIEVER, L. J. (1994). Familial correlates of reduced central serotonergic system function in patients with personality disorders. *Archives of General Psychiatry, 51,* 318-324.

CÔTÉ, G., & HODGINS, S. (1996). *L'Échelle de Psychopathie de Hare-Révisée - Manuel.* Toronto : Multi-Health Systems.

CUMMINGS, J. L. (1985). *Clinical neuropsychiatry.* New York : Grune & Stratton.

DAMASIO, A. R. (1994). *Descarte's error : Emotion, reason and the human brain.* New York : Putnam.

DAMASIO, A. R., & VAN HOESEN, G. W. (1983). Emotional disturbances associated with focal lesions of the limbic frontal lobe. In K. M. Heilman & P. Satz (Eds.), *Neuropsychology of human emotion* (pp. 85-110). New York : Guilford Press.

DAMASIO, A. R., TRANEL, D., & DAMASIO, H. (1990). Individuals with sociopathic behavior caused by frontal damage fail to respond autonomically to social stimuli. *Behavioural Brain Research, 41,* 81-94.

DAVIDSON, R. J. (1993). Cerebral asymmetry and emotion : Conceptual and methodological conundrums. *Cognition and Emotion, 7,* 115-138.

DEVONSHIRE, P. A., HOWARD, R. C., & SELLARS, C. (1988). Frontal lobe functions and personality in mentally abnormal offenders. *Personality and Individual Differences, 9,* 339-344.

ELLIOT, F. A. (1978). Neurological aspects of antisocial behavior. In W. H. Reid (Ed.), *The Psychopath : A Comprehensive Study of Antisocial Disorders and Behaviors* (pp. 146-189). New York : Brunner/Mazal.

FEDORA, O., & FEDORA, S. (1983). Some neuropsychological and psychophysiological aspects of psychopathic and nonpsychopathic criminals. In P. Flor-Henry & J. Gruzelier (Eds.), *Laterality and psychopathology* (pp. 41-58). Amsterdam : Elsevier Science Publishers.

FERGUSON, D. M., WOODWARD, L. J., & HORWOOD, J. (1998). Maternal smoking during pregnancy and psychiatric adjustment in late adolescence. *Archives of General Psychiatry, 55,* 721-727.

FORTH, A. E., & HARE, R. D. (1989). The contingent negative variation in psychopaths. *Psychophysiology, 26,* 676-682.

FOWLES, D. C. (1980). The three arousal model : Implications of Gray's two-factor learning theory for heart rate, electrodermal activity, and psychopathy. *Psychophysiology, 17,* 87-104.

– (1988). Psychophysiology and psychopathology : A motivational approach. *Psychophysiology, 25,* 373-391.

– (1993). Electrodermal activity and antisocial behavior : Empirical findings and theoretical issues. In J.C. Roy, W. Boucsein, D. C. Fowles, & J. H. Gruzelier (Eds.), *Progress in electrodermal research* (pp. 223-237). New York : Plenum Press.

FUSTER, J. M. (1980). *The prefrontal cortex : Anatomy, physiology and neuropsychology of the frontal lobe.* New York : Raven Press.

– (1989). *The prefrontal cortex.* New York : Raven Press.

GILLSTROM, B. J., & HARE, R. D. (1988). Language-related hand gestures in psychopaths. *Journal of Personality Disorders, 2,* 21-27.

GORENSTEIN, E. E. (1982). Frontal lobe functions in psychopaths. *Journal of Abnormal Psychology, 91,* 368-379.

GORENSTEIN, E. E., & NEWMAN, J. P. (1980). Disinhibitory psychopathology : A new perspective and a model for research. *Psychological Review, 87,* 301-315.

GOTTESMAN, I. I. & GOLDSMITH, H. H. (1994). Developmental psychopathology of antisocial behavior : Inserting genes into its ontogenesis and epigenesis. In C. A. Nelson (Ed.), *Threats to optimal development* (pp. 69-104). Hillsdale, New Jersey : Erlbaum.

GOUGH, H. G. (1969). *Manual for the California Psychological Inventory.* Palo Alto : Consulting Psychologist Press.

GRANT, V. W. (1977). *The menacing stranger : A primer on the psychopath.* Oceanside : Dabor Science Publications.

GRAY, J. A. (1982). Precise of The neuropsychology of anxiety : An inquiry into the functions of the septo-hippocampal system. *The Behavioral and Brain Sciences, 5,* 469-534.

– (1987a). *The psychology of fear and stress.* Cambridge : University of Cambridge Press.

– (1987b). Perspectives on anxiety and impulsivity : A commentary. *Journal of Research in Personality, 21,* 493-509.

GRAY, J. A., & MCNAUGHTON, N. (1996). The neuropsychology of anxiety : Reprise. In D. A. Hope (Ed.), *Nebraska Symposium on Motivation, 1995, Vol 43 : Perspectives on anxiety, panic, and fear. Current theory and research in motivation* (pp. 61-134). Lincoln, NE : University of Nebraska Press.

GUNN, J. (1998). Psychopathy : An elusive concept with moral overtones. In T. Millon, E. Simonsen, M. Birket-Smith, & R. Davis (Eds.), *Psychopathy : Antisocial, criminal and violent behavior* (pp. 32-39). New York : Guilford.

HARE, R. D. (1978). Electrodermal and cardiovascular correlates of psychopathy. In R. D. HARE & D. SCHALLING (Eds.), *Psychopathic behavior : Approaches to research* (pp. 107-142). Chicester, UK : Wiley.

– 1980). A research scale for the assessment of psychopathy in criminal populations. *Personality and Individual Differences, 1,* 111-119.

– (1984). Performance of psychopaths on cognitive tasks related to frontal lobe function. *Journal of Abnormal Psychology, 93,* 133-140.

– (1986). Twenty years of experience with the Cleckley psychopath. In W. H. Reid, D. Dorr, J. L. Walker & J. W. Bonner III (Eds.), *Unmasking The psychopath : Antisocial personality and related syndromes* (pp. 3-27). New York : W. W. Norton.

– (1991). *The Hare Psychopathy Cheklist-Revised - Manual.* Toronto : Multi-Health Systems.

– (1993). *Without conscience : The disturbing world of the psychopaths among us.* New York : Pocket Books.

– (1998). Psychopathy, affect and behavior. In D. Cooke, A. Forth and R. D. Hare (Eds.), *Psychopathy : Theory, research and implications for society* (pp. 105-137). Dortrecht, Netherlands : Kluwer.

HARE, R. D., & CRAIGEN, D. (1974). Psychopathy and physiological activity in a mixed-motive game situation. *Psychophysiology, 11,* 197-206.

HARE, R. D., FRAZELLE, J., & COX, D. N. (1978). Psychopathy and physiological responses to threat of an aversive stimulus. *Psychophysiology, 15,* 165-172.

HARE, R. D., & JUTAI, J. W. (1988). Psychopathy and cerebral asymmetry in semantic processing. *Personality and Individual Differences, 9,* 329-337.

HARE, R. D., & MCPHERSON, L. M. (1984). Psychopathy and perceptual asymmetry during verbal dichotic listening. *Journal of Abnormal Psychology, 93,* 141-149.

HARE, R. D., & QUINN, M. J. (1971). Psychopathy and autonomic conditioning. *Journal of Abnormal Psychology, 77,* 223-235.

HARE, R. D., WILLIAMSON, S. E., & HARPUR, T. J. (1988). Psychopathy and language. In T. E. Moffit & S. A. Mednick (Eds.), *Biological contributions to crime causation* (pp. 69-92). Dordrecht, Netherlands : Martinus Nijhoff.

HARPUR, T. J., & HARE, R. D. (1990). Psychopathy and attention. In J. T. Enns (Ed.), *The development of attention : Research and theory* (pp. 429-444). New York : North-Holland.

HART, S. D., FORTH, A. E., & HARE, R. D. (1990). Performance of criminal psychopaths on selected neuropsychological tests. *Journal of Abnormal Psychology, 99,* 374-379.

HODGINS, S. (1994). Early identification of children with conduct problems. *Studies of Crime and Crime Prevention, 3,* 41-62.

HODGINS, S., CÔTÉ, G., & TOUPIN, J. (1998). Major mental disorders and crime : An etiological hypothesis. In D. Cooke, A. Forth and R. D. Hare (Eds.), *Psychopathy : Theory, research and implications for society* (pp. 231-256). Dortrecht, Netherlands : Kluwer.

HUDSPETH, W. J., & PRIBRAM, K. H. (1990). Stages of brain and cognitive maturation. *Journal of Educational Psychology, 82,* 881-884.

HUNT, E., STREISSGUTH, A. P., KERR, B., & OLSON, H. C. (1995). Mother's alcohol consumption during pregnancy : Effects on spatial-visual reasoning in 14-year-old children. *Psychological Science, 6,* 339-342.

INTRATOR, J., HARE, R. D., STRITZKE, P., BRICHTSWEIN, K., DORFMAN, D., HARPUR, T. J., BERNSTEIN, D., HANDELSMAN, L., SCHAEFER, C., KEILP, J., ROSEN, J., & MACHAC, J. (1997). A brain imaging (Single Photon Emission Computerized Tomography) study of semantic and affective processing in psychopaths. *Biological Psychiatry, 42,* 96-103.

JOHNS, J. H., & QUAY, H. C. (1962). The effect of social reward on verbal conditioning in psychopaths and neurotic military offenders. *Journal of Consulting Psychology, 26,* 217-220.

JONES-GOTMAN, M., & ZATORRE, R. J. (1988). Olfactory identification in patients with focal cerebral excision. *Neuropsychologia, 26,* 387-400.

JUTAI, J. W., & HARE, R. D. (1983). Psychopathy and selective attention during performance of a complex perceptual-motor task. *Psychophysiology, 20,* 146-151.

JUTAI, J. W., HARE, R. D., & CONNOLLY, J. F. (1987). Psychopathy and event-related brain potentials (ERPs) associated with attention to speech stimuli. *Personality and Individual Differences, 8,* 175-184.

KIMURA, D. (1967). Cerebral dominance and the perception of verbal stimuli. *Canadian Journal of Psychology, 15,* 166-171.

KOSSON, D. S. (1996). Psychopathy and dual-task performance under focusing conditions. *Journal of Abnormal Psychology, 105,* 391-400.

– (1998). Divided visual attention in psychopathic and nonpsychopathic offenders. *Personality and Individual Differences, 24,* 373-391.

KOSSON, D. S., & HARPUR, T. J. (1997). Attentional functioning of psychopathic individuals : Current evidence and developmental implications. In J. A. Burack & J. Enns (Eds.), *Attention, development, and psychopathology* (pp. 379-402). New York : Guilford.

KRATZER, L., & HODGINS, S. (1999). A typology of offenders : A test of Moffitt's theory among males and females from childhood to age 30. *Criminal Behaviour and Mental Health, 9,* 57-73

KRUESI, M. J. P., HIBBS, E. D., ZAHN, T. P., KEYSOR, C. S., HAMBURGER, S. D., BARTKO, J. J., & RAPOPORT, J. L. (1992). A 2-year prospective follow-up study of children and adolescents with disruptive behavior disorders. *Archives of General Psychiatry, 49,* 429-435.

LAGERSTRÖM, M., BREMME, K., ENEROTH, P., & MAGNUSSON, D. (1990). Behavior at 10 and 13 years of age for children with low birth weight. *Perceptual and Motor Skills, 71,* 579-594.

LANG, P. J., BRADLEY, M. M., CUTHBERT, B. N., & PATRICK, C. J. (1993). Emotion and psychopathology : A startle probe analysis. In L. Chapman & D. Fowles (Eds.), *Progress in experimental personality and psychopathology research, Vol 16* (pp. 163-199). New York : Springer.

LAPPALAINEN, J., LONG, J. C., EGGERT, M., OZAKE, N., TOBIN, R. W., BROWN, G. L., NAUKKARINEN, H., VIRKKUNEN, M., LINNOILA, M., & GOLDMAN, D. (1998). Linkage of antisocial alcoholism to the serotonin 5-HT1B receptor gene in two populations. *Archives of General Psychiatry, 55,* 989-995.

LAPIERRE, D., BRAUN, C. J., & HODGINS, S. (1995). Ventral frontal deficits in psychopathy : Neuropsychological test findings. *Neuropsychologia, 33,* 139-151.

LEDOUX, J. (1989). Cognitive-emotional interaction in the brain. *Cognition and Emotion, 3,* 267-289.

– (1992). Brain mechanisms of emotion and emotional learning. *Current Opinions in Neurobiology, 2,* 191-197.

LINK, N. F., SCHERER, S. E., & BYRNE, P. N. (1977). Moral judgment and moral conduct in the psychopath. *Canadian Psychiatric Association Journal, 22,* 341-346.

LOGAN, G. D. (1994). On the ability to inhibit thought and action : A user's guide to the Stop Signal paradigm. In D. Dagenbach & T. H. Carr (Eds.), *Inhibitory processes in attention, memory, and language* (pp. 189-223). New York : Academic Press.

LURIA, A. R. (1980). *Higher cortical functions in man.* New York : Basic Books.

LYKKEN, D. T. (1957). A study of anxiety in the sociopathic personality. *Journal of Abnormal and Social Psychology, 55,* 6-10.

LYONS, M. J., TRUE, W. J., EISEN, S. A., GOLDBERG, J., MEYER, J. M., FARAONE, S. V., EAVES, L. J., TSUANG, M. T. (1995). Differential heritability of adult and juvenile antisocial traits. *Archives of General Psychiatry, 52,* 906-915.

MCCORD, W. M. (1982). *The psychopath and milieu therapy.* New York : Academic Press.

MERIKANGAS, K. R., STOLAR, M., STEVENS, D. E., GOULET, J., PREISIG, M. A., FENTON, B., ZHANG, H., O'MALEY, S. S., & ROUNSAVILLE, B. J. (1998). Familial transmission of substance use disorders. *Archives of General Psychiatry, 55,* 973-979.

MEZZACAPPA, E., TREMBLAY, R. E., KINDLON, D., SAUL, J. P., ARSENEAULT, L., SÉGUIN, J., PIHL, R. O., & EARLS, F. (1997). Anxiety, antisocial behavior, and heart rate regulation in adolescent males. *Journal of Child Psychology and Psychiatry, 38,* 457-469.

MILBERGER, S., BIEDERMAN, J., FARAONE, S. V., CHEN, L., & JONES, J. (1996). Is maternal smoking during pregnancy a risk factor for attention deficit hyperactivity disorder in children ? *American Journal of Psychiatry, 153,* 1138-1142.

MILLON, T. (1981). *Disorders of personality : DSM-III axis II.* New York : Wiley.

MILLS, B. (1995). Cerebral asymmetry in psychopaths : A behavioral and electrocortical investigation. Unpublished doctoral dissertation, University of British Columbia, Vancouver, Canada.

MILNER, B., & PETRIDES, M. (1984). Behavioral effects of frontal-lobe lesions in man. *Trends in Neuroscience, 7,* 403-407.

MOFFITT, T. E. (1990a). Juvenile delinquency and attention-deficit disorder : Developmental trajectories from age 3 to 15. *Child Development, 61,* 893-910.

– (1990b). The neuropsychology of juvenile delinquency : A critical review of theory and research. In N. Morris and M. Tonry (Eds.), *Crime and justice (vol. 12)* (pp. 99-169). Chicago : The University of Chicago Press.

– (1993). Adolescence-limited and life-course-persistent antisocial behavior : A developmental taxonomy. *Psychological Review, 100,* 674-701.

NEWMAN, J. P. (1998). Psychopathic behavior : An information processing perspective. In D. Cooke, A. Forth and R. D. Hare (Eds.), *Psychopathy : Theory, research and implications for society* (pp. 81-104). Dortrecht, Netherlands : Kluwer.

NEWMAN, J. P., & KOSSON, D. S. (1986). Passive avoidance learning in psychopathic and nonpsychopathic offenders. *Journal of Abnormal Psychology, 95,* 252-256.

NEWMAN, J. P., Patterson, C. M., Howland, E. W., & Nichols, S. L. (1990). Passive avoidance learning in psychopaths : The effects of reward. *Personality and Individual Differences, 11,* 1101-1114.

NEWMAN, J. P., PATTERSON, C. M., & KOSSON, D. S. (1987). Response perseveration in psychopaths. *Journal of Abnormal Psychology, 96,* 145-148.

NEWMAN, J. P., SCHMITT, W. A., & VOSS, W. D. (1997). The impact of motivationnaly neutral cues on psychopathic individuals : Assessing the generality of the response modulation hypothesis. *Journal of Abnormal Psychology, 106,* 563-575.

NEWMAN, J. P., & WALLACE, J. F. (1993). Psychopathy and cognition. In P. C. Kendall & K. S. Dobson (Eds.), *Psychopathology and cognition* (pp. 293-349). New York : Academic Press.

NEWMAN, J. P., WALLACE, J. F., SCHMITT, W. A., & ARNETT, P. A. (1997). Behavioral inhibition system functioning in anxious, impulsive and psychopathic individuals. *Personality and Individual Differences, 23,* 583-592.

OGLOFF, J. R., & WONG, S. (1990). Electrodermal and cardiovascular evidence of a coping response in psychopaths. *Criminal Justice and Behavior, 17,* 231-245.

PATRICK, C. J. (1994). Emotion and psychopathy : Startling new insights. *Psychophysiology, 31,* 319-330.

PATRICK, C. J., BRADLEY, M. M., & LANG, P. J. (1993). Emotion in the criminal psychopath : Startle reflex modulation. *Journal of Abnormal Psychology, 102,* 82-92.

PATRICK, C. J., CUTHBERT, B. N., & LANG, P. J. (1994). Emotion in the criminal psychopath : Fear image processing. *Journal of Abnormal Psychology, 103,* 523-534.

PATTERSON, C. M., & NEWMAN, J. P. (1993). Reflectivity and learning from aversive events : Toward a psychological model for the syndromes of disinhibition. *Psychological Review, 100,* 716-736.

PETERS, V. M. (1983). The pseudopsychopathic personality and the limbic system. *Neuroscience and Biobehavioral Reviews, 7,* 409-411.

PHAM, T. H. (1995). *Psychopathie et émotions.* Thèse de doctorat non publié, Université Catholique de Louvain, Louvain-la-Neuve, Belgique.

PHAM, T. H., VANDERSTUKKEN, O., PHILIPPOT, P., & VANDERLINDEN, M. (1999). *Selective attention and executive functions deficits in criminal psychopaths : Some confirmatory findings.* Poster presented at the International Conference of Psychology and Law. University of Dublin, Department of Law. Ireland. 5-9 July.

PONTIUS, A. A. & RUTTIGER, K. F. (1976). Frontal lobe system maturational lag in juvenile delinquent shown in narrative test. *Adolescence, 11,* 509-518.

POTTER, H. & BUTTERS, N. (1980). An assessment of olfactory deficits in patients with damaged prefrontal cortex. *Neuropsychologia, 18,* 621-628.

POTTER, H. & NAUTA, W. J. H. (1979). A note on the problem of olfactory associations of the orbitofrontal cortex in the monkey. *Neuroscience, 4,* 361-367.

RAINE, A., O'BRIEN, M., SMILEY, N., SCERBO, A., & CHAN, C-J. (1990). Reduced lateralization in verbal dichotic listening in adolescent psychopaths. *Journal of Abnormal Psychology, 99,* 272-277.

RAINE, A., & VENABLES, P. H. (1988). Enhanced P3 evoked potentials and longer recovery times in psychopaths. *Psychophysiology, 25,* 30-38.

RÄSÄNEN, P., HELINÄ, H., ISOHANNI, M., HODGINS, S., & TIIHONEN, J. (1998). *Maternal smoking during pregnancy and risk of criminal behavior in the Northern Finland 1966 birth cohort.* Manuscript submitted for publication.

ROUSSY, S. (1999). *Psychopathie et latéralisation du traitement des stimuli émotionnels inaccessibles à la cognition linguistique.* Thèse de doctorat non publiée. Université de Montréal, Montréal, Canada.

ROUSSY, S., & TOUPIN, J. (2000). Orbitofrontal/ventromedial deficits in juvenile psychopaths. *Agressive Behavior, 26.*

SCHACHTER, S., & LATANE, B. (1964). Crime, cognition and the autonomic nervous system. In H. R. Jones (Ed.), *Nebraska Symposium on Motivation* (pp. 221-275). Lincoln : The University of Nebraska Press.

SCHMAUK, F. J. (1970). Punishment, arousal, and avoidance learning in sociopaths. *Journal of Abnormal Psychology, 76,* 325-335.

SERON, X. (1993). *La neuropsychologie cognitive.* Paris : PUF.

SIEVER, L. J. (1998). Neurobiology in psychopathy. In T. Millon, E. Simonsen, M. Birket-Smith, & R. Davis (Eds.), *Psychopathy : Antisocial, criminal and violent behavior* (pp. 231-246). New York : Guilford.

SMITH, S. S., ARNETT, P. A., & NEWMAN, J. P. (1992). Neuropsychological differentiation of psychopathic and nonpsychopathic criminal offenders. *Personality and Individual Differences, 13,* 1233-1243.

SPITZER, R. L., ENDICOTT, J., & ROBINS, E. (1975). *Research Diagnostic Criteria.* New York : Biometrics Research, New York State Psychiatric Institute.

STUSS, D. T., & BENSON, D. F. (1984). Neuropsychological studies of the frontal lobes. *Psychological Bulletin, 95,* 3-28.

– (1986). *The frontal lobes.* New York : Raven Press.

STUSS, D. T., & Benson, D. F., Kaplan, E. F., Weir, W. S., Naeser, M. A., Lieberman, I., & Ferrill, D. (1983). The involvement of orbitofrontal cerebrum in cognitive tasks. *Neuropsychologia, 21,* 235-248.

TANABE, T., YARITA, H., LINO, M., OOSHIMA, Y., & TAGAKI, S. F. (1975). An olfactory projection area in orbitofrontal cortex of the monkey. *Journal of Neurophysiology, 38,* 1269-1283.

TATCHER, R. W. (1991). Maturation of the human frontal lobes : Physiological evidence for staging. *Developmental Neuropsychology, 7,* 397-419.

TATCHER, R. W., WALKER, R. A., & GIUDICE, S. (1987). Human cerebral hemispheres develop at different rates and ages. *Science, 236,* 1110-1113.

VANDERSTUKKEN, O. (1998). *Troubles de l'attention et des fonctions exécutives chez les psychopathes.* Mémoire de licence non publié, Université catholique de Louvain, Louvain, Belgique.

VARNEY, N. (1988). Prognostic significance of anosmia in patients with closed-head trauma. *Journal of Clinical and Experimental Neuropsychology, 10,* 250-254.

VOORHEES, J. (1981). Neuropsychological differences between juvenile delinquents and functional adolescents : A preliminary study. *Adolescence, 15,* 59-66.

VRANA, S. R., SPENCE, E. L., & LANG, P. J. (1988). The startle probe response : A new measure of emotion ? *Journal of Abnormal Psychology, 97,* 487-491.

WAKSCHLAG, L., LAHEY, B., LOEBER, R., GREEN, S. M., GORDON, K. A., & LEVENTHAL, B. L. (1997). Maternal smoking during pregnancy and the risk of conduct disorder in boys. *Archives of General Psychiatry, 54,* 670-676.

WILLIAMSON, S., HARPUR, T. J., & HARE, R. D. (1990). Sensitivity to emotional valence in psychopaths. *Paper presented at the 98th Annual Meeting of the American Psychological Association, Boston.*

– (1991). Abnormal processing of affective words by psychopaths. *Psychophysiology, 28,* 260-273.

YEUDALL, L. T. (1977). Neuropsychological assessment of forensic disorders. *Canada's Mental Health, 25,* 7-16.

YEUDALL, L. T., FEDORA, O., & FROMM, D. (1987). A neuropsychosocial theory of persistent criminality : Implications for assessment and treatment. *Advances in Forensic Psychology and Psychiatry, 2,* 119-191.

YEUDALL, L. T., FROMM-AUCH, D. & DAVIES, P. (1982). Neuropsychological impairment of persistent delinquency. *The Journal of Nervous and Mental Diseases, 170,* 257-265.

CHAPITRE 6

Le traitement psychologique des psychopathes

THIERRY HOANG PHAM

L'appareil judiciaire et les milieux cliniques relayent parfois l'avis selon lequel aucune méthode de traitement n'a encore prouvé son efficacité pour réduire de manière radicale la récidive des psychopathes. Ces derniers sont souvent décrits comme incurables et leur traitement suscite par conséquent un grand scepticisme. Par ailleurs, les désaccords sur la définition et l'évaluation de la psychopathie ont altéré la cohérence des politiques thérapeutiques. Cet article examinera le traitement des psychopathes à travers les approches thérapeutiques traditionnelles, les approches cognitivo-comportementales ainsi que les expériences de communauté thérapeutique. Il sera tenu compte de l'âge et des attitudes thérapeutiques eu égard à la nature clinique de ces sujets. Enfin, l'article insistera sur le volet préventif de la psychopathie à travers le diagnostic de troubles relatifs à l'hyperactivité et les troubles du comportement.

Le manque d'études contrôlées sur le traitement de la psychopathie et des personnalités antisociales

Durant longtemps, la définition de la psychopathie a souffert d'un manque de consensus en désignant des troubles variés de la personnalité, notamment associés à des conduites délinquantes chroniques (Blackburn, 1993). Le manque d'études contrôlées nuit à la recherche sur le traitement des thérapies en général, et affecte particulièrement le domaine de la psychopathie. Ainsi, Levine et Borstein (1972) ont recensé 295 publications relatives au traitement des personnalités antisociales ; ces auteurs n'ont relevé que 10 études remplissant les critères méthodologiques d'un groupe homogène, d'un follow-up et d'une évaluation. La majorité de ces études portaient sur les délinquants juvéniles. Aucune d'entre elles ne définissait la personnalité antisociale de manière explicite.

Par ailleurs, nous avons entrepris une revue de la littérature sur la base des banques de données (PsycLIT, Psychological Abstract, Medline et Psycinfo) qui ont couvert les articles parus de 1970 à ce jour. Les mots-clés étaient les suivants : psychopathy/sociopathy/antisocial personality disorder/treatment/therapy/psychotherapy. Ces articles devaient aborder (1) le domaine de la psychopathie, (2) décrire une méthode de traitement, (3) disposer d'un groupe contrôle, (4) comprendre un follow-up d'une durée minimale de 6 mois après le traitement. Aucune étude n'a rempli ces 4 critères de manière simultanée. Quatre textes décrivent une ou plusieurs expériences thérapeutiques avec des psychopathes, des personnalités antisociales ou sociopathiques (Ogloff, Wong, & Greenwood, 1990 ; Rice, Harris & Cormier, 1992 ; Whiteley, 1970 ; Woody, McLellan, Luborsky, & O'Brien, 1985). Trois études (Ogloff et al. ; Rice et al. ; Woody et al.) seulement répondaient aux critères du diagnostic de psychopathie/sociopathie/personnalité antisociale et du groupe contrôle.

Le manque d'efficacité générale du traitement des psychopathes et des personnalités antisociales

Les résultats mitigés des diverses formes de traitement ont été confirmés par la méta-analyse d'Esteban, Garrido et Molero (1995). Ces auteurs ont analysé 26 études qui concernent le traitement de la psychopathie et qui ont été publiées entre 1983 et 1993. Les critères diagnostiques étaient variés et fondés sur le diagnostic de la personnalité antisociale selon les différentes versions du DSM-III, le score total à la PCL-R, les scores au MMPI et à l'échelle « Socialisation » du California Personality Inventory (CPI). En comparant l'efficacité des interventions cliniques auprès des psychopathes par rapport aux non psychopathes, les auteurs ont observé que les performances des premiers étaient plus pauvres que celles des seconds aux niveaux de la récidive ou du comportement hostile et agressif. De manière générale, les psychopathes, ainsi que les personnalités antisociales, tiraient peu profit des communautés thérapeutiques ainsi que des thérapies de groupe.

L'âge peut-il être un allié thérapeutique ?

La littérature criminologique souligne l'existence d'une relation négative entre l'âge du sujet lors de sa libération conditionnelle et sa propension à la récidive. En effet, la probabilité de transgresser les conditions de libération diminue en fonction de l'âge et ce, indépendamment des délits commis antérieurement (Hoffman & Beck, 1984) : le pourcentage de récidive ne baisse pas significativement entre 26 et 41 ans mais chute brutalement au-delà de 41 ans. En ce qui a trait à la personnalité antisociale, Robins (1966) rapporte des résultats qui vont dans le même sens : Parmi 94 sujets étudiés, 39 % manifestaient une amélioration significative de leur comportement antisocial lors d'un follow-up portant sur 30 années. Ces sujets ne se comportaient certes pas de manière « modèle » au niveau de l'adaptation sociale, mais étaient parvenus à diminuer la fréquence de leurs comportements délictueux. Toutefois, ces améliorations apparaissaient surtout entre 30 et 40 ans.

Ce constat est-il transposable à la psychopathie ? Les rares données longitudinales disponibles suggèrent que, jusqu'à l'âge de 40 ans, les psychopathes, définis selon la PCL-R, commettent davantage de délits que les sujets non psychopathes. Leurs activités délictueuses diminuent ensuite significativement et atteignent un niveau équivalent à celui des autres délinquants (Hare, Forth, & Strachant, 1992 ; Hare, McPherson, & Forth, 1988). Cette diminution serait porteuse d'espoir (Hare, 1983) dans la mesure où l'âge constituerait ainsi un allié thérapeutique (Suefeld & Landon, 1978). Toutefois, alors qu'avant l'âge de 40 ans, les psychopathes commettent davantage de délits violents que les sujets contrôles, ces délits ne diminuent pas significativement après cette même période (Hare et al., 1992 ; Harris, Rice, & Cormier, 1991). Les conséquences à tirer de ce constat pourraient être « répressives » dans la mesure où elles suggéreraient de maintenir les psychopathes en détention tant qu'ils ne maîtrisent pas leurs impulsions. Ce « phénomène de la quarantaine » nécessite des recherches complémentaires. Par ailleurs, il est important d'identifier les déterminants psychologiques et sociaux liés à cette diminution afin d'élaborer des interventions spécifiques en vue d'accélérer ces changements comportementaux.

Le traitement psychologique des psychopathes

Un parcours de la littérature dégage deux principaux courants psychothérapeutiques : (1) l'approche psychothérapeutique traditionnelle qui est principalement représentée par le courant psychodynamique et

(2) l'approche cognitivo-comportementale. Dans les lignes qui suivent, il sera question de la psychopathie en tant que défi aux approches thérapeutiques traditionnelles. Par ailleurs, on soulignera l'importance d'une approche multimodale spécifique qui est appropriée aux résultats de la recherche empirique.

La psychopathie défie les approches psychothérapeutiques traditionnelles

A l'instar du courant psychodynamique, la PCL-R a accordé une place importante à la dimension narcissique qui a été largement décrite dans la littérature psychodynamique (*cf.* Aichhorn, 1925/1973 ; Braunschweig, Lebovici, & Van Thiel-Godfrind, 1969 ; Kernberg, 1980 ; Kohut, 1974 ; Leaff, 1978 ; Schmideberg, 1949 ; Winnicott, 1971). L'item 2 de l'instrument réfère à un contenu qui s'apparente à ce qui est décrit par Kohut (1974) sous l'appellation de « soi grandiose » lequel souligne un sentiment d'omnipotence, de type mégalomaniaque. Elle a aussi intégré des critères relatifs à la personnalité narcissique à travers la « loquacité et le charme superficiel » (Item 1), la « superficialité affective » (Item 7), et les tendances manipulatrices (Item 5).

Etant donné leur assise narcissique, les psychopathes définis selon la PCL-R sont peu susceptibles de traverser un état dépressif caractérisé au cours d'un enfermement, c'est-à-dire lorsque la possibilité d'acting-out est levée. Ce point de vue s'oppose à celui avancé par des auteurs qui ont insisté sur l'importance de la crise dépressive comme préalable au changement chez ces mêmes sujets (Aichhorn, 1925/1973 ; Eissler, 1950 ; Lion, 1978). En effet, l'ampleur de ce dernier est limité par l'égocentrisme de ces patients.

Les symptômes de la psychopathie qui sont définis à travers le facteur 1 (détachement émotionnel) de l'échelle de Hare (1991) constituent des défis vis-à-vis de toute approche thérapeutique (Lösel, 1998). Ainsi, la tendance au mensonge pathologique (Item 4 de la PCL-R) ainsi que la manipulation (Item 5) vont à l'encontre de la relation de confiance et de la communication authentique qui lient le patient et le thérapeute. De plus, le sens grandiose du moi (Item 2) ainsi que le manque de remords ou de culpabilité (Item 6) sont peu compatibles avec un véritable désir de changement. Enfin, l'étroitesse émotionnelle (Item 7) fait obstacle à l'expression des émotions primaires durant les séances.

En ce qui a trait au matériel onirique et fantasmatique, la littérature clinique a souligné la pauvreté des processus primaires (lapsus, rêve, fantasme, acte manqué) (Debray, 1984 ; McCord & McCord, 1964).

Cette pauvreté rend problématique le recours à la technique de la libre association. En effet, ces sujets présentent des traits de type alexithymique à l'auto-questionnaire de Bermond-Vorst (1994) : une pensée opératoire tournée vers le présent concret, une faible propension au bouleversement émotionnel ainsi qu'une moindre capacité à la fantasmatisation (Pham, 1995). La prédominance d'une pensée opératoire et le manque de matériel fantasmatique militent en faveur d'une approche psychothérapeutique de la psychopathie qui s'éloignerait de la technique psychanalytique classique.

L'établissement d'une relation transférentielle authentique est rendue d'autant plus difficile que ces sujets manifestent peu d'émotions primaires. Certes la plupart des cliniciens (Cleckley 1976 ; McCord & McCord, 1964) admettent que les psychopathes connaissent le vocabulaire émotionnel mais qu'ils n'en saisissent pas le sens profond. Cette description est partiellement confirmée par le fait que ces sujets se caractérisent par une faible activation autonomique de base (Hare, 1965 ; Pham, Philippot, Rimé, sous presses) qui est peu compatible avec de fortes mobilisations émotionnelles. Par ailleurs, des données empiriques suggèrent un traitement problématique du matériel émotionnel verbal chez ces sujets (Williamson, Harpur & Hare, 1991 ; Pham & Rimé, 1994). Cette faible émotionalité générale va à l'encontre des démarches thérapeutiques qui encouragent l'expression des émotions primaires comme la joie, la colère ou la tristesse, qui incorporent les réactions corporelles et les images associées et qui constituent des réponses adaptées à des situations spécifiques (Engle, Beutler & Daldrup, 1991). Le thérapeute rencontre de grandes difficultés à activer ces émotions primaires, à se centrer sur les réactions corporelles, et à encourager leurs expressions verbales. Signalons toutefois que la colère peut constituer une émotion primaire accessible à ces sujets dans la mesure où elle serait associée à leur faible tolérance à la frustration. En ce sens, les travaux de Novaco (1997) relatifs à la gestion de la colère peuvent s'avérer utiles.

Les approches cognitivo-comportementales

Contrairement aux approches comportementales classiques, les approches cognitivo-comportementales ne se centrent pas uniquement sur les changements comportementaux extérieurs. Elles postulent que le fonctionnement cognitif affecte directement le comportement observable. Or, la psychopathie se définit selon l'échelle de Hare par des traits psychologiques et par des comportements antisociaux chroniques. Les approches cognitivo-comportementales peuvent contribuer au traitement de la psychopathie dans la mesure où elles se proposent d'exercer une action sur les processus cognitifs et ce, notamment à travers une analyse fonctionnelle des cognitions du patient (dialogue interne, images, croyances etc..). De plus, ces approches veulent s'appuyer sur les découvertes issues de la recherche expérimentale et s'intéressent aux données empiriques relatives au traitement de l'information émotionnelle et non émotionnelle qui sont observées chez les psychopathes (Serin & Brown, 1996).

Les approches cognitivo-comportementales ont été appliquées à divers troubles de la personnalité mais ont été rarement mis en place chez les psychopathes (Blackburn, 1993). Toutefois, les données empiriques suggèrent que les traitements correctionnels intra-muros les plus efficaces sont fondés sur une approche comportementale, ou une approche cognitivo-comportementale. Les programmes peu structurées ont en général moins d'effets (Lösel, 1996).

Les critères diagnostiques de la psychopathie suggèrent l'existence de troubles cognitifs et la nécessité d'y remédier : l'amélioration de la fonction de planification, un meilleur contrôle de l'impulsivité sur les plan cognitif et comportemental, l'amélioration des compétences sociales lors de situations interpersonnelles problématiques, une meilleure gestion de la colère etc.. Dans la mesure où ces troubles constituent des dysfonctionnements multiples, l'usage simultané de plusieurs interventions cognitives est souhaitable (Andrews et al., 1990 ; Moyes, Tennent, & Bedford, 1985). La nécessité d'utiliser une approche cognitivo-comportementale multiple s'impose afin de réduire les comportements impulsifs et antisociaux (Bowman & Auerbach, 1982). En effet, la combinaison d'approches telles que la gestion de soi individuelle, une formation aux aptitudes sociales et la prévention de comportements agressifs peut donner de meilleurs résultats (Moyes et al., 1985). La gestion de la colère chronique à travers l'approche de Novaco (1997) a été utilisée en milieu carcéral chez des sujets ayant présenté un ou plusieurs épisodes aigus de violence interpersonnelle. Selon cette approche, les comportements antisociaux sont parfois appréhendés comme des réponses inadaptées vis-à-vis des situations qui induisent la colère et le stress. L'approche de Novaco propose des stratégies cognitives relatives à l'auto-instruction, la résolution de problème, la négociation dans les conflits interpersonnels. Cette approche a été utilisée chez des détenus nord-américains (Serin & Brown, 1996) et des détenus britanniques (McDougall, Barnette, Ashurst, & Brickman, 1987). Dans l'ensemble, l'approche améliore le contrôle de la colère (Serin & Brown 1996) et atténue les décharges comportementales observées chez les personnalités « explosives » qui se caractérisent par des attentes interpersonnelles à tonalité négative (Fredericksen & Rainwater, 1981). Toutefois, l'approche de Novaco serait plutôt contre-indiquée chez des sujets présentant une totale froideur émotionnelle (Novaco, 1997).

Les approches cognitivo-comportementales sont donc variées ; elles s'appliquent notamment à des domaines de l'impulsivité, la déviation sexuelle, les interactions sociales déviantes et l'agressivité. Elles développent notamment le contrôle interne des comportements à travers l'auto-instruction, la résolution des problèmes interpersonnels (Hollin, 1993), la gestion de la colère (Novaco, 1997), la prise en compte des perspectives temporelles ou le biofeedback (Steinberg & Schwartz, 1976).

Ross et Fabiano (1985) ont montré que la majorité des délinquants manifestaient des déficits au niveau des cognitions sociales. Ces déficits témoignent d'un fonctionnement cognitif plutôt égocentrique. Ces mêmes auteurs ont suggéré que les programmes de réhabilitation des délinquants intègrent une composante cognitive en s'intéressant aux distorsions cognitives. Or ces dernières affectent les situations interpersonnelles chez les sujets antisociaux (Hollin, 1993 ; Izzo & Ross, 1990 ; Spivack, Platt, & Shure, 1976) et sont particulièrement présentes chez les psychopathes (Templeman & Wollerstein, 1979). Parmi ces distorsions, on peut relever la généralisation abusive (« tous les banquiers sont des escrocs »), la distorsion dans le récit des délits (déni total de toute responsabilité, nette minimisation de la gravité des délits, attribution externe de la responsabilité délictueuse), le fait de ne pas définir les moyens nécessaires pour parvenir aux buts (« après ma libération conditionnelle, je m'installerai comme indépendant »), l'absence de stratégies multiples face à une situation problématique (commettre des vols répétés en vue de combler ses dettes), l'adhésion à des solutions inefficaces et dépassées (renouer des contacts rapprochés avec des anciens complices). Ces distorsions sont associées avec une impulsivité peu contrôlée. Celle-ci se manifeste tant dans la vie courante que lors d'épreuves neuropsychologiques qui évaluent la qualité des fonctions exécutives (*cf.* Lapierre, Braun, & Hodgins, 1995). Afin de traiter ces distorsions cognitives, Templeman et Wollerstein recommandent : (1) la thérapie par jeux de rôle qui encourage la prise de rôles différents ; (2) l'entraînement à la résolution de problèmes et à leur opérationnalisation, la recherche de solutions alternatives et l'évaluation de l'efficacité des stratégies élaborées ; (3) l'auto-instruction qui facilite la réalisation des buts d'une manière acceptable sur le plan social.

Ajoutons enfin que l'approche cognitivo-comportementale encourage les contrats thérapeutiques avec des patients présentant une agressivité chronique (Goldstein & Keller, 1987). Afin d'être efficaces, ces contrats doivent définir sans ambiguïté les comportements dérangeants, être signés par les différentes parties et être équitables. Ils doivent être rendus publics et réévalués de manière périodique.

Incarcération, hospitalisation et communauté thérapeutique.

Depuis longtemps, des programmes de traitement intra-muros ont été mis en place dans les institutions fermées. L'argument derrière ces initiatives est le suivant : l'incarcération et l'hospitalisation isolent les délinquants tout venant et les psychopathes mais ne contrent pas la récidive (McCord & McCord, 1964 ; Maddock, 1970). Des communautés thérapeutiques ont été mises en place dans des prisons, des établissements pour délinquants juvéniles et des hôpitaux de sécurité. Ces communautés reposent sur plusieurs principes (Lösel, 1998) : (1) l'établissement d'une atmosphère plus informelle que les institutions traditionnelles ; (2) le transfert des responsabilités des professionnels vers les patients qui participent au régime communautaire ; (3) les participants fournissent l'aide psychologique aux autres membres de la communauté ; (4) l'ouverture aux échanges avec le monde extérieur. Le principe général de ces communautés est la délégation des responsabilités aux participants qui vivent dans un environnement de vie où on encourage l'expression des sentiments et l'établissement de relations interpersonnelles positives (Blackburn, 1993).

Ogloff, Wong et Greenwood (1990) ont évalué les effets d'une communauté thérapeutique située dans un hôpital de sécurité. Un des outils principaux de cette communauté consiste en une réunion quotidienne dans laquelle prennent part les détenus et le personnel. Cette réunion vise l'intégration des règles de vie communautaire et encourage l'extériorisation des problèmes personnels, les contraintes communautaires et la recherche de solutions. Les auteurs confirment le pronostic réservé des psychopathes identifiés à partir de la PCL-R : ceux-ci manifestent peu d'amélioration, sont peu motivés pour changer de conduite, se lassent plus rapidement de la thérapie, y participent moins longtemps et sont plus souvent refusés pour des raisons de sécurité.

Dans leur méta-analyse, Esteban et al (1995) ont souligné que les psychopathes répondent de manière particulièrement défavorable lorsqu'ils sont placés dans les communautés thérapeutiques. Ces auteurs ajoutent que le manque de structure ainsi que la permissivité qui règne dans ces communautés ne sont pas appropriés pour les psychopathes ainsi que pour les délinquants qui présentent un risque élevé de comportements violents. Il semble que ces communautés n'offrent pas suffisamment de stratégies spécifiques en vue de contrer les comportements criminels et leurs processus cognitifs sous-jacents (Andrews et al. 1990 : voir Lösel, 1998). Malgré le fait que ces communautés ne donnent pas de résultats favorables au plan de la récidive, celles-ci continuent néanmoins d'être défendues par des auteurs qui en soulignent les bénéfices humanitaires (Blackburn, 1993). Toutefois, il serait nécessaire que ces communautés intègrent des programmes comportementaux plus spécifiques (Kennard, 1983) et qu'elles se penchent sur les processus d'apprentissage de comportements antisociaux qui peuvent se développer au sein même du régime communautaire (Harris, Rice, & Cormier, 1994).

En effet, un exemple frappant a été mis en évidence par Rice, Harris, et Cormier (1992). Ces auteurs ont évalué l'effet de la communauté thérapeutique de sécurité maximale de Penetanguishene (Canada) pour psychopathes et délinquants présentant des troubles mentaux. Dans leurs travaux successifs, ces auteurs ont tenu compte des critères de la PCL-R (Harris, Rice & Cormier, 1994). Le programme thérapeutique était intensif et pouvait couvrir jusqu'à plusieurs dizaines d'heures de session de groupe par semaine. Ce programme était principalement fondé sur les relations entre les patients. Les contacts entre ces derniers et le personnel étaient délibérément limités. Les participants passaient une large partie de leur temps dans des réunions communautaires où ils étaient encouragés à débattre de manière active. Les objectifs visaient à améliorer l'introspection et notamment l'analyse des attitudes antisociales des participants. Enfin, les attitudes de coopération interpersonnelle ainsi que l'empathie vis-à-vis d'autrui étaient encouragées. Soulignons que ce programme thérapeutique a fait l'objet de critiques et a été décrit comme étant « inhabituel, complexe et controversé » (Hare, 1998). Par ailleurs, selon Warren (1994), l'emploi du qualificatif de « communauté thérapeutique », pour décrire l'expérience de Penetanguishene semble abusif en l'absence de dimension sociothérapeutique liée notamment au manque de dialogue entre patients et professionnels.

Rice et ses collaborateurs observent que les sujets présentant un score égal ou supérieur à 25 à la PCL-R, ne progressaient pas au niveau des délits tant violents et non violents par rapport aux sujets présentant un score inférieur à 25 à la PCL-R. Rice et ses collaborateurs observent même que cette communauté thérapeutique avait un effet négatif sur les psychopathes qui récidivaient davantage après traitement. Ce résultat est contradictoire par rapport aux objectifs initiaux. Selon Rice (1997), l'explication de ce résultat plutôt pessimiste tiendrait au fait que le programme de traitement communautaire du Penitenguishene avait des effets négatifs sur l'évolution des psychopathes car il flattait l'estime de soi chez des sujets préalablement narcissiques ce qui nourrissait leur penchant à la récidive violente. En effet, les non psychopathes qui participaient à ces programmes apprennaient à « être » plus empathiques, alors que les psychopathes « paraissaient » empathiques afin de duper et de manipuler davantage autrui. Rappelons en effet que le facteur 1 de la PCL-R (« détachement émotionnel ») est corrélé avec les comportements violents et que ceux-ci ne sont pas l'apanage du facteur 2 (« comportement antisocial chronique ») (Hart & Dempster, 1997 ; Pham et al., 1998). Rice rejoint donc l'analyse de Baumeister, Smart et Boden (1996) qui ont suggéré que les comportements violents pouvaient survenir lorsque une estime favorable de soi et l'esprit de supériorité étaient contrecarrés par une personne ou un événement donné. Cette violence « agie » se médiatiserait à travers des états émotionnels négatifs tels que la colère. Baumeister, Smart, et Boden questionnent le paradigme d'une agression qui résulterait d'une faible estime de soi associée à des affects négatifs. Or, on rencontre plus particulièrement ce type d'agression chez la plupart des sujets carencés sur le plan affectif.

Les principes fondamentaux du traitement psychologique

A la suite d'une vaste revue de la littérature, Lösel (1998) a souligné l'importance de suivre les recommandations suivantes sur le plan thérapeutique. D'une part, les expériences thérapeutiques portant sur des psychopathes devraient être mise en place dans un environnement distinct du reste de la prison ou de l'hôpital. Cette mesure permettrait de protéger le travail thérapeutique contre les tentatives de déstabilisation, les conduites manipulatrices et les distorsions cognitives de ces sujets. En second lieu, il est nécessaire que le traitement s'effectue dans un cadre de vie structurant où les règles sont clairement définies. Cette mesure faciliterait la mise en place d'attitudes pro-sociales. Les attitudes du personnel doivent à la fois être confrontantes et constructives. Le traitement doit respecter le principe de la demande en se centrant sur les facteurs criminologiques spécifiques de la psychopathie comme la gestion des conduites impulsives et de la colère, le mensonge pathologique et les tentatives de manipulation. Le traitement doit respecter le principe d'intégrité : il doit être appliqué par des thérapeutes expérimentés, lesquels doivent suivre les recommandations décrites dans un manuel explicite. Le traitement devrait respecter le principe de la réponse et intégrer une approche multi-modale qui veille à modifier les styles de pensée ainsi que les comportements criminogènes. Toutefois, ces modifications ne peuvent se départir de la nécessité d'établir un lien thérapeutique positif entre patient et thérapeute. Enfin, il est essentiel que l'approche ait pour objectif d'éviter la récidive en identifiant au préalable les facteurs de risque de passage à l'acte à travers les données actuarielles et celles relatives à la qualité de l'environnement familial. Par ailleurs, la constitution d'un réseau relationnel composé des professionnels chargés du suivi thérapeutique et de l'entourage familial devrait être mis en place afin de contrer les tentatives de manipulation.

Les attitudes thérapeutiques et les critères d'inclusion à une prise en charge

Comme nous venons de le voir, des données psychothérapeutiques récentes ont montré que les psychopathes ont tendance à exploiter les programmes thérapeutiques communautaires qui sont peu structurés (Rice, 1997). Ces sujets se servent notamment de leurs loquacité voire de leur charme superficiel pour masquer la résistance au traitement (Rice et al., 1992). Dès lors, il paraît peu indiqué de vouloir augmenter l'estime de soi chez ces sujets préalablement narcissiques et peu empathiques, dans la mesure où ceux-ci tentent de légitimer leurs conduites antisociales par des conduites manipulatrices (*cf.* Harris, Rice, & Cormier, 1994 ; Rice, 1997). Il n'est donc pas étonnant de souligner que les changements obtenus à travers une longue psychothérapie sont rares chez les psychopathes (Carney, 1977 ; Suefeld & Landon, 1978). Par conséquent, les objectifs thérapeutiques doivent être modestes en ne visant pas nécessairement une modification définitive de leur personnalité (Leaff, 1978 ; Suefeld & Landon, 1978). Il paraît réaliste de centrer l'action thérapeutique sur les comportements agressifs plutôt que de vouloir modifier la personnalité. Le thérapeute doit sélectionner le matériel clinique et encourager la verbalisation des fantasmes de destruction lors des séances (Carney, 1977). Dans un but de réhabilitation sociale, le thérapeute doit susciter un auto-contrôle accru, une meilleure adaptation au milieu ambiant, ou encore une réinsertion socioprofessionnelle minimale (Blackburn, 1988).

La plupart des programmes de traitement adopte comme critère d'inclusion que le patient ne nie pas de manière catégorique la réalité des délits qu'il a commis. Ce critère devrait être considéré avant toute prise en charge thérapeutique (Lösel, 1998). Lors des séances, « l'ici et maintenant » doit prévaloir. Il est conseillé d'employer le vocabulaire du patient et d'éviter toute explication clinique sophistiquée. Les frustrations quotidiennes du patient doivent faire l'objet d'une attention soutenue (Carney, 1977).

Une attitude « confrontante-active » serait préférable à une attitude « interprétative-passive » (Vaillant, 1975). Des données empiriques suggèrent que le manque de structure et l'excès de permissivité nuisent à l'efficacité du traitement (Esteban *et al.*, 1995) et peuvent engendrer des effets inverses aux objectifs proposés (Harris et al., 1994). Le thérapeute doit donc être attentif aux symptômes majeurs, aux interactions émotionnelles et à la problématique de l'agressivité (Carney,

1977, 1978). Il doit tenir compte des tentatives d'emprise que ces sujets peuvent tenter d'exercer sur la situation clinique : ils regardent davantage leur interlocuteur dans les yeux, se penchent davantage en avant et se caractérisent par un langage gestuel abondant (Rimé et al., 1978). La plupart des auteurs ont souligné la nécessité d'un contrôle ferme qui permet de réduire les tentatives de prise de contrôle des psychopathes sur leur environnement (*cf.* Carney, 1977 ; Leaff, 1978 ; Lösel, 1998 ; Vaillant, 1975 ; Woody et al., 1985). Les thérapeutes peuvent exprimer une autorité relative en utilisant leur statut au sein de l'établissement (Suefeld & Landon, 1978). Les psychopathes disposent de faibles capacités d'identification (*cf.* Aichhorn, 1925/1973) et présentent un sens minime des responsabilités (McCord & McCord, 1964). Par conséquent, le Moi du thérapeute, qui incarne les principes moraux de la société peut être utilisé comme source d'identification (Schmideberg, 1949). Toutefois, il semblerait contre-productif que le thérapeute se centre uniquement sur le volet répressif et ne formule que des interdis moraux dans la mesure où les psychopathes supportent mal l'excès de contrainte.

Les modalités de collaboration doivent être préalablement explicitées et les feed-back doivent être immédiats et continus. Vu ces exigences, Templeman et Wollersheim (1979) soulignent que l'approche cognitivo-comportementale semble plus appropriée que les approches comportementale ou psychodynamique lorsqu'elles sont appliquées de manière isolée. Ces auteurs suggèrent : (1) de s'aligner sur les intérêts du patient ; (2) de lui montrer l'inefficacité de son comportement passé ; (3) de lui montrer que les buts peuvent être réalisés sans enfreindre les lois ; (4) d'amener des changements à travers des techniques de résolution de problème ou des jeux de rôle.

Enfin, la prise en charge des psychopathes, tout comme avec d'autres types de patients, peut provoquer chez le clinicien des réactions négatives qui peuvent induire la crainte du patient, ou faire endosser au clinicien le rôle d'avocat (Carney, 1977). Ces réactions émotionnelles, ainsi que les interventions qui peuvent être vécues comme une attaque personnelle, doivent être évitées. Dès lors, la nécessité du travail en équipe s'impose afin de dépasser les découragements et les inévitables frustrations (Balier, 1988).

L'importance d'une approche préventive de la psychopathie : Psychopathie, hyperactivité et troubles des comportements

Les données que nous avons examinées portent à penser que la psychopathie définie selon la PCL-R constitue un défi pour toute approche psychothérapeutique. Puisque ce trouble semble résistant à toute forme de thérapie, le bon sens clinique invite à identifier les signes précurseurs de la psychopathie afin d'y remédier sur le plan thérapeutique. Cette approche a été préconisée il y a longtemps déjà par McCord et McCord (1964). L'argument qui soutient cette approche est simple : les interventions les plus précoces sont celles qui garantissent le plus de succès. Des données empiriques encouragent la perspective préventive. Ainsi, à partir d'une large revue de la littérature empirique, Lynam (1996) a dégagé un faisceau de données qui souligne l'existence d'un lien « implicite » entre l'hyperactivité (HY), les troubles de la conduite (TC) et la psychopathie. Des données longitudinales suggèrent en effet que les enfants qui manifestent simultanément les symptômes de l'hyperactivité et des troubles de la conduites (HY-TC), présentent des risques d'évoluer vers une attitude antisociale chronique à l'adolescence et à l'âge adulte. Par rapport aux sujets HY ou TC, les sujets HY-TC présentent une plus grande variété de délits (Loeber, Brinthaupt, & Green, 1990 ; Moffitt, 1990), une plus faible conductance cutanée (Delamater & Lahey, 1983), une moindre réactivité cardio-vasculaire lors d'induction émotionnelle relative à la colère et à l'agression (Pelham et al. 1991) ainsi que des fonctions exécutives déficientes à une batterie de tests neuropsychologiques mesurant les fonctions exécutives associées au lobe frontal (Moffitt & Henry, 1989). Or, ces caractéristiques ont été observées chez des psychopathes adultes. Toutefois, les associations entre l'échelle de psychopathie (CPS de Lynam, 1997) et les mesures neuropsychologiques liées aux fonctions exécutives et à la capacité d'inhibition comportementale n'ont pu être confirmées dans les travaux ultérieurs de Lynam. Ainsi, si certains résultats permettent d'établir un lien entre le score à l'échelle de psychopathie et l'impulsivité, ils n'indiquent pas pour autant une association claire entre la psychopathie et l'inattention (Toupin, Côté & Hodgins, chapitre 4 de ce volume). En effet, les résultats dans ce domaine semblent loin d'être unanimes selon que l'on ait évalué les enfants (CPS de Lynam, 1997) ou les adolescents (Moffitt & Henry, 1989).

Dans les lignes qui suivent, nous envisagerons les pistes de traitement en distinguant le sous groupe HY-TC d'une part et celui des TC d'autre part, tels que le suggère les écrits scientifiques pertinents. On soulignera que les troubles HY-TC ont fait l'objet de traitements pharmacologiques et cognitivo-comportementaux (Abikoff & Klein, 1992). L'utilisation de substances stimulantes telles que la méthylphenidate donnerait des résultats favorables en diminuant l'hyperactivité motrice, les troubles attentionnels et l'impulsivité (Abikoff & Klein, 1992). Par ailleurs, la nature multi-modale du trouble HY-TC milite en faveur d'un programme cognitivo-comportemental qui porte sur les difficultés dans la résolutions de problèmes rencontrés lors de situations interpersonnelles telles que la recherche de solutions alternatives face à une difficulté, ou la possibilité de se « mettre dans la peau d'autrui ». Il découle de ce qui vient d'être souligné que l'évaluation des enfants HY-TC devrait permettre l'identification de la co-morbidité. Il paraît nécessaire d'intégrer la sphère éducative et parentale dans toute approche de traitement dans la mesure où des données suggèrent la présence de troubles psychopathologiques, des difficultés conjugales et des déficits dans les aptitudes éducatives chez les familles de sujets présentant de l'HY-TC (Lahey et al.,1988).

En ce qui a trait au sous groupe TC, l'utilisation de substances telles que la méthylphenidate diminuerait les troubles agressifs, mais les données actuellement disponibles sont contradictoires en ce qui concerne une amélioration significative à long terme pour les TC (Abikoff & Klein, 1992). Parmi les programmes cognitivo-comportementaux qui s'appliquent aux jeunes présentant des comportements antisociaux, notons le programme de gestion de la colère chronique en 12 séances présenté par Lochman, Burth, Carry et Lampron (1984). Ce programme a pour effet une diminution significative des troubles de comportements agressifs, diminution observée tant en milieu scolaire que familial. Toutefois, les effets à long terme d'un tel traitement ne semblent pas clairement établis (Lochman, 1988). En appliquant un programme multi-modal de 25 séances, qui comprend des exercices pratiques à réaliser en dehors de la situation thérapeutique, Kazdin, Esveldt-Dawson, French et Unis (1987) ont observé une diminution significative des conduites hétéro-agressives chez de jeunes sujets antisociaux caractérisés par des comportements violents lors d'une évaluation qui couvre une période follow-up d'un an. En ce qui a trait au traitement familial, Patterson et ses collègues (Patterson, 1974 ; Patterson, Chamberlain & Reid, 1982) rapportent des résultats favorables à la suite d'un programme d'assistance parentale relatif aux conduites antisociales de l'enfant, programme fondé sur le principe de l'apprentissage social.

Frick et ses collaborateurs (Frick, 1996 ; Frick et al, 1994) ont identifié un sous groupe d'enfants qui présentent à la fois un détachement émotionnel important et des troubles significatifs de comportements. Les auteurs ont émis l'hypothèse que ces enfants étaient des candidats probables à une évolution vers la psychopathie. Ils ont établi une distinction prometteuse entre la trajectoire psychopathique et celle liée à des rôles et des modèles éducatifs qui altèrent le processus de socialisation « normal » de l'individu.

Etant donné les enjeux que présente la psychopathie pour le fonctionnement de la société, la résistance des psychopathes à toute forme de traitement actuellement disponible, les recherches futures pourraient s'intéresser davantage au développement de programmes efficaces auprès des jeunes en voie de psychopathisation et tester l'hypothèse d'une « malléabilité » des sujets présentant des risques d'évolution vers la psychopathie (Forth & Burke, 1998). Toutefois, le développement de ces programmes nécessite au préalable l'identification de « sujets à risque ». Sur ce point, les données de la littérature sont encore loin d'être unanimes et nécessitent plus de recherches. Néanmoins, les bénéfices de ces recherches pourraient être multiples ; contrairement aux adultes, ces sujets ne sont pas encore enfermés dans un cercle de mesures restrictives comme les arrestations multiples, la marginalisation sociale, l'usage de drogue ou la consommation d'alcool. Par conséquent, les possibilités de traitement devraient être plus nombreuses au sein de la famille, des réseaux relationnels et de l'école et ce, avant que les conséquences négatives ne s'accumulent.

Conclusion

La plupart des auteurs qui abordent le traitement de la psychopathie ne statuent pas sur une incurabilité définitive (Blackburn, 1993). Toutefois, les études qui utilisent la PCL-R (Ogloff et al., 1990 ; Rice et al., 1992 ; Harris et al., 1994) ont confirmé le pessimisme thérapeutique avancé il y longtemps déjà (McCord & McCord, 1964). Les psychopathes, ainsi définis, nécessitent un environnement où les règles sont à la fois strictes et explicites. Ils séjournent plus longtemps en prison, présentent plus souvent des troubles agressifs et manifestent peu d'enthousiasme pour la participation aux programmes thérapeutiques. Ils présentent le pronostic le plus sombre de la population délinquante (Sutker, 1994) et on ne peut exclure que certains d'entre eux évoluent plus défavorablement encore après un traitement communautaire (Hare, 1996 ; Harris et al., 1994). Toutefois, malgré le pessimisme généralisé, les cliniciens doivent poursuivre leurs efforts dans la recherche de modalités thérapeutiques efficaces dans la mesure ou les psychopathes présentent des taux très élevés de comportements violents (Serin & Brown, 1996).

Les attitudes thérapeutiques auprès des psychopathes suscitent un certain consensus. Les règles de collaboration doivent être réalistes, structurantes, voire directives. Une attitude « confrontante-active » est préférable à une attitude « interprétative-passive ». En effet, le thérapeute doit montrer au sujet qu'il saisit ses tentatives de manipulation. Il doit éviter la contrainte excessive et tâcher de confier au sujet des responsabilités valorisantes et contrôlées. Plutôt que de vouloir changer de manière globale la propension des psychopathes à la récidive, les cliniciens doivent formuler des objectifs « réalistes » en agissant par exemple sur le contrôle de la colère et les conduites impulsives. En effet, ces aspects peuvent être reconnus comme « problématiques » par le sujet lui-même. Sous cet angle, l'approche cognitivo-comportementale de Novaco (1997), relative à la colère, peut s'avérer utile. Toutefois, la marge de manoeuvre thérapeutique est étroite quelque soit l'approche théorique choisie.

Six recommandations peuvent être avancées pour les recherches relatives au traitement de la psychopathie. La première recommandation porte sur la nécessité de disposer d'études contrôlées. En effet, ces études manquent cruellement au sein du courant psychodynamique et, dans une moindre mesure, au sein du courant cognitivo-comportemental. Eventuellement, les études contrôlées peuvent contribuer à l'amélioration des programmes déjà existants ; la lacune observée à ce sujet alimente le scepticisme des cliniciens (Lang, 1993, communication personnelle). En second lieu, les critères d'évaluation de la psychopathie varient considérablement selon les études. Les recherches à venir pourraient généraliser l'usage de la PCL-R (Hare, 1991). Cet instrument définit la psychopathie de manière spécifique et présente des qualités psychométriques indéniables qui ont permis des avancées importantes dans le domaine de la recherche. En troisième lieu, le traitement de la psychopathie ne devrait plus considérer uniquement le taux de récidive comme indice d'efficacité. D'une part, ce dernier ne rend pas compte de l'évolution délictueuse du sujet comme par exemple le passage d'une délinquance hétéro-agressive à une délinquance portant sur des biens matériels. D'autre part, ce même critère occulte des paramètres psychologiques relatifs à l'évolution émotionnelle du sujet, son bien-être affectif, sa propension à la colère ou à l'anxiété, etc. Quatrièmement, il serait important d'analyser ce qui amène les psychopathes à réduire leurs comportements criminels aux alentours de la quarantaine. Enfin, les études ultérieures devraient davantage examiner l'attente qu'ont les thérapeutes du traitement de la psychopathie ainsi que l'importance qu'ils accordent au déterminisme social sur le comportement délicteux (Hare, 1996). En effet, Blackburn (1988) a suggéré que les thérapeutes qui abordent les comportements antisociaux sous l'angle d'une déviation sociale plutôt que sous l'angle d'une déviation de la personnalité sont plus pessimistes quant aux résultats du traitement. Enfin, étant donné les conséquences dévastratrices des attitudes et des comportements du psychopathe sur le fonctionnement de la société, sa résistance aux traitements psychologiques actuellement disponibles, la recherche future pourrait s'intéresser de près au développement de programmes efficaces auprès des jeunes en voie de psychopathisation (Forth & Burke, 1998).

Références

ABIKOFF, H., & KLEIN, R.G. (1992). Attention-deficit hyperactivity and conduct disorder : Comorbidity and implications for treatment. *Journal of Consulting and Clinical Psychology, 60,* 881-892.

AICHHORN, A. (1925/1973). *Jeunesses à l'abandon.* Toulouse : Privat.

American Psychiatric Association (1987). *Diagnostic and Statistical Manual of mental disorders* (3rd ed.). Washington, DC : Author.

ANDREWS, D. A., ZINGER, I., HOGE, R. D., BONTA, J., GENDREAU, P., & CULLEN, F. T. (1990). Does correction of treatment work ? A clinical relevant and psychologically informed meta-analysis, *Criminology, 28,* 369-404.

BALIER, C. (1988). *Psychanalyse des comportements violents.* Paris : Presses Universitaires de France.

BAUMEISTER, R.F., SMART, L., & BODEN, J.M. (1996). Relation of threatened egotism to violence and agression : The dark side of high self esteem. *Psychological Review, 103,* 5-33.

BERMOND-VORST (1994). *Echelle d'alexithymie,* Université d'Amsterdam, Université Catholique de Louvain.

BLACKBURN, R. (1988). *Treatment of the psychopathic offender.* Paper presented at a conference on clinical approaches to working with mentally disordered offenders. University of Leicester, September.

– (1993). *The psychology of criminal conduct : Theory, research and practice.* Chichester : Wiley.

BOWMAN, P.C., & AUERBACH, S.M. (1982). Impulsive youthful offenders : A multimodal cognitive behavioral treatment program. *Criminal Justice and Behavior, 9,* 432-454.

BRAUNSCHWEIG, D., LEBOVICI, S., & VAN THIEL-GODFRIND, J. (1969). La psychopathie chez l'enfant. *La Psychiatrie de l'Enfant, 12,* 5-106.

CARNEY, F. L. (1977). Outpatient treatment of the aggressive offender. *American Journal of Psychotherapy, 31,* 265-274.

– (1978). Inpatient treatment programs. In Reid, J. (Eds.), *The psychopath : A comprehensive study of antisocial disorders and behaviors,* (pp. 261-285). New York : Brunner Mazel.

CLECKLEY, H. M. (1976). *The mask of sanity* (5th ed). St. Louis, MO : Mosby.

DEBRAY, Q. (1984). *Le psychopathe.* Paris : Presses Universitaires de France.

DELAMATER,.M., & LAHEY, B.B. (1983). Physiological correlates of conduct problems and anxiety in hyperactive and learning disabled children. *Journal of Abnormal Child Psychology, 10,* 389-409.

EISSLER, K. R. (1950). Ego implication of the psychoanalytic treatment of delinquents. *Psychoanalytic Study of the Child, 5,* 97-121.

ENGLE, D., BEUTLER, L. E., & DALDRUP, R. J. (1991). Focused expressive psychotherapy : Treating blocked emotions. In L. S. Greenberg &J. D. Safran (Eds.), *Emotion, psychotherapy and change,* (pp. 169-196). New York : Guilford.

ESTEBAN, C., GARRIDO, V., MOLERO, C. (1995). *The effectiveness of treatment of psychopathy : A meta-analysis.* Paper presented at the NATO Advances Study Institute on psychopathy, November 1996, Alvor, Portugal.

FORTH, A., BURKE, H. (1998). Psychopathy in adolescence. In D. Cooke, A. E. Forth, & R.D. Hare (Eds.). *Psychopathy : Theory, research and implications for society,* (pp 205-229). Dordrecht : Kluwer Academic Publishers..

FREDERIKSEN, L. W., & RAINWATER, N. (1981). Explosive behavior : A skill deveIoppment approach to treatment. In R. B. Stuart (Ed.), *Violent behavior : Social learning approaches to prediction, management and treatment,* (pp. 265-288). New York : Brunner Mazel

FRICK, P.J., O'BRIEN, B.S., WOOTON, J.M., & MCBURNETT, K. (1994). Psychopathy and conduct problems in children. *Journal of Abnormal Psychology, 103,* 700-707.

FRICK, P.J. (1996). Callous-Unemotional traits and conducts problems : A two factor model of psychopath in children. *Journal of Abnormal Psychology, 103,* 700-707.

GOLDSTEIN, A. P., & KELLER, H. R. (1987). *Agressive behavior : Assessment and intervention.* New-York : Pergamon.

HARE, R. D. (1965). Temporal gradient of fear arousal in psychopathy. *Journal of Abnormal Psychology, 7,* 442-445.

– (1983). Diagnosis of antisocial personality disorder in two prison populations. *American Journal of Psychiatry, 140,* 887-890.

– (1991). *The Hare Psychopathy Checklist-Revised.* Toronto : Multi-Health Systems.

– (1996). Psychopathy : A clinical construct whose time has come. *Criminal Justice and Behavior, 23,* 25-54.

– (1998). Psychopaths and their nature : Implications for the mental health and criminal justice systems. In T. Millon, E. Simonsen, M. Birket-Smith, & R.D. Davis (Eds.), *Psychopathy : Antisocial, criminal, and violent behavior,* (pp. 188-212). New York : Guilford.

HARE, R.D., FORTH, A., E., & STRACHANT, K. (1992). Psychopathy and crime across the life span. In R. Dev. Peters, R. J. McMahon, & V. L. Quinsey (Eds.), *Agression and violence throughout the life span* (pp.285-300). Newbury Par, CA : Sage.

HARE, R. D., MCPHERSON, L. M., & FORTH, A. E. (1988). Male psychopaths and their criminal careers. *Journal of Consulting and Clinical Psychology, 56,* 710-714.

HARRIS, G. T, RICE, M.E., & CORMIER, C.A. (1991). Psychopathy and violent recidivism. *Law and Human Behavior, 15,* 625-637.

– (1994). Psychopaths : Is a therapeutic community therapeutic ? *Therapeutic Communities, 15,* 283-299.

HART, S., & DEMPSTER, R. (1997). Impulsivity and psychopathy. In C.D. Webster & M.A. Jackson(Eds.), *Impulsivity : Theory, assessment and treatment,* (pp. 212-232). New-York : Guildford Press.

HOFFMAN, P. B., & BECK, J. L. (1984). Burnout-age at release from prison and recidivism. *Journal of Criminal Justice, 12,* 617-623.

HOLLIN, (1993). Advances in the psychological treatment of delinquent behavior. *Criminal Behaviors and Mental Health, 3,* 142-157.

IZZO, R. L., & ROSS, R. R. (1990). Meta-analysis of rehabilitation programs for juvenile delinquents. A brief report. *Criminal Justice and Behavior, 1,* 134-142.

KAZDIN, A.E., BASS, D., SIEGEL, T., & THOMAS, C. (1989). Cognitive-Behavioral therapy and relationship therapy in the treatment of children referred for antisocial behavior. *Journal of Consulting and Clinical Psychology, 57,* 522-535.

KAZDIN, A.E., ESVELT-DAWSON, K. FRENCH, N.H., & UNIS, A.S. (1987). Problem-solving skills training and relationship therapy in the treatment of antisocial child behavior. *Journal of Consulting and Clinical Psychology, 55,* 76-85.

KENNARD, D. (1983). *An introduction to therapeutic communities.* London : Routledge.

KERNBERG, O. (1980). *La personnalité narcissique.* Toulouse : Privat.

KOHUT, H. (1974). *Le soi.* Paris : Presses Universitaires de France.

LAHEY, B.B., PIACENTINI, J.C., MCBURNETT, K., STONE, P., HARTDAGEN, M.A., & HYND, G. (1988). Psychopathology in the parents of children with conduct disorder and hyperactivity. *Journal of the American Academy of Child and Adolescent Psychiatry, 27,* 163-170.

LAPIERRE, D., BRAUN, C.M.J., & HODGINS, S. (1995). Ventral frontal deficits in psychopathy : Neuropsychological test findings. *Neuropsychologia, 33,* 139-151.

LEAFF, L. A. (1978). The antisocial personality : Psychodynamic implications. In Reid, J. (Ed.), *Unmasking the psychopath,* (pp. 79-117). New York : John Wiley.

LEVINE, W. R., & BORNSTEIN P. E. (1972). Is the sociopath treatable ? The contribution of psychiatry to a legal dilemme. *Washington University Law Quaterly, 2,* 693-717.

LION, J. R. (1978). Outpatient treatment of psychopaths. In J. Reid (Ed.), *The psychopath : A comprehensive study of antisocial disorders and behaviors,* (pp. 286-300). New York : Brunner Mazel.

LOCHMAN, J.E. (1988). *Cognitive-behavioral intervention with agressive boys : Three year follow-up effects.* Paper presented at the Annual Meeting of the American Psychological Association. Atlanta. GA.

LOCHMAN, J.E., BURCH, P.R., CURRY, J.F., & LANPRON, L.B. (1984). Treatment and generalization effects of cognitive-behavioral and goal-setting interventions with aggressive boys. *Journal of Consulting and Clinical Psychology, 52,* 915-916.

LOEBER, R, BRINTHAUPT, V.P., & GREEN, S. (1990). Attention deficits, impulsivity, and hyperactivity with or without conduct problems : Relationship to delinquency and unique contextual factors. In R.J. McMahon & R.C. Peters (Eds.), *Behavior disorders of adolescence : Research, intervention, and policy in clinical and school settings* (pp39-61). New-York : Plenum.

LÖSEL, F. (1996). Des programmes correctionnels efficaces : que nous révèle la recherche empirique et que ne révèle-t-elle pas ? *Forum : Recherches sur l'actualité correctionnelle, 8,* 1-6.

– (1998). Treatment and management of psychopaths. In D. Cooke, A. E. Forth, & R.D. Hare (Eds.). *Psychopathy : Theory, research and implications for society,* (pp. 303-354). Dordrecht : Kluwer Academic Publishers.

LYNAM, D.R. (1996). Early identification of chronic offenders : Who is the Fledging psychopath ? *Psychological Bulletin, 120,* 209-234.

– (1997). Pursuing the psychopath : Capturing the fledglins psychopath on a nomological net. *Journal of Abnormal Psychology, 106,* 425-438.

McCORD, W. M., & McCORD, J. (1964). *The Psychopath : An essay on criminal mind.* New York : Van Nostrand.

McDOUGALL, C., BARNETTE, R. M., ASHURST, B., & BRICKMAN, A. (1987). Cognitive control of anger. In B. J. McGurk, D. M. Thorton, M. Williams (Eds.), *Applying psychology to imprisonment : Theory and practice,* (pp. 303-314). London : HMSO.

MADDOCK, P. D. (1970). A five year follow up of untreated psychopaths. *British Journal of Psychiatry, 116,* 511-515.

MOFFITT, T. E. (1990). Juvenile delinquency and attention deficit disorder : Boy's developpemental trajectories from age 3 to age 15. *Child Developpment, 61,* 893-910.

MOFFITT, T. E., & HENRY, B. (1989). Neuropsychological assessment of executive functions in self-reported delinquents. *Development and Psychopathology, 1,* 105-118.

MOYES, T., TENNENT, T. G., & BEDFORD, A. P. (1985). Long term follow up study of a ward-based behavior modification programm for adolescents with acting-out and conducts Problems. *British Journal of Psychiatry, 147,* 300-305.

OGLOFF, J. D., WONG, S., & GREENWOOD, M. A. (1990). Treating criminal psychopaths in a therapeutic community programm. *Behavioral Sciences and the Law, 8,* 181-190.

PATTERSON, G.R. (1974). Interventions for boys with conduct problems : Multiple settings, treatments, and criteria. *Journal of Consulting and Clinical Psychology, 42,* 471-481.

PATTERSON, G.R., CHAMBERLAIN, P., & REID, J.B. (1982). A comparative evaluation of a parent training program. *Behavior Therapy, 13,* 638-650.

PELHAM, W.E., MILICH, R., CUMMINGS, M.E., MUPHY, D.A., SCHAUGHENCY, E.A., & GREINER, A.R. (1991). Effects of background anger, provocation, and methylphenidate on emotional arousal and agressive-responding in attention-deficit hyperactivity disordered boys with and without concurrent agressiveness. *Journal of Abnormal Child Psychology, 19,* 407-426.

PHAM, H.T. (1995). Imagerie et alexithymie chez les psychopathes incarcérés. *Journal de Therapie Comportementale et Cognitive, 5,* 109-116.

PHAM, H.T., RÉMY, S., DAILLIET, A., & LIENARD, L. (1998a). Psychopathie et évaluation des comportements violents en milieu psychiatrique fermé. *L'Encéphale, 24,* 173-179.

PHAM, H.T., PHILIPPOT, P., & RIMÉ, B. (in press). Subjective and Autonomic Responses to Emotion Induction in Psychopaths. *L'Encéphale.*

PHAM, H.T., & RIMÉ, B. (1994). *Psychopathy and emotion words.* Poster presented at the Belgium Psychological Society. Department of Psychology, University of Liège.RICE, M.E. (1997). Violent offender research and implications for the criminal justice system. *American Psychologist, 52,* 414-423.

RICE, M., HARRIS, G., & Cormier, C.A. (1992). An evaluation of a maximum security therapeutic hospital community for psychopaths and other mentally disordered offenders. *Law and Human Behavior, 16,* 399-412.

RIMÉ, B. BOUVY, H., LEBORGNE, B., & ROUILLON, F. (1978). Psychopathy and non verbal behavior in an interpersonal situation. *Journal of Abnormal Psychology, 87,* 636-643.

ROBINS, L. (1966). *Deviant children grows up.* Baltimore : William, Wilkins.

ROSS, R. R., & FABIANO, E. A. (1985). *Time to think : A cognitive Model of Delinquency Prevention and Offender Rehabilitation.* Johnson City, TN : Institute of Social Sciences and Arts.

SCHMIDEBERG, L. (1949). The analytic treatment of major criminals : Therapeutic results and technical problems. In K. R. Eissler (Ed.), *Searchlight on delinquency*, (pp. 174-189). New York : International University Press.

SERIN, R. & BROWN, S. (1996). Stratégies proposées pour améliorer les traitements offerts aux délinquants violents. *Forum. Recherches sur l'actualité correctionnelle, 8*, 45-48.

SPIVACK, G., PLATT, J. J., & SHURE, M.B. (1976). *The problem-solving approach to adjustement : A guide to research and intervention.* San Francisco : Jossey-Bass.

STEINBERG, E. P., & SCHWARTZ, G. (1976). Biofeedback and electrodermal self regulation in psychopathy. *Journal of Abnormal Psychology, 85*, 408-415.

SUEFELD, P., & LANDON, P. B. (1978). Approaches to treatment. In R. D. Hare, & D. Shalling (Eds.), *Psychopathic behavior : Approaches to research*, (pp. 347-377). Chichester, England : Wiley.

SUTKER, P. (1994). Psychopathy : Traditional and clinical antisocial concepts. In D. C. Fowles, P., Sutker, S.H. Goodman, *Special focus on psychopathy and antisocial personality : A developpemental perspective*, (pp. 73-120). New-York : Springer Publishing Company.

TEMPLEMAN, T. L., & WOLLERSHEIM, J. P. (1979). A cognitive-behavioral approach to the treatment of psychopathy. *Psychotherapy : Theory, Research and Practice, 1*, 132-139.

VAILLANT, G. E. (1975). Sociopathy as a human process : A viewpoint. *Archives of General Psychiatry, 32*, 178-183.

WARREN, F. (1994). What do we mean by a « therapeutic community » for offenders ? Commentary on papers by Harris et al. and Cullen. *Therapeutic Communities, 15*, 312-318.

WHITELEY, J. S. (1970). The response of psychopaths to a therapeutic community. *British Journal of Psychiatry, 116*, 517-529.

WILLIAMSON, S., HARPUR, T.J., & HARE, R.D. (1991). Abnormal processing of affective words by psychopaths. *Psychophysiology, 28*, 260-273.

WINNICOTT, D. W. (1971). *De la pédiatrie à la psychanalyse.* Paris : Payot.

WOODY, G. E., MCLELLAN, A. T., LUBORSKY, L., & O'BRIEN, M. D. (1985). Sociopathy and psychotherapy outcome. *Archives of General Psychiatry, 42*, 1081-1086.

CHAPITRE 7

État des connaissances sur la psychopathie : mise en perspective critique

GILLES CÔTÉ & THIERRY HOANG PHAM

La « psychopathie » est devenue une entité nosographique beaucoup mieux circonscrite au cours des vingt dernières années ; les travaux de Hare basés sur la description clinique de Cleckley (1976/1982) ont contribué à donner une définition claire de cette pathologie. L'influence grandissante de ces travaux est perceptible à travers l'augmentation presque exponentielle des études qui ont recours à son échelle de psychopathie au cours des dernières années. Les chapitres précédents donnent une vue exhaustive des connaissances actuelles dans le domaine. Malgré le nombre appréciable d'études, un certain nombre de « zones d'ombre » demeurent, notamment en ce qui a trait à l'étiologie de la psychopathie. Le fait est attribuable à des facteurs d'ordres divers, particulièrement d'ordres historique, culturel et théorique. La démarche critique engagée par l'étude de ces facteurs passe inévitablement par la réflexion épistémologique.

La psychopathie dans le contexte historique

Historiquement, la définition et la compréhension de la psychopathie ont été marquées par le développement du cadre de la psychiatrie. De la théorie des humeurs à la domination des neurosciences dans la foulée du cognitivisme, en passant par les conceptions constitutionnalistes de la seconde moitié du dix-neuvième siècle et les conceptions psychanalytiques du début du vingtième siècle, la définition et la compréhension de la psychopathie s'articulent avec la compréhension de l'homme qui prédomine. Ce faisant, le domaine de recherche s'en trouve orienté. À ce chapitre, il est notable qu'une grande partie des études conduites actuellement dans le champ de la psychopathie cherchent à comprendre la psychopathie sous l'angle de la psychophysiologie et de la neuropsychologie. Au début des années quatre-vingts, suite au déclin du béhaviorisme, « pour être psychologue scientifique, il faut dès lors être cognitiviste ou, mieux, neurocognitiviste... » (Cosnier, 1998) [1]. Par conséquent, le rapport qui s'établit entre le chercheur et le monde des éditeurs, d'une part, et celui des organismes subventionnaires, d'autre part, fait que les études conduites et publiées doivent préférablement être en concordance avec la tendance du moment. Ceci suscite un effet de halo qui peut éventuellement expliquer en partie pourquoi il y a si peu d'études sur l'étiologie de la psychopathie, notamment en ce qui a trait aux interactions vécues au sein de la famille. Rappelons par ailleurs que très peu de travaux ont porté sur des populations cliniques féminines et aucune donnée précise n'existe à ce jour en ce qui concerne la prévalence de la psychopathie auprès de la population générale.

La nature de la psychopathie : Déficit structurel ou déficit fonctionnel ?

Dans le cadre des études conduites sous l'inspiration des neurocognitivistes, un lien causal est généralement établi entre des déficits cognitifs et la psychopathie ; (Hare, 1998 ; Kosson & Newman, 1986 ; Newman, 1998, etc.). Il est souvent difficile de saisir ce que les auteurs désignent par « déficits » : s'agit-il d'un déficit de performance ou d'un déficit lié à une déficience constitutionnelle ? S'il est question d'un déficit de performance, les études conduites dans ce domaine sont intéressantes en ce qu'elles contribuent à valider le construit opérationnel. S'il s'agit d'un déficit constitutionnel, il y a alors tentative d'établir un lien causal à partir d'un schème de recherche de type transversal, ce qui paraît discutable. Ce pas est franchi par Hare (1998). Conscient que les études antérieures n'ont pu démontrer de lésions cérébrales pouvant caractériser les psychopathes (Hart, Forth & Hare, 1990) [2], Hare affirme que « cela » ne signifie pas nécessairement que le modèle pos-

1.– Il s'agit d'un point d'analyse historique présenté par Cosnier (1998) et non d'une opinion personnelle ; sa thèse fondamentale emprunte plutôt aux théories piagétienne et interactionniste.

2.– Lapierre, Braun, & Hodgins (1995) concluent à une altération (« impairment ») orbitofrontale, mais les résultats ne furent pas répliqués ou, à tout le moins, les études conduites dans la poursuite des travaux de Lapierre et de ses collaborateurs n'appuient pas de façon claire l'hypothèse localisationniste (Roussy & Toupin, 2000).

tulant une anomalie cérébrale est insoutenable, mais seulement que cette anomalie est fine et peut-être de nature fonctionnelle plutôt que de nature structurale » (p. 113). Pour sa part, Newman (1998) attribue la psychopathie à un déficit dans le processus du traitement de l'information. Il définit le déficit comme « l'absence de certaines formes de pensée », distinguant le déficit de la distorsion ; dans ce dernier cas, il fait référence à des « processus actifs mais dysfonctionnels de pensée », selon la distinction empruntée à Kendall et Dobson (1993 : voir Newman, 1998, p. 82). Dans l'esprit de Newman, le déficit paraît donc de type structural plutôt que de type fonctionnel. Cet auteur précise par contre :

> « Bien que basé sur un modèle physiologique concernant les conséquences de lésions septales chez des animaux (Gorenstein & Newman, 1980), notre conception théorique de la psychopathie se concentre sur des processus psychologiques (c'est-à-dire des processus perceptifs, d'apprentissage, motivationnels, attentionnels et affectifs) qui contribuent au comportement désinhibé (voir Patterson & Newman, 1993) » (Newman, 1998, p. 85).

Sous l'influence du modèle septal, le déficit sur le plan du traitement de l'information prend la forme ici d'un déficit dans la modulation de réponse, en raison de la rigidité du fonctionnement attentionnel qui empêcherait le psychopathe de modérer ses réponses en fonction d'informations contextuelles changeantes.

Nous faisons allusion ici à la conception de Newman, mais le cadre épistémologique pour asseoir cette démarche de vérification et d'argumentation logique repose sur des mécanismes qui se rencontrent également dans les diverses études psychophysiologiques et neuropsychologiques conduites dans le champ de la psychopathie. Il est repérable chez ceux qui ont attribué la psychopathie à un système d'inhibition comportementale déficient en raison d'un déficit d'un système hypothétique lié à un circuit septo-hyppocampique appelé système BIS (Behavioral Inhibition System) (Roussy, 1999), à un déficit des processus attentionnels (Kosson, 1996), à un déficit dans le processus de modulation des réponses (Kosson & Newman, 1986 ; Newman & Kosson, 1986 ; Newman, Schmitt & Voss, 1997). Dans les études neuropsychologiques, la démonstration repose, d'une part, sur une analogie : un rapprochement entre les symptômes de sujets cérébro-lésés et les symptômes des sujets psychopathes, telle par exemple l'impulsivité observée chez les sujets atteints de lésions à la portion orbitale du lobe frontal, impulsivité qui caractérise également le fonctionnement du psychopathe. D'autre part, les conclusions reposent généralement sur une association entre le groupe diagnostique et l'observation de telle ou telle manifestation psychophysiologique, voire neurologique dans le cas d'une étude qui est allé jusqu'à enregistrer l'activité du cerveau, à partir du débit sanguin, à l'aide d'un appareil à positrons dans le cadre d'une tâche mettant en branle des réactions émotionnelles (Intrator et al., 1997). En somme, au plan épistémologique, la démarche emprunte essentiellement à l'associationnisme, à la fois dans les études neuropsychologiques et psychophysiologiques ; ceci est en particulier perceptible dans les études neuropsychologiques par le recours à l'isomorphisme pour l'établissement d'un ordre de compréhension.

Cette démarche associationniste est aussi présente lors des études qui opérationnalisent la psychopathie à travers un déficit émotionnel (Williamson, Harpur, & Hare, 1991 ; Pham & Rimé, 1994), dans la lignée de la « démence sémantique » de Cleckley (1976/1982 ; 1942). Il ne s'agit plus à proprement parler d'un indice décrivant un patient cérébro-lésé frontal au niveau des mesures cognitives mais bien un indice qui caractérise quelqu'un qui se montre « totalement inapte à saisir émotionnellement la signification profonde des pensées qu'ils expriment ou des expériences qu'ils traversent » (Cleckley, 1976/1987, p. 370). La plupart de ces travaux ont conclu à un déficit émotionnel qui pourrait se limiter à l'anxiété et à la peur en raison d'un déficit de réactivité à ces états émotionnels (Patrick, 1994 ; Patrick, Cuthbert & Lang, 1994).

Influences culturelles et philosophiques à l'origine du cadre de compréhension de la psychopathie

Le fait que le corpus des recherches conduites ces dernières années ait été réalisé en très grande partie en milieu anglo-saxon n'est peut-être pas non plus étranger au fait que l'angle de compréhension soit principalement associationniste. Historiquement, la pensée anglo-saxonne a été largement influencée par l'empirisme de Locke et de Hume, philosophes marquants du XVIIIe siècle en Angleterre. Dans la perspective instaurée par ces philosophes, les connaissances résultent de l'expérience, laquelle nous est accessible par le biais des perceptions. Ces dernières se composent d'impressions et d'idées. Les idées constituent des images ; celles-ci résultent des impressions effacées laissées dans nos pensées et nos raisonnements. À l'origine, les idées sont donc liées aux perceptions. Le raisonnement est alors le résultat d'une chaîne d'impressions estompées qui s'établit sur la base de l'association des idées ; cette chaîne d'idées est mise en place essentiellement sur la base de l'association des perceptions d'abord, puis des idées par la suite. Cette association s'appuie sur les principes associationnistes suivants : « Pour moi, il me paraît qu'il y a seulement trois principes de connexion entre des idées, à savoir ressemblance, contiguïté dans le temps ou dans l'espace et relation de cause à effet » (Hume, 1758/1983, p.72). Qu'entend-on alors par relation de cause à effet, cette conception étant présente dans la plupart des études publiées jusqu'à maintenant qui ont cherché à expliquer le fonctionnement psychopathique ? Hume précise que l'établissement d'un lien causal ne peut être établi par un raisonnement tenu a priori, qu'il ne peut venir que de l'expérience : « Ce qui le (événement) suit, nous le savons par expérience, mais nous ne pourrions le savoir a priori. » (Hume, 1758/1983, p. 134) Ainsi, pour Hume et les associationnistes, c'est l'expérience d'un second événement suivant toujours un premier événement qui permet de parler de causalité :

> « toute idée est copiée d'une impression, d'un sentiment qui la précède ; si nous ne pouvons trouver d'impression, nous pouvons être sûrs qu'il n'y a pas d'idée. Dans tous les cas isolés d'opération du corps ou des esprits il n'y a rien qui produise une impression, ni, par suite, qui puisse suggérer une idée de pouvoir ou de connexion nécessaire. Mais quand beaucoup de cas semblables se présentent et que le même objet est toujours suivi du même événement, nous commençons alors à concevoir la notion de cause et de connexion. Nous sentons alors un nouveau sentiment, une nouvelle impression, à savoir une connexion coutumière dans la pensée ou l'imagination entre un objet et l'événement qui l'accompagne habituellement ; ce sentiment est l'original de l'idée que nous recherchons. » (Hume, 1758/1983, pp. 145-146)

En somme, le lien entre la cause et l'effet reposerait sur une association constante ; la nécessité du rapport observé ne reposerait pas a priori sur une conception théorique qui pourrait permettre de déduire des rapports de causalité, de les comprendre et de les expliquer, ce qui supposerait une organisation préalable de la pensée sous forme d'une conception hypothético-déductive du fonctionnement de la connaissance, mais bien plutôt sur un rapprochement qui permettrait de prédire que la caractéristique première sera suivie de la caractéristique deuxième. La cause se définit alors comme « un objet suivi d'un autre et dont l'apparition conduit toujours la pensée à l'idée de cet autre objet » (Hume, 1758/1983, p. 144). Il s'agit essentiellement d'être en mesure de prédire l'effet à partir de la cause. L'associationnisme décrit ici constitue le cœur même de l'approche cognitivo-behaviorale du fonctionnement humain, de même que de la démarche de recherche retenue par les tenants des formulations neuropsychologiques et psychophysiologiques du fonctionnement psychopathique.

Dans un autre cadre de pensée, celui de conception constructiviste, la prédiction se distingue de l'explication et de la compréhension (voir Piaget, 1970, pp. 106-117, pour la distinction qu'il établit entre prévision [3] et explication). L'ouverture de l'étude de la psychopathie à un

3.– Piaget emploie le terme « prévision » ; ce terme est à rapprocher du terme « prédiction » du fait que la prévision repose sur les lois qui régissent les expériences. Toute loi repose sur une « relation capitale » de sorte que « la légalité se réduit donc à la constatation de la généralité du

monde de langue française, sous son influence européenne, devrait permettre à tout le moins de mettre en perspective et de remettre en question l'approche associationniste. La pensée européenne continentale a été fortement influencée par la pensée de Descartes. Selon cet auteur, le rapport au monde extérieur repose sur l'existence d'idées innées venant de Dieu. L'existence de ces idées innées est déduite par la raison. Hume et Locke se sont opposés à cette vision qui requiert le recours à l'idée d'un dieu initiateur. La philosophie de l'allemand Kant est venu par la suite tempérer quelque peu ce débat. Selon cet auteur, notre connaissance, acquise par le biais de la raison et de l'expérience, ne peut se limiter à l'expérience seule : l'homme posséderait des facettes qui transcendent l'expérience, ce qui lui permet d'organiser a priori sa connaissance du monde.

> « On voit par là, – et il faut bien le remarquer – que, même à nos expériences, il se mêle des connaissances qui doivent avoir une origine *a priori* et qui peut-être servent seulement à fournir une liaison aux représentations des sens. Car, si on élimine des premières tout ce qui appartient aux sens, il reste cependant certains concepts primitifs et certains jugements que ces concepts produisent et qui doivent être formés entièrement *a priori*, indépendamment de l'expérience, puisque c'est grâce à eux qu'on a le droit, – ou que du moins on croit l'avoir – de dire des objets qui apparaissent à nos sens plus que n'en apprendrait la simple expérience, et puisque c'est par eux que des assertions (Behauptungen) renferment une véritable universalité et une nécessité stricte, caractères que la connaissance simplement empirique est incapable de fournir. » (Kant, 1781/1950, pp. 34-35)

Cette possibilité est amplement démontrée, dans les découvertes, par l'anticipation éclairée dont font preuve les hommes de science, en somme par la créativité. En psychologie, l'approche constructiviste de Piaget se situe dans cette ligne de pensée ; elle complète la démarche

fait et ne comporte aucune explication par elle-même. » (Piaget, 1970, p.111). C'est précisément le caractère répétitif d'un fait qui permet de prédire. Pour les empiristes, les rapports de cause à effet sont essentiellement liés à la généralisation des expériences et, partant de là, à la capacité de prédiction :

> « Mais quand une espèce particulière d'événements a toujours, dans tous les cas, été conjointe à une autre, nous n'hésitons pas plus longtemps à prédire l'une à l'apparition de l'autre et à employer ce raisonnement qui peut seul nous apporter le certitude sur une question de fait ou d'existence. Nous appelons alors l'un des objets cause et l'autre effet. Nous supposons qu'il y a une connexion entre eux, et un pouvoir dans l'un qui lui fait infailliblement produire l'autre et le fait agir avec la plus grande certitude et la plus puissante nécessité. » (Hume, 1758/1983, p.142).

Chez Piaget, l'explication exige une mise en relation nécessaire qui peut être déduite *a priori* :

> « La différence entre la nécessité propre à l'explication et la généralité caractéristique des lois comme telles est que la généralité ne tient qu'aux faits (quelle que soit la complexité des méthodes inductives, c'est-à-dire probabilistes ou statistiques qui permettent de l'établir), tandis que la nécessité est le propre des liaisons logiques ou mathématiques : en cherchant à déduire les lois au lieu de les constater simplement, on introduit donc un élément de nécessité qui nous rapproche de l'explication. » (Piaget, 1970, p.112).

kantienne en rompant avec l'agénétisme de la pensée de ce philosophe et en démontrant la dimension génétique, au sens ontogénétique du terme, du fonctionnement cognitif humain. Piaget a établi, de façon empirique, pour une part, et déductive, pour une autre part, l'apport actif du sujet dans le développement cognitif.

Sous l'angle de la réflexion épistémologique esquissée brièvement ici, les résultats des travaux actuels dans le champ de la psychopathie permettent de circonscrire la psychopathie, mais ils ne permettent pas de rendre compte des processus qui sont à la source de cette affection. Cette conclusion s'accorde avec celle de Hallé, Hodgins & Roussy (chapitre 5) qui affirment que les travaux qui ont cherché à présenter les caractéristiques biologiques, émotionnelles et cognitives associées à la psychopathie « peuvent être considérés comme des appuis expérimentaux aux données et aux observations cliniques », mais que « les déficits de performance et les dysfonctionnements émotionnels et cognitifs qui ont été identifiés ne peuvent à l'heure actuelle être vus comme des facteurs étiologiques ». La confrontation des perspectives ne peut qu'être bénéfique au développement de la recherche dans le domaine.

La psychopathie : Un trait de personnalité quantitativement distinct ou un mode d'organisation qualitativement distinct ?

Il n'est pas certain que toutes les études conduites sur la psychopathie assoient leurs conclusions sur des échantillons cliniques comparables. Le problème est moindre lorsque les chercheurs définissent la psychopathie à partir d'un point de coupure reconnu sur l'échelle de psychopathie de Hare. Encore que tous les auteurs n'utilisent pas un même point de coupure, le consensus à ce chapitre est à peu près arrêté. Toutefois, à quel type de clientèle réfèrent les études qui utilisent le score à l'échelle de psychopathie sur une base de continuum pour associer ce score à une variable dépendante ? Théoriquement, il peut n'y avoir aucun sujet avec un résultat de 30 ou plus à l'échelle, ce qui n'empêche pas des auteurs de continuer à parler de psychopathie dans ce cas.

La dimension linéaire ou taxonomique de la psychopathie constitue une question essentielle, mais cette question ne peut être considérée indépendamment des influences épistémologiques.

Le point de coupure à l'échelle de psychopathie

Certes, la décision d'adopter une position linéaire ou taxonomique dans une étude donnée réside souvent dans une position pragmatique ; le fait que plusieurs études conduites auprès de populations où le taux de prévalence de la psychopathie est très bas adoptent une position linéaire s'explique vraisemblablement par lesdites préoccupations pragmatiques. Hare (1991) justifie le point de coupure 30 pour définir la psychopathie sur la base des études montrant un fonctionnement distinct chez les sujets qui obtiennent un tel score, ou plus, à l'échelle de psychopathie. Le débat n'en est pas pour autant clos. Blackburn situe ce débat au niveau théorique (discussion suite à la présentation de Thomas Widiger lors du colloque tenu dans le cadre du North Atlantic Treaty Organization (NATO) Advanced Study Institute (ASI) tenu à Alvor, au Portugal, en décembre 1995). Selon Blackburn (1998), cette distinction ne doit pas être considérée comme absolue. Une catégorie peut représenter une combinaison d'attributs lesquels seraient distribués de manière continue dans une large population. Par ailleurs, cet auteur souligne les corrélations positives entre la PCL-R et les troubles de la personnalité du DSM-III : les personnalités narcissiques, antisociale, passive et agressive, borderline, paranoïde et dépendante. Dans la même veine, le même auteur observe que 6 des 13 troubles de la personnalité au MCMI seraient corrélés avec la PCL-R. Dès lors, la psychopathie de Cleckley constituerait une entité clinique plus large qu'une catégorie unique désignant un seul trouble de la personnalité. Pour Widiger (1998), la psychopathie, comme l'intelligence et d'autres traits de personnalité, doit se comprendre sur un continuum de fonctionnement. Il n'existerait pas de point de coupure sur ce continuum permettant de définir une classe discrète qui distinguerait les individus présentant un tel résultat de ceux de la population générale. La différence est alors essentiellement quantitative et non qualitative. La psychopathie constitue une variante problématique de traits communs de la personnalité et il n'existerait pas de critère qualitatif permettant d'établir une démarcation tranchée entre la présence ou l'absence de troubles de la personnalité. Dès lors, un rapprochement peut donc être établi entre le trouble de la personnalité psychopathique identifiée à travers la PCL-R et les 5 facteurs de la personnalité (Costa & McCrae, 1990) rencontrés chez tout individu, facteurs connus sous l'appellation de « Big Five » (Widiger, 1998 ; Blackburn, 1998). Toutefois, Harpur, Hart, et Hare (1994) montrent que les traits de personnalité regroupés à l'intérieur du facteur 1 de la PCL-R ne sont pas bien représentés par les divers facteurs du NEO-PI.

Donc, pour certains, la psychopathie constitue un trait, rencontré chez tous et chacun, mais selon une intensité variable. Ce trait est à distinguer de tous les autres traits ; il doit avoir sa nature propre. Par conséquent, il ne peut y avoir de recoupement avec d'autres traits pour définir un syndrome particulier. Le débat autour de l'opérationnalisation du diagnostic du trouble de personnalité antisociale s'en trouve marqué : Widiger et Corbitt (1995) affirment en effet que l'inclusion des items « absence d'empathie » et « surestimation de soi », issus de l'échelle de psychopathie, aurait pour effet de compliquer la distinction du trouble de personnalité antisociale et du trouble de personnalité narcissique. Nous sommes véritablement dans une position élémentariste puisqu'il s'agit de retrouver des éléments premiers, fondamentaux, pour comprendre les phénomènes même les plus complexes (Reber, 1985). Selon cette approche, les phénomènes complexes se différencient des phénomènes premiers par leur intensité ; la différence observée repose sur la quantité.

À l'opposé, considérer la psychopathie sous l'angle d'une taxonomie renvoie à une conception holistique du fonctionnement humain ; le fonctionnement ne repose plus sur une intensité variable d'un trait de personnalité, mais plutôt sur l'agencement d'un certain nombre de traits qui, en raison du tableau d'ensemble, caractérise tel ou tel fonctionnement. Cette position transcende les parties du fait que la relation entre ces parties est ici fondamentale [4]. La psychopathie réfère donc, sous cette dernière approche, à une entité clinique qualitativement définie et caractérisée par une organisation spécifique.

En somme, tout retour critique sur l'ensemble des études portant sur la psychopathie (et il devrait en être de même dans tout champ de la psychologie) renvoie nécessairement à une dimension théorique fondamentale. Qu'elle en soit consciente ou non, la recherche emprunte à des conceptions philosophiques (conception de l'homme) et, plus spécifiquement, à leur position épistémologique (philosophie de la connaissance au sens propre ; réflexion sur la démarche de connaissance, au sens plus appliqué, ce qui renvoie à la façon dont l'individu entre en rapport avec le monde pour s'en faire une représentation). À notre connaissance, cet aspect a été jusqu'ici omis dans la réflexion qui s'est établie autour de la psychopathie.

Taxonomie et source d'informations pour la cotation

La réflexion sur la discussion linéaire ou taxonomique de la psychopathie permet aussi de mettre en perspective le débat actuel sur la méthode de cueillette d'informations pour la cotation à l'échelle de psychopathie. Hare (1991) soutient que l'évaluation de la psychopathie

4.– Consulter Lundin (1996) et Wertheimer (1972) pour une distinction des positions élémentaristes et holistiques en psychologie.

exige une entrevue semi-structurée en plus de la nécessité de colliger les diverses informations pertinentes dans les divers dossiers (carcéraux, judiciaires, cliniques, etc.) du sujet. D'autres prétendent qu'il est possible de parvenir au même résultat en recourant aux seuls dossiers (Wong, 1984, 1988). Ainsi, forts de cette démonstration de Wong, Harris, Rice et Quinsey recourent aux seuls dossiers pour évaluer la psychopathie (Harris, Rice, & Cormier, 1991 ; Harris, Rice, & Quinsey, 1993, 1994 ; Quinsey, Rice, & Harris, 1995 ; Rice & Harris, 1992, 1995, 1997 ; Rice, Harris, & Cormier, 1992 ; Rice, Harris, & Quinsey, 1990). Étant donné que ce seul secours aux dossiers a pour effet de sous-évaluer le nombre de sujets psychopathes lorsque le point de coupure est 30 à l'échelle de psychopathie (Wong, 1988), ces derniers auteurs utilisent le point de coupure 25 pour définir un seuil à partir duquel il est possible de parler de psychopathie ; ce point de coupure leur paraît le plus discriminant et permet, selon eux, de circonscrire un sous-groupe relativement « pur » parmi les sujets antisociaux (Harris et al., 1994), tout en offrant un bon potentiel de prédiction.

Il est indéniable que les scores établis à partir des seules informations contenues aux dossiers ont tendance à être plus bas. Toutefois, si la psychopathie se caractérise par un certain mode d'organisation de la personnalité (approche holistique), est-ce que le fait d'abaisser le seuil pour compenser le manque d'information (approche linéaire) permet de garder l'essentiel des caractéristiques du mode de fonctionnement ? Certains argumenteront sur le fait que Harris et al. (1994) montrent que le point de coupure 25 permet de cerner un sous-groupe spécifique. Cette démonstration est statistique mais correspond-t-elle au même construit clinique ? Nos propres observations permettent d'attirer l'attention sur le fait que certains items de l'échelle de psychopathie sont surévalués dans les dossiers institutionnels, ce qui est le cas notamment des items 6 (absence de remords et de culpabilité) et 16 (incapacité d'assumer la responsabilité de ses faits et gestes), alors que la plupart sont sous-évalués, notamment les items 1 (loquacité et charme superficiel), 2 (surestimation de soi), 4 (tendance au mensonge pathologique), 11 (promiscuité sexuelle) et 17 (nombreuses cohabitations de courtes durées), pour ne nommer que ceux-là. Il est reconnu que le facteur 1 est le facteur qui définit le mieux le mode de fonctionnement psychopathique (Cooke & Michie,1997), facteur caractérisé par l'identification de traits de personnalité, qualifié aussi de facteur lié au narcissisme (Gacono, Meloy, Speth, & Roske, 1997). Par conséquent, les items 1 (loquacité et charme superficiel) et 2 (surestimation de soi) sont particulièrement significatifs. Par contre, sur la base des informations contenues aux dossiers, Harris et al. (1994) soulignent que les items 8 (insensibilité/manque d'empathie), 6 (absence de remords et de culpabilité) et 7 (affect superficiel) cernent les aspects les plus centraux de la psychopathie, items du facteur 1 auxquels ils ajoutent un item du facteur 2, soit l'item 12 (apparition précoce de problèmes de comportement). À l'exception de l'item 12, nous avons pu nous-mêmes constater que les items 6, 7 et 8 ne posent pas de problèmes particuliers sur la base des seules informations aux dossiers, encore que l'item 6 soit quelque peu sur-représenté et l'item 7 quelque peu sous-représenté.

Soutenir que le fait d'abaisser le point de coupure n'a pas de répercussion sur l'entité clinique étudiée exige que chacun des items connaisse un degré comparable de manque de visibilité lorsque l'information est recueillie uniquement dans les dossiers. L'expérience pratique montre que ce n'est pas le cas ; certains items sont sur-représentés alors que plusieurs sont sous-représentés. Sous l'angle d'une approche taxonomique basée sur une organisation spécifique de certains traits de personnalité, le simple fait d'abaisser le point de coupure pour parler de psychopathie paraît inacceptable, à tout le moins fortement discutable, puisque la démarche s'inscrit dans une conception linéaire de la psychopathie, même si Harris et al. (1994) ont malgré tout parlé de taxonomie.

Taxonomie et compréhension des divergences culturelles

Le même type de réflexion s'applique aux études conduites dans un contexte autre que le milieu nord-américain. Tel que mentionné au chapitre 2, Cooke est sans contredit celui qui s'est le plus intéressé à la validation transculturelle de l'échelle de psychopathie. Etant donné que les études conduites en Europe, particulièrement celles réalisées en Angleterre, en Belgique et en Ecosse, n'observent pas de taux de prévalence de la psychopathie comparables à ce qui est rencontré en Amérique du Nord, les auteurs ont tendance à diminuer le point de coupure sur l'échelle de psychopathie pour tenir compte des différences culturelles (Cooke, 1998 ; Cooke & Michie, 1997, 1999 ; Pham, 1995, 1998 ; Pham, Remy, Dailliet, & Lienard, 1998). Sur la base des arguments amenés au paragraphe précédent, il y a lieu de se demander si nous parlons de psychopathie à partir de traits qui ne sont pas nécessairement agencés de façon identique. Si la psychopathie réfère à un mode d'organisation de la personnalité, il est possible de penser que les attitudes fondamentales demeurent les mêmes d'une culture à l'autre, mais que c'est l'expression adoptée, la forme extérieure, qui varie d'une culture à l'autre. Il serait alors préférable de revoir l'opérationnalisation des items plutôt que d'en diminuer l'intensité. Ainsi, à titre d'exemple, il n'est pas certain que la loquacité et le charme superficiel se manifestent de la même façon en Belgique qu'au Québec, voire même qu'en

France. En Belgique, l'accent est peut-être moins à placer sur l'aspect loquacité, alors que le côté charmeur prend possiblement une teinte locale. Toutefois, il devrait être encore possible de cerner cet individu qui veut se montrer sous un beau jour, qui sait flatter son interlocuteur pour l'amadouer, tout en livrant très peu de lui-même, un individu qui a besoin de percevoir la réaction de l'autre pour être renforcé sur sa valeur personnelle. Cooke (1998) reconnaît que l'expression des traits de personnalité varient d'une culture à l'autre ; il a formulé l'hypothèse de divergences interculturelles entre les échantillons cliniques européens et américains du nord au niveau des scores de la PCL-R. Toutefois, si les données disponibles actuellement permettent de formuler cette hypothèse, elles ne permettent pas de la tester valablement. En effet, la grande majorité des études disponibles tant en Amérique du nord qu'en Europe ne s'appuient pas sur des échantillons représentatifs. Il y aurait donc lieu de recourir aux standards prévus dans la littérature épidémiologique afin de tester valablement cette hypothèse. On constate en effet des écarts de prévalence surprenants entre les échantillons des différents pays (chapitre 2). Par ailleurs, des formations uniformisées et partagées à l'évaluation de la PCL-R devraient permettre d'harmoniser la cotation des items à travers différents pays et déboucher sur des taux de prévalence qui reposent sur une cotation commune.

Organisation qualitativement distincte et répercussions sur la méthodologie

Le cadre théorique détermine également le cadre d'analyse statistique. La question de la fidélité inter-observateurs apparaît dès les premières analyses. Selon que la conception de la psychopathie repose sur une approche linéaire ou taxonomique, la fidélité des jugements cliniques sera analysée statistiquement, pour l'une, sous l'angle d'une fidélité inter-observateurs vérifiée à l'aide d'un coefficient intra-classe, pour l'autre, sous l'angle d'un accord inter-observateurs vérifié à l'aide d'un coefficient kappa. Hare (1991) [5] distingue entre l'accord absolu, souhaité pour l'utilisation clinique de son échelle de psychopathie, et l'accord relatif, suffisant pour l'utilisation de celle-ci dans le cadre de la recherche. Bien que Hare et ses collaborateurs (Forth et Hart, en particuliers) abordent l'étude de la psychopathie en comparant des psychopathes à des non-psychopathes (approche taxonomique), ils utilisent généralement un coefficient intra-classe pour évaluer la fidélité des diagnostics. La consultation du tableau 2 au chapitre 2 laisse

5.– Consulter Tinsley & Weiss (1983) pour la distinction entre la fidélité inter-observateurs et l'accord inter-observateurs.

clairement voir que très peu de chercheurs se préoccupent de l'accord inter-observateurs. Sur la base d'un coefficient intra-classe, et à plus forte raison s'il s'agit d'une simple corrélation, il pourrait arriver que deux assistants de recherche fassent preuve d'une bonne fidélité inter-observateurs, mais que l'un identifie plus de psychopathes que l'autre, si leur désaccord relatif est constant (Côté, 1990). Les analyses subséquentes prendront également une forme différente selon que l'approche est linéaire ou holistique. Dans le premier cas, l'approche d'analyse linéaire sera privilégiée, ce qui annonce des analyses basées sur la variance ou, selon les distributions, sur le rang. En contrepartie, les analyses se sont souvent limitées à des comparaisons de groupes, s'il est fait exception de quelques régressions logistiques (voir par exemple Hart, Kropp, & Hare, 1988). Si effectivement la psychopathie doit être comprise sous l'angle d'un mode d'organisation, les préoccupations de Bergman et Magnusson (1997) pour des analyses centrées sur les sujets plutôt que sur les variables prennent tout leur sens. Ces analyses, plus proches des approches cliniques traditionnelles, permettent d'établir des patterns spécifiques de variables basés sur une organisation spécifique liée à un type particulier de sujets « à risque ». Il s'agit d'une voie qui offre des possibilités intéressantes dans le futur.

Linéarité et problème de définition du groupe des individus dits « mixtes »

La diminution du point de coupure à l'échelle développée par Hare pour définir la psychopathie amène vraisemblablement une confusion dans la nature même des clientèles étudiées, tel que nous venons d'en mentionner le fait en nous appuyant sur quelques items plus difficiles à cerner sur la base des seuls dossiers, d'une part, et en raison des manifestations culturelles variées qui peuvent les caractériser, d'autre part. À ce chapitre, la difficulté de définir un point de coupure partagé par tous engage également la difficulté de bien définir ce qui caractérise les sujets dits « mixtes » à l'échelle de psychopathie, soit les sujets qui présentent un score variant entre 20 et 29 à l'échelle. Ce sous-groupe a été très peu étudié et ses manifestations ont été souvent occultées. Les études vont généralement comparer le sous-groupe des psychopathes (score de 30 et plus à la PCL-R) à celui des non-psychopathes (score inférieur à 20 à la PCL-R). C'est ainsi qu'on pourra affirmer que les psychopathes récidivent plus et plus vite que les non-psychopathes (Côté & Hodgins, 1996 ; Hare, 1981 ; Hart et al., 1988 ; Hemphill, 1991 : voir Hare, Forth, & Strachan, 1992 ; Serin, 1996 ; Serin & Amos, 1995 ; Serin, Peters, & Barbaree, 1990 ; Wong, 1996). Cependant, le tableau est moins clair en ce qui a trait à la différence observée entre les psychopathes et les sujets dits « mixtes ». Plusieurs observent des différences statistiquement significatives entre ces deux derniers groupes mais, sur la base d'un suivi de dix ans, Wong (1996) n'observe pas de différence statistiquement significative. Serin et al. (1990) concluent que les psychopathes récidivent et sont condamnés quatre fois plus souvent que les non-psychopathes. Toutefois, ils omettent de souligner que le taux de récidive est de 31 % chez les cas « mixtes » comparativement à 33 % chez les psychopathes, une différence certainement non significative compte tenu du nombre de sujets. Hart et Hare (1998) ne rapporteront pas ce dernier résultat en présentant l'étude de Serin et al. (1990), omettant de parler des cas « mixtes », alors qu'ils mentionneront la différence statistiquement significative entre les non-psychopathes, les cas « mixtes » et les psychopathes dans l'étude de Côté et Hodgins (1996). Le suivi de l'échantillon francophone de Côté et Hodgins (1996) montre, après cinq ans, qu'il existe effectivement une différence statistiquement significative mais que celle-ci est relativement minime (Tremblay, 1998). Hart et Hare (1998) ne mentionnent pas les résultats de Wong (1996). L'inconsistance des résultats en ce qui a trait aux cas dits « mixtes » paraît attribuable au fait qu'il s'agit vraisemblablement d'un groupe hétérogène, de sorte que le type d'échantillon influence les résultats de façon importante. Techniquement, un individu peut obtenir un score le plaçant dans la catégorie des sujets « mixtes » sur la simple cotation aux items du facteur 2 (possibilité de 18 points), lorsque un ou deux autres indices comportementaux s'ajoutent, tel le fait d'avoir connu de nombreuses cohabitations de courte durée (item 17), de la promiscuité sexuelle (item 11) ou une diversité des types de délits (item 20). En d'autres termes, des aspects comportementaux peuvent suffire à obtenir ce score intermédiaire, bien qu'il soit reconnu que ce sont les items du facteur 1, liés à des traits de personnalité, indices d'un narcissisme pathologique, qui caractérisent le psychopathe.

Dans le même sens, dans ses recherches portant sur les mesures psychophysiologiques associées aux émotions, Patrick et ses collaborateurs (Patrick, 1994 ; Patrick, Cuthbert, & Lang, 1994) ont pris le soin de tenir séparément compte des scores aux facteurs 1 et 2 de la PCL-R. L'objectif de cette démarche consiste en une meilleure opérationnalisation des traits affectifs liés à la psychopathie en mettant ces derniers en relation avec les variables psychophysiologiques mesurées. Les auteurs ont ainsi défini non pas deux groupes de sujets (psychopathe versus contrôle) mais trois groupes de sujets appelés respectivement, « antisociaux », « détachés antisociaux » et « non détachés non antisociaux ». Patrick et al. soulignent cependant que les sujets présentant un score élevé au facteur 1 et un score faible au facteur 2 (détachés non antisociaux) sont rarement identifiés en prison et ils formulent l'hypothèse que ces individus sont aptes à mener un vie sociale régulière en société.

Il est intéressant d'observer que des sujets atteints de troubles mentaux se retrouvent pour une bonne part dans le groupe des « mixtes » (44,4 % des patients issus du milieu médico-légal selon Hare, 1991). Par contre, en ce qui a trait au groupe des psychopathes, les différences sont notables, comme nous avons pu le constater au chapitre 2 : à l'exception de l'étude de Rasmussen et Levander (1996), les taux de prévalence sont nettement plus bas dans le groupe des sujets atteints de troubles mentaux sévères et persistants que dans le groupe des sujets détenus qui ne présentent pas de tels troubles. En ce sens, Hart et Hare (1989) concluent que la psychopathie est un syndrome clinique distinct Nous avons pu nous-mêmes constater qu'il y a très peu de psychopathes parmi les sujets atteints de troubles mentaux graves (Côté & Lesage, 1995), mais qu'un certain nombre d'entre eux (15,5 %) présentaient un score qui les situe dans le groupe des sujets dits « mixtes » à l'échelle de psychopathie (Côté & Lesage, données non publiées). L'écart considérable entre les taux de prévalence des sujets dits « mixtes » rapportés par Hare (1991) et notre propre étude est probablement attribuable à la procédure d'échantillonnage. Alors que les sujets retenus par Hare (1991) relèvent du champ de la psychiatrie légale, ceux de notre étude ont été recrutés, d'une part, dans le milieu carcéral, et d'autre part, dans le milieu des hôpitaux psychiatriques généraux. Démonstration s'en trouve faite que la procédure d'échantillonnage influence le type de clientèle retrouvé dans la zone de l'échelle de psychopathie se situant entre les scores de 20 et 29. Lorsque le point de coupure est situé à 30, ce problème est estompé du fait que très peu de sujets atteints de troubles mentaux sévères et persistants sont susceptibles d'obtenir un tel score.

Ce problème des sujets mixtes rejoint les difficultés relatives au critère pivot de la psychopathie. Dans plusieurs pays européens, la plus faible prévalence de haute psychopathie a débouché sur le choix pragmatique consistant à abaisser le score total à la PCL-R significatif pour définir un groupe psychopathique (score total à la PCL-R de 20 ou 25). Toutefois, ce groupe ainsi défini, s'apparenterait aux sujets « mixtes » chez qui la recherche de spécificités émotionnelles et cognitives semble problématique. Cette situation expliquerait que des hypothèses issues de la description d'un déficit émotionnel global ont été que partiellement confirmées et ont abouti sur un profil moins pathologique et plus nuancé que ce qu'avait laissé entrevoir Cleckley (Pham, 1995).

En somme, le groupe des sujets dits « mixtes » est un groupe hétérogène qui a été très peu étudié. L'absence d'études épidémiologiques, tel que nous l'avons constaté au chapitre 2, contribue également à perpétuer l'imprécision autour de ce sous-groupe ; elle ne permet pas d'avoir une idée précise du taux de prévalence d'une part, ni d'avoir une idée du nombre de psychopathes et de cas « mixtes » dans diverses clientèles, en particulier chez les détenus et chez les sujets atteints de troubles mentaux sévères et persistants, d'autre part. En ayant une idée précise du nombre de cas « mixtes » dans chacune de ces clientèles notamment, il serait possible de mieux cerner le degré d'hétérogénéité de ce sous-groupe, sachant par ailleurs que la psychopathie est un syndrome clinique distinct (Hart & Hare, 1989).

Le diagnostic de psychopathie ne peut donc être établi à partir d'un point de coupure réduit. Il est difficile de conclure à partir des résultats obtenus, que ce soit dans une procédure de validation de construit en recourant à diverses mesures psychophysiologiques ou neuropsychologiques, que ce soit dans le cadre de l'évaluation de programme, lorsque la formation des sous-groupes repose sur une adaptation des points de coupure à l'échelle pour tenir compte de la source d'information ou des différences culturelles.

Spécificités psychophysiologiques et cognitives

Les tenants d'une approche taxonomique s'appuient notamment sur les spécificités expérimentales relatives aux domaines psychophysiologique et neuropsychologique. Toutefois, plusieurs observations pourraient être formulées.

En premier lieu, des doutes demeurent quant à la question de savoir si ces données sont l'apanage exclusif des psychopathes. En effet, dans ces domaines, la recherche comparée est loin d'avoir investigué tous les autres troubles cliniques.

En second lieu, les aspects psychophysiologiques liés à la conductance cutanée face à un choc électrique constitueraient une spécificité autonomique. Il semblerait qu'il en va de même en ce qui concerne la faiblesse de la réponse défensive oculaire (startle reflex) lors d'un contexte d'imagerie émotionnelle induisant la peur. Mais en dehors de ces résultats, il n'est pas exagéré de dire que la recherche a dégagé peu d'idiosyncrasies psychophysiologiques liées aux émotions (Blackburn, 1993). Dans l'état actuel de nos connaissances, on peut se demander si le déficit global en émotions souligné par Cleckley (1976/1982) ne représente pas avant tout un déficit lié à l'anxiété et à la peur (Lykken 1995).

En troisième lieu, les spécificités neuropsychologiques de la psychopathie ont longtemps été occultées par des divergences de méthodes d'évaluation de ce trouble. Toutefois, la sensibilité des tests neuropsychologiques classiques n'est pas garantie dans la mesure où ces derniers sont avant tout conçus pour détecter des troubles relatifs aux traumatismes aigus chez les sujets préalablement « normaux ». Par ailleurs, l'utilisation de larges batteries de tests auprès de petits échantillons réduit la puissance statistique et augmente le risque d'erreur. Ces deux facteurs réduisent la probabilité de détecter des différences plus subtiles chez les sujets psychopathiques. Enfin, comme le rappelle à juste titre Camus (1996), ces tests classiques ne permettent une mesure directe et univoque des difficultés attentionnelles ou encore des variables cognitives liées aux fonctions exécutives mais bien une « inférence à partir d'une mise en perspective de nombreux tests différents pour un même sujet », ce qui en soi revêt néanmoins une indiscutable valeur clinique. En fait, ces tests suggèrent un déficit attentionnel sans pour autant le préciser davantage (Camus, 1996).

Lykken (1995) a raison de questionner l'interprétation des résultats trouvés et de les associer à une simple opérationnalisation de traits cliniques présents chez le sujet psychopathique (recherche de sensation, impulsivité). Selon cet auteur, la recherche expérimentale à travers les travaux de Newman notamment tend à « persévérer » dans un paradigme dont le statut épistémologique est insuffisamment clarifié. Aussi, paraît-il utile que les chercheurs dans le domaine de la psychopathie clarifient leur position épistémologique en évitant de mélanger leur niveau d'analyse. A ce titre, il parait essentiel de distinguer deux approches. Il y aurait d'une part une approche neurobiologique dite « ascendante » qui s'intéresse particulièrement à la qualité, et donc à la localisation, des équipements cérébraux sous-jacents afin de comprendre le fonctionnement du sujet. D'autre part, on peut opter pour une autre approche, celle de la neuropsychologique cognitive, dite « descendante » qui s'intéresse plus particulièrement à la description fonctionnelle des conduites sans pour autant introduire à priori de contraintes biologiques (Seron, 1993). Cette prise de distance, voire ce refus de contraintes biologiques, se justifierait par un appel à l'autonomie des niveaux d'explication défini par Marr (1982, voir Seron, 1993, pp.122-123) : le niveau « fonctionnel » qui constitue la description formelle des sorties du système selon ses entrées ; le niveau « algorithmique » qui spécifie les étapes du traitement et le niveau dit « hardware », soit celui de la machinerie qui décrit les structures matérielles et concrètes.

Enfin, des données de la littérature suggèrent cependant que des jeunes antisociaux, présentant des troubles neuropsychologiques, manifesteraient par la suite une carrière antisociale persistente. Néanmoins, des incertitudes demeurent concernant le déterminisme de ces déficits neuropsychologiques sur l'évaluation de la psychopathie adulte (Hodgins et al., 1998). Dans les années à venir sans doute, les avancées de la recherche dans ce domaine permettront une meilleure analyse de l'évolution longitudinale des troubles neuropsychologiques tant subtils qu'avérés. Ces avancées permettront de mieux circonscrire les voies de remédiation éventuelles de ces troubles ainsi que l'étendue du déterminisme cérébral.

L'intervention et l'évaluation de programme en regard du cadre théorique

Il existe très peu d'études qui ont cherché à évaluer l'efficacité des programmes de traitement auprès des psychopathes (chapitre 6). En ce qui a trait aux interventions primaire et secondaire [6], soit pour l'une, avant les premières manifestations des problèmes de comportement, soit pour l'autre, dès les premières manifestations des troubles de comportement, les données actuelles sur l'étiologie de la psychopathie (chapitres 4 et 5) ne permettent pas de prendre un recul suffisant pour véritablement mettre sur pied des programmes de prévention ciblés. Par ailleurs, les difficultés semblent tout aussi présentes dans le cadre de l'intervention tertiaire, soit après que les troubles de comportement se soient manifestés de façon plus soutenue. Il s'agit ici d'une intervention de type curative, d'un programme de traitement proprement dit. Un constat négatif a été nettement renforcé, certains soutenant que les psychopathes seraient incurables. Qui plus est, Rice et al. (1992) observent que les psychopathes qui participent à un programme inspiré de la communauté thérapeutique connaissent un plus haut taux de récidive violente que les psychopathes qui n'ont pas participé à un tel programme. Toutefois, ces chercheurs utilisent les seuls dossiers et le point de coupure 25 ; il y a lieu de se demander si l'échantillon est vraiment représentatif des sujets antisociaux et psychopathes. De plus, le programme de traitement est jugé inhabituel, complexe et controversé (Hare, 1998) ; ces critiques sont également formulées par Warren (1994). Ogloff, Wong et Greenwood (1990) ont montré que les psychopathes évoluent moins, s'avèrent moins motivés et décrochent plus rapidement d'un programme de traitement que les non-psychopathes. Néanmoins, ces derniers auteurs affirment qu'en pratique, il est impossible de prouver que les psychopathes ne peuvent tirer profit d'un programme de traitement. Dans les faits, il n'y a jamais eu de programme spécifiquement conçu pour intervenir auprès des psychopathes et il n'est pas évident que ce qui se dégage de la littérature sur l'efficacité des programmes de traitement puisse indistinctement s'appliquer à tous les criminels (McCord, 1982 ; Robinson, 1996). Hare a proposé un programme spécifique, basé sur une approche cognitivo-comportementale, mais il n'a jamais été mis en pratique (Hare, 1998). Le recours à

6.– Voir Caplan (1964), de même que Vittaro, Dobkin, Gagnon, & LeBlanc (1994) pour la distinction entre les préventions primaire, secondaire et tertiaire.

une approche cognitivo-comportementale découle du cadre implicite de compréhension de Hare, puisque l'opérationnalisation mise en place dans le cadre de l'échelle de psychopathie est en elle-même athéorique ; cette opérationnalisation ne s'appuie pas sur un processus. Sans reprendre ce qui a été présenté en première partie de ce chapitre critique, il demeure que cette approche s'appuie sur le cadre cognitiviste qui prévaut dans le milieu nord-américain où a été développée l'échelle de psychopathie. Certes, la majeure partie des méta-analyses (Andrew & Bonta, 1994 ; Gendreau & Andrews, 1990 ; Palmer, 1994) conduites pour évaluer l'efficacité des programmes de traitement concluent à l'efficacité de l'approche cognitivo-comportementale auprès des délinquants, mais il est loin d'être assuré qu'il s'agisse de la seule approche possible. Stone (1995) soutient que la problématique typiquement psychopathique dépasse les possibilités de l'intervention cognitivo-behaviorale. Pour Hollin (1990), il s'agit du modèle d'intervention à privilégier, mais les preuves des effets à long terme des programmes cognitivo-behavioraux sont limitées. Blackburn (1993), de même que McCord (1982), retiennent que des résultats intéressants ont été obtenus avec des programmes basés sur le milieu thérapeutique ; l'expérience de Patuxent, aux États-Unis, constitue l'exemple type à ce chapitre.

En somme, l'intervention auprès des psychopathes demeure un champ presque inexploré. Malgré la perception négative des possibilités à ce chapitre, il demeure qu'aucune intervention vraiment ciblée n'a été mise en place jusqu'à maintenant. L'évaluation de l'efficacité d'un programme demeure également un exercice difficile. La récidive demeure un critère plutôt grossier ; Blackburn (1993) questionne la validité du critère de récidive comme mesure de « succès » d'un programme d'intervention. Il apparaît encore ici que le choix d'un indicateur d'efficacité est tributaire du cadre conceptuel. Ainsi, Quay (1987) rapporte les résultats d'une étude où le traitement behavioral est jugé efficace puisqu'il donne lieu à un meilleur ajustement institutionnel du fait que le nombre de conflits à l'intérieur de l'institution s'en trouve diminué, la présence de conflits étant cependant un indicateur parmi d'autres. Dans un cadre de compréhension psychodynamique, l'absence de conflits n'est pas en soi un critère de réussite, la réalité pouvant même être inverse, puisque l'absence de conflits peut indiquer qu'il s'y passe rien sur le plan thérapeutique. L'absence de conflits peut être associée à la conformisation, laquelle ne doit pas être confondue avec la socialisation.

De la recherche à la clinique : les risques d'une utilisation abusive de l'échelle de psychopathie

La popularité de l'échelle de psychopathie est telle, du moins dans le monde anglo-saxon, que son utilisation en clinique est de plus en plus fréquente, notamment dans le cadre d'évaluations psycho-légales. Son utilisation en clinique nécessite par contre un certain nombre de mises en garde ; celles-ci correspondent à un certain nombre de risques liés à une utilisation abusive de l'échelle. Ogloff et Lyon (1998) ont soulevé un certain nombre de considérations légales en ce qui a trait à l'utilisation du « concept » de psychopathie dans un tel cadre. Etant donné les conséquences néfastes pour l'individu qui reçoit un diagnostic de psychopathie, notamment la tendance des intervenants à adopter des mesures plus rudes à l'endroit des individus considérés psychopathes, il y a lieu de s'arrêter quelque peu sur ces risques.

Premièrement, les qualités métrologiques de l'échelle de psychopathie, particulièrement en ce qui a trait à la validité de prédiction, amènent certains cliniciens à accorder un poids exagéré au score de psychopathie issu de l'échelle dans l'évaluation du risque de comportement violent ou de récidive. Un indice, quelque soit sa valeur, ne peut constituer la seule variable prise en compte pour une évaluation clinique (Hart, 1998). Deuxièmement, comme le souligne à juste titre Ogloff et Lyon (1998), la psychopathie, telle que mesurée à l'aide de la PCL-R, réfère à un syndrome clinique ; le terme utilisé pour désigner ce syndrome n'a pas de correspondance légale. Malgré le pronostic négatif associé à ce syndrome, ce dernier ne peut être assimilé au fonctionnement du « psychopathe sexuel », selon une terminologie ancienne du droit canadien, ou au « trouble psychopathique » du droit anglais. Troisièmement, bien que Ogloff et Lyon (1998) situent la question sur un plan légal essentiellement, il importe de tenir compte du fait que les qualités métrologiques de l'échelle de psychopathie ont été établies à partir d'une approche nomothétique, soit une approche basée sur des tendances centrales. Au plan légal, comme au plan clinique selon nous, il est essentiel d'établir des distinctions individuelles. La première permet des analyses actuarielles, mais le clinicien a toujours à évaluer la pertinence de cette analyse pour son client. Selon Hart (1998), l'analyse actuarielle du risque a ses limites ; aux indices statiques issus de cette analyse, il importe de considérer des aspects « idiosyncrasiques »[7] issus du jugement clinique. En passant ainsi d'une approche essentiellement nomothétique à une approche idiosyncrasique, ou à une approche qui se préoccupe à tout le moins de différences individuelles,

7.– Qualificatif utilisé par Hart lui-même.

voire d'unicité du fonctionnement, nous revenons sur le terrain de l'épistémologie. En effet, dans un cadre associationniste, seule la première approche fait sens, alors que le cadre holistique met l'accent sur la seconde approche. Il s'agit alors de passer d'une approche soit comparative, soit expérimentale, à une approche clinique. Pour certains, l'approche individuelle, dite également clinique, est la seule qui puisse donner accès au processus. Alors que les expériences classiques [8] nous apportent des conclusions en termes de relations, celles dont il est maintenant question [9] permettent de mettre en évidence des processus... » (Matalon, 1995, p.123). Qui plus est, l'étude des processus renvoie à la dimension temporelle : un processus ne peut être saisi que dans le temps et dans l'espace.

Pistes pour l'avenir

Prévalence dans des populations variées

La PCL-R a avant tout été utilisée dans les milieux carcéraux qui sont connus pour leur plus grande prévalence de psychopathie (Hare, 1996). Toutefois ; nous manquons de données en ce qui a trait à cette prévalence chez des populations tout venant. En ce qui concerne la population générale, Hare (1996) a formulé l'hypothèse d'une prévalence de 1 % dans la population générale mais nous ne disposons pas encore de données solides nécessaires pour étayer cette hypothèse. Rappelons par ailleurs que ces données sont aussi manquantes chez les femmes incarcérées ainsi que chez les adolescents. Cet état de fait est partiellement explicable par l'engouement que suscite la recherche comparative et de l'effet de halo lié aux paradigmes actuellement proposés par la recherche en neuropsychologie.

Aspects développementaux

Toutes les études conduites jusqu'à maintenant pour comprendre la psychopathie ont adopté une approche transversale. Les seuls aspects prospectifs concernent le suivi d'échantillons de sujets incarcérés afin d'évaluer le potentiel de prédiction de l'échelle de psychopathie (Hart et al., 1988 ; Hemphill, Templeman, Wong, & Hare, 1998 ; Ross, 1992 ; Tremblay, 1998). Eu égard au fait qu'un processus ne peut être

8.– Référant ici aux expériences réalisées dans un cadre expérimental.

9.– Référant aux expériences réalisées dans le cadre d'une observation clinique, laquelle soutient que « l'information individuelle peut être suffisamment riche pour permettre des conclusions dans chaque cas » (pp.122-123).

étudié que dans le temps et dans l'espace, il paraît incontournable que l'étude de la psychopathie devra se tourner vers une approche longitudinale.

Dans le cadre du chapitre 4, Toupin et al. se sont centrés sur les variables familiales, cognitives et sociales. Ces auteurs ont souligné qu'un faisceau de la littérature insiste sur le rapprochement entre la psychopathie et les troubles d'attention et de comportements présents chez l'enfant. Il semblerait toutefois que ce rapprochement nécessite des recherches complémentaires. En effet, les méthodes d'évaluation de ces enfants varient nettement selon les études (Frick, 1998 ; Lynam, 1996,1997,1998). Par ailleurs, il serait très intéressant de pouvoir isoler les nombreux facteurs qui seraient responsables du parcours développemental de ces sujets psychopathes devenus adultes et d'investiguer la spirale interactionnnelle dans laquelle ces sujets ont évolué. Pour ce faire des études prospectives semblent indispensables. Un faisceau de données suggèrent que les problèmes de comportements des très jeunes enfants peuvent affecter les stratégies disciplinaires de leurs parents (Bell & Chapman, 1986 ; Lytton, 1990 ; Moffitt & Lynam, 1994) ainsi que les interactions avec les adultes et les pairs plus tard. En ce qui a trait aux problèmes neuropsychologiques, ces sujets peuvent être vulnérables aux environnements pathologiques (Moffitt & Lynam, 1994). Ces enfants ne sont en général pas issus d'un environnement favorisé. Les enfants qui présentent de la colère clastique et de l'impulsivité ont tendance à avoir des parents qui exercent une discipline inconsistante. Des enfants présentant à la fois des déficits neuropsychologiques et un milieu défavorisé présentent des scores d'agression quatre fois supérieurs ayant soit des déficits neuropsychologiques soit un mileu défavorisé (Moffitt & Lynam, 1994). Dans le cadre du chapitre 5, Hallé et al. se sont demandés si la psychopathie était une entité clinique qui émerge lorsqu'un certain nombre de déficits apparaît chez un même individu. La réponse à cette question dépend de l'identification de ces déficits et de leurs inter-relations au cours du développement du sujet. Dans cette optique, la recherche développementale a beaucoup à apporter.

La démarche épistémologique privilégiée dans le présent chapitre et l'étude critique des résultats obtenus à partir des études conduites jusqu'à maintenant auprès des psychopathes, en particulier dans le champ de la neuropsychologie et de la psychophysiologie, en arrivent sensiblement à la même conclusion : seules les études prospectives longitudinales donneront véritablement accès à la compréhension. L'approche longitudinale n'est pas nécessairement clinique en elle-même, mais elle permet de dépasser la simple description et la simple opérationnalisation. En d'autres termes, l'approche longitudinale ne garantit pas en elle-même la saisie des processus, les remarques adressées à l'approche nomothétique en comparaison de l'approche idiosyncrasique doivent également être prises en compte, mais elle offre des possibilités qui méritent attention. Tel que mentionné antérieurement, l'approche d'analyse présentée par Bergman et Magnusson (1997) offre à ce chapitre un compromis intéressant en ce que l'analyse, rappelons le, n'est plus centrée sur les variables mais sur les personnes.

Psychopathie, impulsivité et émotions

Nos connaissances sur la psychopathie sont tributaires des avancées de la recherche relatives aux caractéristiques psychologiques observées dans ce syndrome. Parmi ces caractéristiques, nous pouvons faire référence à l'univers des émotions, aux dysfonctionnement cognitifs et à l'impulsivité. Citons par exemple les travaux de Patton, Standford et Barratt (1995) qui ont récemment défini l'impulsivité selon trois dimensions essentielles : l'impulsivité motrice, la non planification et l'impulsivité cognitive alors que White et al. (1994) ont défini l'impulsivité selon les dimensions opérationnelles d'impulsivité cognitive et motrice. Par ailleurs, nous pouvons constater que le rapprochement entre les travaux de la PCL-R et ces évaluations de l'impulsivité n'ont que partiellement été établis. Ce rapprochement faciliterait l'interprétation des données relatives aux associations qui existent entre la psychopathie, le déficit d'attention, le déficit des fonctions exécutives et l'hyperactivité (Toupin et al., chapitre 4).

Enfin, la psychopathie serait-elle davantage associée aux dimensions d'impulsivité et d'agression qu'à un déficit émotionnel qui se résume à la peur ? Serait-elle plutôt le fruit de la combinaison de « déficits subtils » ? Nous rappellerons ici que notre compréhension au niveau des inter-relations entre ces dimensions est tout à fait lacunaire. Pourtant l'avancement de nos connaissances sur la psychopathie dépendra de la capacité de la recherche à intégrer des modèles expérimentaux interactionnels qui évalueront simultanément des mesures opérationnelles relatives aux éventuels dysfonctionnements émotionnels et cognitifs.

Conclusion

La notion de psychopathie a été validée au cours des 20 dernières années. Nous possédons maintenant un instrument fidèle et valide pour poser un diagnostic spécifique. Toutefois, nous ne pouvons qu'être d'accord avec Hallé et al. (chapitre 5) qui concluent que les connaissances issues de la multitude d'études sur le fonctionnement psychophysiologique et neurocognitif du psychopathe ont peu d'importance pour la pratique. Ceci est attribuable au fait que les relations observées ne permettent pas de saisir les processus inhérents au fonctionnement du psychopathe. Nous sommes portés à ajouter que les diverses études qui ont cherché à cerner la prévalence du syndrome sont également limitées du fait qu'elles ne rencontrent jamais les critères d'une étude proprement épidémiologique. Des critiques à cet égard ont été formulées au chapitre 2. Très peu d'études ont porté sur les aspects étiologiques de la psychopathie, ce qui limite également notre compréhension. Cet état de fait paraît attribuable pour une bonne part au cadre épistémologique tacite qui sous-tend les études réalisées dans le domaine. L'approche associationniste qui caractérise les cadres de référence identifiés s'inscrit dans la lignée de l'empirisme anglo-saxon. Ce cadre de référence tacite n'influence pas seulement la compréhension du fonctionnement psychopathique ; la remise en question du cadre amène à concevoir la psychopathie non plus sous l'angle d'un continuum mais bien sous celui d'une catégorie discrète, d'une taxonomie. Certes, quelques auteurs ont cherché à asseoir cette conception taxonomique de la psychopathie, mais la démarche est essentiellement pragmatique et non théorique. Ce faisant, ils n'ont pas tiré toutes les possibilités de l'approche holistique pour la démarche d'analyse statistique ; l'adoption d'une approche holistique a aussi des répercussions sur la conception d'un programme d'intervention adapté au mode de fonctionnement psychopathique, ce qui remet en cause la pertinence du modèle d'intervention cognitivo-behavioral.

Poser les enjeux d'une position épistémologique ne solutionne pas pour autant les questions soulevées, pas plus que cette démarche ne saurait mettre un terme aux débats qui ont eu cours de tout temps sur ces questions fondamentales. Au sein même des collaborateurs réunis pour l'élaboration de ce livre, il n'existe pas de consensus. Le choc de la confrontation des perspectives permet une vision plus décentrée de la problématique inhérente à la psychopathie. Il y a lieu de croire que l'ouverture de la réflexion à la communauté européenne francophone contribuera également à accentuer et à féconder encore davantage ce processus de décentration.

Références

ANDREWS, D. A., & BONTA, J. (1994). *The psychology of criminal conduct.* Cincinnati (Oh.) : Anderson.

BERGMAN, L. R., & MAGNUSSON, D. (1997). A person-oriented approach in research on developmental psychopathology. *Development and Psychopathology, 9*, 291-319.

BLACKBURN, R. (1993). *The psychology of criminal conduct : Theory, research and practice.* Chester, England : Wiley.

– (1998). Psychopathy and personality disorder : Implications of interpersonal theory. In D. J. Cooke, A. E. Forth, & R.D. Hare (Eds.), *Psychopathy : Theory, research and implications for society* (pp. 269-302). Dordrecht, Netherlands : Kluwer Academic Publishers.

CAMUS, J.F. (1996). *La psychologie cognitive de l'attention.* Armand Colin.

CAPLAN, G. (1964). *Principles of preventive psychiatry.* New York : Basic Books.

CLECKLEY, H. (1976/1982). *The mask of sanity.* New York : Mosby.

– (1942). Semantic dementia and semi-suicide. *Psychiatric Quarterly, 16*, 521-529.

COOKE, D. J. (1998). Psychopathy across cultures. In D. J. Cooke, A. E. Forth, & R.D. Hare (Eds.), *Psychopathy : Theory, research and implications for society* (pp. 13-45). Dordrecht, Netherlands : Kluwer Academic Publishers.

COOKE, D. J., & MICHIE, C. (1997). An item response theory analysis of the Hare Psychopathy Checklist-Revised. *Psychological Assessment, 9*, 3-14.

– (1999). Psychopathy across cultures : North America and Scotland compared. *Journal of Abnormal Psychology, 108*, 58-68.

COSNIER, J. (1998). *Le retour de Psyché : Critique des nouveaux fondements de la psychologie.* Paris : Desclée de Brouwer.

COSTA, P.T., & McCrae, R.R. (1990). Personality disorders and the five-factor model of personality. *Journal of Personality Disorders, 4*, 362-371.

CÔTÉ, G. (1990). Interrater reliability and interrater agreement with the french version of the Hare's Psychopathy Checklist. *Paper presented at the annual convention of the Canadian Psychological Association, Ottawa, Ontario*, May31 – June 2.

CÔTÉ, G., & Hodgins, s. (1996). *L'Échelle de psychopathie de Hare - Revisée (PCL-R) : Éléments de la validation française.* Toronto : Multi-Health Systems.

CÔTÉ, G., & LESAGE, A. (1995). *Diagnostics complémentaires et adaptation sociale chez des détenus schizophrènes ou dépressifs.* Montréal, Québec : Centre de recherche de l'Institut Philippe Pinel de Montréal.

FRICK, P. (1998). Callous-unemotional traits and conduct problems : Applying the two-factor model of psychopathy to children. In D. J. Cooke, A. E. Forth, & R.D. Hare (Eds.), *Psychopathy : Theory, research and implications for society* (pp 161-187) Dordrecht, Netherlands : Kluwer Academic Publishers.

GACONO, C. B., MELOY, J. R., SPETH, E., & ROSKE, A. (1997). Above the law : Escapes from a maximum security forensic hospital and psychopathy. *Journal of American Academy of Psychiatry and Law, 25*, 547-550.

GENDREAU, P., & ANDREWS, D. A. (1990). Tertiary prevention : What the meta-analyses of the offender treatment literature tell us about « what works ». *Canadian Journal of Criminology, 32,* 173-184.

HARE, R. D. (1981). Psychopathy and violence. In J. R. Hays, T. K. Roberts, & & K. S. Soloways (Eds), *Violence and the violent invidual* (pp. 53-74). Jamaica, NY : Spectrum.

– (1991). *The Hare Psychopathy Checklist : Revised.* Toronto, Ontario : Multi-Health Systems, Inc.

– (1996). Psychopathy : A clinical construct whose time has come. *Criminal Justice and Behavior, 23,* 25-54.

– (1998). Psychopaths and their nature : Implications for the mental health and criminal justice systems. In T. Millon, E. Simonsen, M. Birket-Smith, & R.D. Davis (Eds.), *Psychopathy : Antisocial, criminal, and violent behavior* (pp. 188-212). New York : Guilford.

HARE, R. D., FORTH, A. E., & STRACHAN, K. E. (1992). Psychopathy and crime across the life span. In R. D. Peters, R. J. McMahon, & V. L. Quinsey (Eds), *Agression and the violence throughout the life span* (pp. 285-300). Newbury Park : Sage Publications.

HARRIS, G. T., RICE, M. E., & CORMIER, C. A. (1991). Psychopathy and violent recidivism. *Law and Human Behavior, 15*, 625-637.

HARRIS, G. T., RICE, M. E., & QUINSEY, V. L. (1993). Violent recidivism of mentally disordered offenders : The development of a statistical prediction instrument. *Criminal Justice and Behavior, 20*, 315-335.

HARRIS, G. T., RICE, M. E., & QUINSEY, N. (1994). Psychopathy as a taxon : Evidence that psychopaths are a discrete class. *Journal of Consulting and Clinical Psychology, 62*, 387-397.

HART, S. D. (1998). The role of psychopathy in assessing risk for violence : Conceptual and methodological issues. *Legal and Criminological Psychology, 3,* 121-137.

HART, S. D., FORTH, A. E., & HARE, R. D. (1990). Performance of criminal psychopaths on selected neuropsychological tests. *Journal of Abnormal Psychology, 99,* 374-379.

HART, S. D., & HARE, R. D. (1989). Discriminant validity of the Psychopathy Checklist in a forensic psychiatric population. *Psychological Assessment : A Journal of Consulting and Clinical Psychology, 1,* 211-218.

– (1998). Psychopathy : Assessment and association with criminal conduct. In D. M. Stoff, & J. Maser (Eds), *Handbook of antisocial behavior* (pp. 22-35). Toronto : Wiley.

HART. S. D., KROPP, P. R., & HARE, R. D. (1988). Performance of male psychopaths following conditional release from prison. *Journal of Consulting and Clinical Psychology, 56*, 227-232.

HEMPHILL, J. F., TEMPLEMAN, R., WONG, S., & HARE, R. D. (1998). Psychopathy and crime : Recidivism and criminal careers. In D.J. Cooke, A.E. Forth, & R.D. Hare (Eds), *Psychopathy : Theory, research and implications for society* (pp. 375-399). Dordrecht, Netherlands : Kluwer Academic Publishers.

HODGINS, S., CÔTÉ, G., & TOUPIN, J. (1998). Major mental disorder and crime : An etiological hypothesis. In D. J. Cooke, A. E. Forth, & R.D. Hare (Eds.), *Psychopathy : Theory, research and implications for society* (pp. 321-256). Dordrecht, Netherlands : Kluwer Academic Publishers.

HOLLIN, C. R. (1990). *Cognitive-behavioral interventions with young offenders.* Toronto : Pergamon Press.

HUME, D. (1758/1983). *Enquête sur l'entendement humain.* Paris : Flammarion.

INTRATOR, J., HARE, R., STRITZKE, P., BRICHTSWEIN, K., DORFMAN, D., HARPUR, T., BERSTEIN, D., HANDELSMAN, L., SCHAEFER, C., KEILP, J., ROSEN, J., & MACHAC, J. (1997). A brain imaging (single photon emission computerized tomography) study of semantic and affective processing in psychopaths. *Biological Psychiatry, 42*, 96-103.

KANT, E. (1781/1950). *Critique de la raison pure.* Paris : PUF.

KOSSON, D. S. (1996). Psychopathy and dual-task performance under focusing conditions. *Journal of Abnormal Psychology, 105*, 391-400.

KOSSON, D. S., & NEWMAN, J. P. (1986). Psychopathy and the allocation of attentional capacity in a divided-attention situation. *Journal of Abnormal Psychology, 95*, 257-263.

LAPIERRE, D., BRAUN, M. J., & HODGINS, S. (1995). Ventral frontal deficits in psychopathy : Neuropsychological test findings. *Neuropsychologia, 33*, 139-151.

LUNDIN, R. W. (1996). *Theories and systems of psychology* (5e ed.). Toronto : D.C. Heath and Company.

LYKKEN, D.T. (1995). *The antisocial personalities.* Hillsdale, NJ : Lawrence Erlbaum.

LYNAM, D.R. (1996). Early identification of chronic offenders : Who is the Fledging psychopath ? *Psychological Bulletin, 120*, 209-234.

– (1997). Pursuing the psychopath : Capturing the fledging psychopath in a nomological net. *Journal of Abnormal Psychology, 106*, 425-438.

– (1998). Early identification of the fledging psychopath : Locating the psychopathic child in he current nomenclature. *Journal of Abnormal Psychology, 107*, 566-575.

LYTTON, H. (1990). Child and parent effects in boys's conduct disorder : A reinterpretation. *Developmental Pychology, 26*, 683-697.

MARR, D. (1982). *Vision.* San Franscisco : Freeman.

MATALON, B. (1995). La méthode expérimentale. In M-C. Lambotte (Ed.). *La psychologie et ses méthodes*, (pp. 89-141). Paris : Éditions du Fallois, Collection Le Livre de Poche.

MCCORD, W. M. (1982). *The psychopath and milieu therapy : A longitudinal study.* New York : Academy Press.

MOFFITT, T., & LYNAM, D. (1994). The neuropsychology of conduct disorder and delinquency : Implications for understanding antisocial behavior. In D. C Fowles P., Sutker, & S.H. Goodman, *Progress in experimental personality and psychopathology research. Special focus on psychopathy and antisocial personality : A developmental perspective* (233-262). New-York : Springer Publishing Company.

NEWMAN, J. P. (1998). Psychopathic behavior : An information processing perspective. In D. J. Cooke, A. E. Forth, & R. D. Hare (Eds.), *Psychopathy : Theory, Research and Implications for Society* (pp. 81-104). Dordrecht (Netherlands) : Kluwer Academic Publishers.

NEWMAN, J. P., & KOSSON, D. S. (1986). Passive avoidance learning in psychopathic and nonpsychopathic offenders. *Journal of Abnormal Psychology, 95*, 252-256.

NEWMAN, J. P., SCHMITT, W. A., & VOSS, W. D. (1997). The impact of motivationally neutral cues on psychopathic individuals : Assessing the generality of the response modulation hypothesis. *Journal of Abnormal Psychology, 106*, 563-575.

OGLOFF, J. R. P., & LYON, D. R. (1998). Legal issues associated with the concept of psychopathy. In D. J Cooke, A.E. Forth, & R.D. Hare (Eds), *Psychopathy : Theory, research and implications for society* (pp. 401-422). Dordrecht, Netherlands : Kluwer Academic Publishers.

OGLOFF, J. R. P., WONG, S., & GREENWOOD, A. (1990). Treating criminal psychopaths in a therapeutic community program. *Behavioral Sciences and the Law, 8*, 181-190.

PALMER, T. (1994). *A profile of correctional effectiveness and new directions for research.* Albany (NY) : State University of New York Press.

PATRICK, C. J. (1994). Emotion and psychopathy : Startling new insight. *Psychophysiology, 31*, 319-330.

PATRICK, C. J., CUTHBERT, B., & LANG, P. J. (1994). Emotion in the criminal psychopath : Fear image processing. *Journal of Abnormal Psychology, 103*, 523-534.

PATTON, J.H., STANDFORD, M.S., & BARRATT, E.S. (1995). Factor structure of the Barratt impulsiveness scale. *Journal of Clinical Psychology, 51*, 768-774.

PHAM, T. H. (1995). *Psychopathie et emotions.* Thèse de doctorat non publiée, Université Catholique de Louvain, Louvain-la-Neuve, Belgique.

– (1998). Évaluation psychométrique du questionnaire de la psychopathie de Hare auprès d'une population carcérale belge. *L'Encéphale, XXIV*, 435-441.

PHAM, T., REMY, S., DAILLIET, A., & LIENARD, L. (1998). Psychopathie et évaluation des comportements violents en milieu psychiatrique de sécurité. *L'Encéphale, XXIV*, 173-179.

PHAM, T. H., & RIMÉ, B. (1994). Psychopathy and emotions words : Response latencies and categorization. *Paper presented at the Annual meeting of the belgian psychological society*, Department of psychology, Université de Liège.

PIAGET, J. (1970). *Épistémologie des sciences de l'homme.* Paris : Gallimard.

QUAY, H. C. (1987). Institutional treatment. In H.C. Quay (Ed.), *Handbook of juvenile delinquency* (pp. 244-265). Toronto : Wiley.

QUINSEY, V. L., RICE, M. E., & HARRIS, G. T. (1995). Actuarial prediction of sexual recidism. *Journal of Interpersonal Violence, 10,* 85-105.

RASMUSSEN, K., & Levander, S. (1996). Symptoms and personality characteristics of patients in a maximum security psychiatric unit. *International Journal of Law and Psychiatry, 19*, 27-37.

REBER, A. S. (1985). *The Penguin dictionary of psychology.* Markham (Ontario, Canada) : Penguin Books.

RICE, M. E., & HARRIS, G. T. (1992). A comparison of criminal recidivism among schizophrenic and nonschizophrenic offenders. *International Journal of Law and Psychiatry, 15*, 397-408.

RICE, M. E., & HARRIS, G. T. (1995). Psychopathy, schizophrenia, alcohol abuse, and violent recidivism. *International Journal of Law and Psychiatry, 18*, 333-342.

– (1997). Cross-validation and extension of the Violence Risk Appraisal Guide for child molesters and rapists. *Law and Human Behavior, 21*, 231-241.

RICE, M. E., HARRIS, G. T., & CORMIER, C. A. (1992). An evaluation of a maximum security therapeutic community for psychopaths and other mentally disordered offenders. *Law and Human Behavior, 16*, 399-412.

RICE, M. E., HARRIS, G. T., & QUINSEY, V. L. (1990). A follow-up of rapists assessed in a maximum-security psychiatric facility. *Journal of Interpersonal Violence, 5*, 435-448.

ROBINSON, D. (1996). Facteurs qui contribuent à l'efficacité du programme de développement des aptitudes cognitives. *Forum : Recherche Sur L'Actualité Correctionnelle, 8 (3)*, 6-9.

ROSS, D. (1992). *The predictive validity of the French Psychopathy Checklist : Male inmates on parole.* Montréal : Unpublished Master's thesis, Université de Montréal, Montréal, Canada.

ROUSSY, S. (1999). *Psychopathie, désinhibition comportemental et traitement atypique des émotions négatives.* Thèse de doctorat non publiée, Université de Montréal, Montréal, Canada.

ROUSSY, S., & TOUPIN, J. (2000). Orbitofrontal/ventromedial deficits in juvenile psychopaths. *Aggressive Behavior, 26.*

SERIN, R. C. (1996). Violent recidivism in criminal psychopaths. *Law and Human Behavior, 20,* 207-217.

SERIN, R. C., & AMOS, N. L. (1995). The role of psychopathy in the assessment of dangerousness. *International Journal of Law and Psychiatry, 18,* 231-238.

SERIN, R. C., PETERS, R. D., & BARBAREE, H. E. (1990). Predictors of psychopathy and release outcome in a criminal population. *Journal of Consulting and Clinical Psychology : Psychological Assessment, 2,* 419-422.

SERON, X. (1993). *La neuropsychologie cognitive.* Paris : Presses Universitaires de France.

STONE, M. (1995). Psychotherapy in patients with impulsive aggression. In E. Hollander, & D. Stein (Eds.), *Impulsivity and aggression* (pp. 313-331). Toronto : Wiley.

TINSLEY, H. E. A., & WEISS, D. J. (1983). Interrater reliability and agreement of subjective judgments. *Journal of Counseling Psychology, 22,* 358-376.

TREMBLAY, É. (1998). *Validité de prédiction en milieu francophone du Hare Psychopathy Checklist.* Mémoire de maîtrise non publié, Université du Québec à Trois-Rivières, Trois-Rivières, Canada.

VITARO, F., DOBKIN, P. L., GAGNON, C., & LEBLANC, M. (1994). *Les problèmes d'adaptation psychosociale chez l'enfant et l'adolescent : Prévalence, déterminants et prévention.* Sainte-Foy (Québec) : Presses de l'Université du Québec.

WARREN, F. (1994). What do we mean by a « therapeutic community » for offenders ? Commentary on papers by Harris et al. and Cullen. *Therapeutic Communities : International Journal for Therapeutic and Supportive Organizations, 15,* 312-318.

WERTHEIMER, M. C. (1972). *Fundamental issues in psychology.* Toronto : Holt, Rinehart and Winston.

WHITE, J.L., MOFFITTT, T. E, CASPI, A., BARTUSH, D.J., NEEDLES, D.J., & STOUTHAMER-LOEBER, M. (1994). Measuring impulsivity and examining its relationship to delinquency. *Journal of Abnormal Psychology, 103,* 192-205.

WIDIGER, T. A. (1998). Psychopathy and normal personality. In D. J. Cooke, A. Forth, & R.D. Hare (Eds), *Psychopathy : Theory, Research and Implications for Society* (pp. 47-68). Dortrecht, The Netherlands : Kluwer.

WIDIGER, T. A., & CORBITT, E. M. (1995). Antisocial personality disorder. In W. J. Livesley (Ed), *The DSM-IV personality disorder* (pp. 103-126). New York : Guilford.

WILLIAMSON, S., HARPUR, T. J., & HARE, R. D. (1991). Abnormal processing of emotional words by psychopaths. *Psychophysiology, 28,* 260-273.

WONG. S. (1984). *The criminal and institutional behaviours of psychopaths.* Ottawa, Ontario : Ministry of the Solicitor General of Canada, Research Division.

– (1988). Is Hare's Psychopathy Checklist reliable without the interview ? *Psychological Reports, 62,* 931-934.

– (1996). Recidivism and criminal career profiles of psychopaths : A longitudinal study. In D. J. Cooke, A. E. Forth, J. Newman, & R. D. Hare (Eds), *Issues in criminological and legal psychology : No. 24. International perspectives on psychopathy* (pp. 147-152). Leicester, UK : British Psychological Society.

Conclusion

THIERRY HOANG PHAM & GILLES CÔTÉ

Jusqu'à récemment, la recherche sur la psychopathie a été limitée par l'établissement de diagnostics vagues, non spécifiques, variables. La psychopathie est maintenant définie de façon opérationnelle. Les caractéristiques psychométriques des 20 items de la PCL-R rencontrent les critères de fidélité et de validité requis par la littérature scientifique. Ces items s'inscrivent dans la lignée historique de ce que la majorité des auteurs ont tenté de définir depuis près de 200 ans (voir chapitre 1). Cette définition opérationnelle permet de cerner une entité clinique qui, par rapport à d'autres troubles cliniques, présente des spécificités cognitives, émotionnelles et comportementales. Cette définition offre des avantages indéniables sur le plan de la nosologie et permet de dresser un diagnostic différentiel précis ; elle s'éloigne d'une conception moraliste liée aux conséquences antisociales.

Cependant, si les items de la PCL-R permettent aux cliniciens de s'entendre sur le diagnostic de psychopathie, ils ne débouchent pas sur une compréhension des processus sous-jacents. Cette compréhension constitue pourtant une étape essentielle à toute démarche clinique. Par conséquent, la recherche future devra nécessairement intégrer les limites méthodologiques et conceptuelles de la PCL-R afin de dégager des facteurs étiologiques distincts et pertinents associés à la psychopathie. Aussi, paraît-il essentiel d'envisager des interactions entre ces facteurs étiologiques qui relèveraient tant des domaines de l'hérédité que de l'environnement. Ces interactions permettent d'éviter une description simpliste et réductrice de l'étiologie du trouble qui constitue sans doute la résultante de déficits subtils.

L'accumulation des connaissances dans le domaine de la psychopathie incite à réfléchir sur le statut épistémologique des résultats expérimentaux (neuropsychologiques, psychophysiologiques, comportementaux, ou subjectifs) liés à la PCL-R. Cette réflexion évite l'écueil d'un prosélytisme sans nuance et limite les risques d'une explication causale simplificatrice de ces résultats.

Le principal axe méthodologique abordé avec la PCL-R est sans nul doute celui de la recherche comparative et de la démarche expérimentale. Cet axe de recherche n'est cependant pas incompatible avec la méthode d'études de cas couramment rencontrées dans la littérature européenne francophone. Ces dernières ne peuvent que contribuer à spécifier davantage la définition de la psychopathie, sur le plan des diagnostics différentiels notamment. Par ailleurs, sur le plan de la recherche empirique, il a été souligné (voir les chapitres 4 et 5) que les analyses de données centrées sur les personnes en lieu de celles centrées sur les variables doivent être appliquées afin de dégager des particularités chez des sous groupes de sujets se démarquant particulièrement des autres.

Il a été souligné dans le cadre du chapitre 5 que la psychopathie constitue un syndrome rare, qui pourrait être la résultante de déficits subtils dans les champs émotionnel et cognitif. Or, aujourd'hui, les liens entre ces déficits nous échappent largement ; par conséquent, les aspects concrets de la prise en charge sont encore loin d'être perceptibles.

Enfin, les qualités psychométriques de la PCL-R, liées à la fidélité et la validité de prédiction, ont inspiré le développement d'instruments cliniques évaluant la dangerosité dans les champs de la violence de personnes atteintes d'un trouble mental [HCR-20, Violence Risk Appraisal Guide (VRAG)] et de la violence sexuelle (SVR-20). Cet enthousiasme pour les instruments d'évaluation du risque de comportements violents doit s'accompagner d'une réflexion sur les plans (1) des améliorations méthologiques à apporter ; (2) du statut épistémologique des résultats soulevés par ces instruments ; et enfin, (3) du respect des règles éthiques, souvent sujettes à glissements, lorsque la personne est oubliée pour faire face à des considérations purement actuarielles.

Table des matières

Préface 9
CLAUDE BALIER
Introduction 17
THIERRY. H. PHAM & GILLES CÔTÉ
Chapitre 1
Vers une définition de la psychopathie 21
GILLES CÔTÉ
Chapitre 2
Psychopathie: Prévalence et spécificité clinique 47
GILLES CÔTÉ, SHEILAGH HODGINS & JEAN TOUPIN
Chapitre 3
Psychopathie et comportements violents 75
GILLES CÔTÉ, SHEILAGH HODGINS,
JEAN TOUPIN & THIERRY. H. PHAM
Chapitre 4
Psychopathie et développement des conduites antisociales
de l'enfance à l'âge adulte 97
JEAN TOUPIN, SHEILAGH HODGINS & GILLES CÔTÉ
Chapitre 5
Revue critique des études expérimentales auprès de détenus adultes:
Précision du syndrome de la psychopathie 145
PAUL HALLÉ, SHEILAGH HODGINS & SYLVAN ROUSSY
Chapitre 6
Le traitement psychologique des sujets psychopathiques 183
THIERRY. H. PHAM
Chapitre 7
Etat des connaissances sur la psychopathie: Mise en perspective critique 205
GILLES CÔTÉ & THIERRY. H. PHAM
Conclusion 235
GILLES CÔTÉ & THIERRY. H. PHAM

OUVRAGE IMPRIMÉ ET FAÇONNÉ
PAR L'IMPRIMERIE CENTRALE DE L'ARTOIS
RUE STE MARGUERITE À ARRAS

DÉPOT LÉGAL 2e TRIMESTRE 2000